中国中药资源大典

资源大典

湖南卷

②

黄璐琦 / 总主编

张水寒 刘 浩 / 湖南卷主编

刘 浩 张代贵 / 主 编

北京科学技术出版社

图书在版编目（CIP）数据

中国中药资源大典. 湖南卷. 2 / 刘浩，张代贵主编.
北京：北京科学技术出版社, 2024. 6. -- ISBN 978-7
-5714-3755-8

Ⅰ. R281.4

中国国家版本馆CIP数据核字第20240VZ092号

责任编辑： 侍 伟 李兆弟 尤竞爽 王治华 吕 慧 庞璐璐 刘 雪
责任校对： 贾 荣
图文制作： 樊润琴
责任印制： 李 茗
出 版 人： 曾庆宇
出版发行： 北京科学技术出版社
社　　址： 北京西直门南大街16号
邮政编码： 100035
电　　话： 0086-10-66135495（总编室）　 0086-10-66113227（发行部）
网　　址： www.bkydw.cn
印　　刷： 北京博海升彩色印刷有限公司
开　　本： 889 mm×1 194 mm　　1/16
字　　数： 948千字
印　　张： 42.75
版　　次： 2024年6月第1版
印　　次： 2024年6月第1次印刷
审 图 号： GS京（2023）1758号
ISBN 978-7-5714-3755-8

定　　价： 490.00元

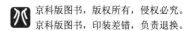

《中国中药资源大典·湖南卷》

编写委员会

总　主　编　黄璐琦

顾　　问　邵湘宁　郭子华　肖文明　蔡光先　谭达全　秦裕辉　葛金文

主　　编　张水寒　刘　浩

技术牵头单位　湖南省中医药研究院

普查队依托单位（按拼音排序）

安化县中医医院	安仁县中医医院
安乡县中医医院	保靖县中医院
茶陵县中医医院	长沙市中医医院
长沙县中医医院	常德市第二中医医院
常德市第一中医医院	常宁市中医医院
郴州市中医医院	辰溪县中医医院
城步苗族自治县中医医院	慈利县中医医院
道县中医医院	东安县中医医院
洞口县中医医院	凤凰县民族中医院
古丈县中医医院	桂东县中医医院
桂阳县中医医院	汉寿县中医医院
赫山区中医医院	衡东县中医医院
衡南县中医医院	衡山县中医医院
衡阳市中医医院	衡阳市中医正骨医院
衡阳县中医医院	洪江市第一中医医院
湖南省直中医医院	湖南医药学院
湖湘中医肿瘤医院	华容县中医医院
花垣县民族中医院	会同县中医医院

嘉禾县中医医院	江华瑶族自治县民族中医医院
江永县中医院	津市市中医医院
靖州苗族侗族自治县中医医院	蓝山县中医医院
耒阳市中医医院	冷水江市中医医院
澧县中医医院	醴陵市中医院
涟源市中医医院	临澧县中医医院
临武县中医医院	临湘市中医医院
零陵区中医医院	浏阳市中医医院
龙山县中医院	隆回县中医医院
娄底市中医医院	泸溪县民族中医院
渌口区淦田镇中心卫生院	麻阳苗族自治县中医医院
汨罗市中医医院	南县中医医院
宁乡市中医医院	宁远县中医医院
平江县中医医院	祁东县中医医院
祁阳市中医医院	汝城县中医医院
桑植县民族中医院	邵东市中医医院
邵阳市中西医结合医院	邵阳市中医医院
邵阳县中医医院	韶山市人民医院
石门县中医医院	双峰县中医医院
双牌县中医医院	绥宁县中医医院
桃江县中医医院	桃源县中医医院
通道侗族自治县民族中医医院	望城区人民医院
武冈市中医医院	湘潭市中医医院
湘潭县中医医院	湘乡市中医医院
湘阴县中医医院	新化县中医医院
新晃侗族自治县中医医院	新宁县中医医院
新邵县中医医院	新田县中医医院

溆浦县中医医院　　　　　　炎陵县中医医院

宜章县中医医院　　　　　　益阳市中医医院

永顺县中医院　　　　　　　永兴县中医医院

永州市中医医院　　　　　　攸县中医院

沅江市中医医院　　　　　　沅陵县中医医院

岳阳市中医医院　　　　　　岳阳县中医医院

云溪区中医医院　　　　　　张家界市中医医院

芷江侗族自治县中医医院　　资兴市中医医院

主编简介

>> **张水寒**

二级研究员，博士研究生导师。享受国务院政府特殊津贴专家、享受湖南省政府特殊津贴专家、湖南省卫生健康高层次人才医学学科领军人才，入选国家"百千万人才工程"，并被授予"有突出贡献中青年专家"荣誉称号。主要从事中药资源、中药制剂及中药质量标准方面的研究。

近10年来，主持和参与"重大新药创制"、国家自然科学基金、"十二五"国家科技支撑计划等20余项课题。获得新药证书12项、药物临床批件22项、国家发明专利13项。发表学术论文200余篇，其中以第一作者和通讯作者发表SCI论文30余篇，编写专著7部。获得国家科学技术进步奖二等奖1项、省部级奖励5项。

2011年以来，担任湖南省第四次全国中药资源普查技术总负责人、湖南省中药资源动态监测省级中心主任，主持建立"技术分层、突出量化、严把质控"的中药资源普查组织管理与技术保障模式；开展重点品种研究示范，大力推动普查成果转化、应用。

主编简介

>> 刘 浩

副研究员。湖南省中医药研究院中药资源研究所中药资源与鉴定研究室主任。主要从事中药资源、中药鉴定与本草学研究。

历任湖南省中药资源普查工作领导小组办公室成员、专家委员会委员、专家委员会办公室副主任，负责湖南省第四次全国中药资源普查组织管理与技术保障工作的具体实施，采集、鉴定普查标本近 10 万号，参与建成湖南省中药资源数据库、药用植物标本馆，熟悉湖南省中药资源基本情况及道地药材传承与发展的情况，编制省级、县级中药材产业发展规划 10 余份。2014 年起任湖南省中药资源动态监测省级中心秘书，参与建成"一个中心，三个监测站，百个监测点"的湖南省中药资源动态监测与技术服务体系。

《中国中药资源大典·湖南卷2》
编写委员会

主　　编　刘　浩　张代贵

副 主 编　李足意　尹玲桃　何　杰　何毓彬　金　剑

编　　委　（按姓氏笔画排序）

王作平（张家界市中医医院）

王建华（宁乡市中医医院）

尹玲桃（娄底市中医医院）

刘　浩（湖南省中医药研究院）

李足意（浏阳市中医医院）

何　杰（宁乡市中医医院）

何毓彬（汝城县中医医院）

余佳丽（张家界市中医医院）

沈冰冰（湖南省中医药研究院）

张万祥（湖南省直中医医院）

张代贵（吉首大学）

陈姿延（湖南省中医药研究院）

罗　启（湖南省中医药研究院）

金　剑（湖南省中医药研究院）

周融融（湖南省中医药研究院附属医院）

钟　灿（湖南省中医药研究院）

秦　优（湖南省中医药研究院）

唐雪阳（湖南省中医药研究院）

谢　景（湖南省中医药研究院）

廖　飞（临武县中医医院）

镇兰萍（湖南省中医药研究院）

序 言

　　中药资源是中医药事业和产业发展的重要物质基础。随着中医药事业和产业蓬勃发展，社会各界对中药资源的需求量逐渐增加。为摸清中药资源家底，科学制定中药资源保护和产业发展政策措施，国家中医药管理局组织实施了第四次全国中药资源普查，对促进中药资源可持续利用、助力健康中国行动的实施和区域社会经济发展做出了重要贡献。

　　湖南地处云贵高原向江南丘陵、南岭山脉向江汉平原过渡的地带，属大陆性亚热带季风湿润气候区，独特的地理环境孕育了丰富的中药资源。锦绣潇湘，物华天宝，人杰地灵。湖南省作为首批6个中药资源普查试点省区之一，由湖南省中医药研究院作为技术牵头单位，组织全省技术人员队伍，出色地完成了湖南第四次中药资源普查工作任务。

　　张水寒和刘浩两位"伙计"基于湖南中药资源普查获得的第一手调查资料，系统整理分析、总结普查成果，牵头主编了《中国中药资源大典·湖南卷》。该书既有湖南自然社会概况、中药资源种类等总体情况介绍，又有湖南特色中药资源的历史源流与生产现状阐述，还对4 196种中药资源的基本情况进行详细介绍。该书可作为认识和了解湖南中药资源的工具书，具有重要的学术价值和应用价值。希望该书的出版，能助力湖南中药产业高质量发展，为中药资源的可持续发展、优化中药产业布局、促进学术交流和科学研究起到积极推动作用。

付梓之际，欣然为序。

中国工程院院士
中国中医科学院院长
第四次全国中药资源普查技术指导专家组组长
黄璐琦

2024 年 4 月

前言

　　湖南地处云贵高原向江南丘陵过渡、南岭山脉向江汉平原过渡的中亚热带，位于东经 108° 47′～114° 15′、北纬 24° 38′～30° 08′。东以幕阜、武功诸山系与江西交界，西以云贵高原东缘连贵州，西北以武陵山脉毗邻重庆，南枕南岭与广东、广西相邻，北以滨湖平原与湖北接壤，形成了东、南、西三面环山，中部丘岗起伏，北部湖盆平原展开的马蹄形地形。湖南有半高山、低山、丘陵、岗地和平原等多种地貌类型，其中山地面积占全省总面积的 51.22%。湖南位于长江以南的东亚季风区，加之离海洋较远，形成了气候温暖、四季分明、热量充足、雨水集中、春温多变、夏秋多旱、严寒期短、暑热期长、雨热同期的亚热带季风湿润气候。湖南为华东、华中、华南、滇黔桂 4 个植物区系的过渡地带，其境内植物具有较明显的东西、南北过渡性。地带性植被为常绿阔叶林，地带性土壤为红壤。湖南亚热带季风的大气候与复杂地势地貌的小环境，共同孕育了丰富的中药资源。

　　湖南历史文化悠久，是华夏文明的重要发祥地之一。道县玉蟾岩遗址出土了世界上现存最早的人工栽培稻标本，距今 1.2 万年。澧县城头山古文化遗址被称为"中国最早的城市"，距今约 6 000 年。宋代罗泌《路史》载炎帝"崩，葬长沙茶乡之尾……唐世尝奉祀焉"。《古今图书集成·衡州府古迹考》载："炎帝神农氏陵，在酃之康乐乡。""康乐乡"即今株洲市炎陵县鹿原镇。长沙马王堆汉墓出土的 16 部医书涉及方剂学、脉学、经络学等多门学科，代表了我国先秦时期的医药成就，其中《五十二病方》是我国现存最早的方书。

湖南中药资源的研究与应用历史悠久。马王堆汉墓出土的药材有桂皮、花椒、干姜、藁本、佩兰、辛夷、牡蛎、朱砂等，出土医书中的中药名共406个。《新唐书·地理志》载："岳州巴陵郡贡鳖甲，潭州长沙郡贡木瓜，永州零陵郡贡零陵香、石蜜、石燕，道州江华郡贡零陵香、犀角，辰州泸溪郡贡光明砂、犀角、水银、黄连、黄牙……锦州卢阳郡贡光明丹砂、犀角、水银。"唐代柳宗元《捕蛇者说》云："永州之野产异蛇，黑质而白章。"此即常用中药蕲蛇。宋代苏颂等编撰的《本草图经》，实际上是继《新修本草》后本草史上第二次全国药物普查的成果，集中反映了宋代实际的药物出产与使用情况，该书收载了当时湖南境内8州的28幅药图，包括辰州丹砂、道州石钟乳、道州滑石、道州石南、永州石燕、衡州菖蒲、衡州玄参、衡州栝楼、衡州地榆、衡州百部、衡州马鞭草、衡州五加皮、衡州乌药、澧州莎草、邵州苦参、邵州天麻、邵州乌头、鼎州茅根、鼎州连翘、鼎州地芙蓉、鼎州水麻、岳州假苏、岳州薄荷等。清代吴其濬所著《植物名实图考》收载的湖南药用植物达267种。明清之际，湖南各府县广泛修著地方志，并在"物产"中记载本地所产药材，如清道光《宝庆府志》（1849）与光绪《邵阳县志》（1876）均记载："百合，邵阳出者特大而肥美。"清末《邵阳县乡土志》（1907）载："玉竹参一名葳蕤，又名女萎，近谷皮洞多产此。"并载邵阳常见中药材尚有黄精、香附子、金樱子、栀子、金银花、桑白皮、厚朴、丹皮、天花粉、天南星、何首乌、前胡、桔梗、牛膝、五倍子、络石藤、吴茱萸、木通、车前草、香薷、木鳖子等。

中华人民共和国成立以来，党和政府高度重视中医药的传承与发展。湖南先后开展了4次全省范围的中药资源调查工作，掌握了全省中药资源的种类、分布、产量与民间药用情况的本底资料。20世纪50年代末，湖南开展了"群众性的中医采风运动"，全省献方达数十万个，湖南中医药研究所（1957年创办，1962年更名为湖南省中医药研究所，1984年更名为湖南省中医药研究院）组织专家对献方进行了研究，为各地挖掘使用中药资源奠定了坚实的基础。20世纪60—70年代，湖南开始兴起中草药群众运动。为了更好地开展中草药群众运动，湖南省中医药研究所对基层医疗工作者、赤脚医生、老药农、老草医与地方卫生局、药品检验所、医药公司提供的大量标本和资料进行了整理与鉴定，系统地梳理了这一时期湖南中药资源的种类和应用情况。1962年，湖南省中医药研究所出版了《湖南药物志（第一辑）》，该书收载药用植物 417 种。1972 年，《湖南药物志（第二辑）》出版，收载药用植物 406 种。1979 年，《湖南药物志（第三辑）》出版，收载药用植物 341 种。20 世纪 80 年代，湖南第三次中药资源普查正式开始，此次普查共采集植物、动物、矿物标本 298 785 份，拍摄照片 13 457 张，调查到全省中药资源种类 2 384 种，其中植物药 2 077 种，动物药 256 种，矿物药 51 种；全国重点调查的 363 种药材中，湖南产 241 种；测算全省植物药蕴藏量 107.8 万 t，动物药蕴藏量 1 306 t，矿物药蕴藏量 1 147 万 t；共收集单验方 25 355 个，经各地（州、市）筛选汇编的有 8 000 多个，经名老中医严格审查选用的有 2 400 余个，这 2 400 余个单验方编成了《湖南省中草药民间单验方选编》。

2011 年，第四次全国中药资源普查试点工作启动。湖南作为首批 6 个试点省区之一率先启动普查工作，历时 11 年，先后分 6 批，进行了全省 122 个县级行政区域的中药资源普查工作。湖南本次普查共调查代表区域 550 个，代表区域总面积 149 101.03 km^2；调查样地 4 598 个，样方套 22 904 个；采集腊叶标本 116 443 号、药材样品 10 204 份、种质资源 5 913 份；调查传统知识 1 252 份；拍摄照片 1 519 340 张；计算蕴藏量的种类 584 种；调查栽培品种 160 种、市场流通中药材 479 种；调查数据约 210 万条。本次普查全面掌握了湖南中药资源种类与分布、重点品种的资源量、中药材市场流通等信息，为湖南中医药事业、产业发展提供了科学依据。

湖南第四次中药资源普查为适应时代发展需求，创新应用了大量现代技术，提高了工作效率，保障了数据的完整性、一致性、准确性和实用性。通过引入空间信息技术与分层抽样方法设置的调查区域与样地更具代表性，从而使资源蕴藏量的估算更加科学。野外调查中应用 GPS、数码相机、信息采集软件等获取经度、纬度、海拔等信息化数据，搭建了信息化工作平台。湖南在约 210 万条数据的基础上建成了湖南省中药资源数据库，实现了全省中药资源数据的长久保存、可视查询、成果转化和共享服务。本书中的基原图片、资源分布等内容充分利用了数据库的查询、统计功能，湖南省最新中药资源区划也利用了普查数据，全省被划分为湘西北武陵山中药资源区、湘西南雪峰山中药资源区、湘南南岭北部中药资源区、湘中湘东丘陵中药资源区、洞庭湖及环湖丘岗中药资源区 5 个中药资源分区。

编著一套图文并茂、系统全面反映湖南中药资源家底的著作是普查工作的重要组成部分。2021 年，湖南第四次中药资源普查进入收尾阶段，我们组织专家对《中国中药资源大典·湖南卷》的编写体例、资源名录、图片整理及分工安排进行了多轮讨论，最后形成了编写工作方案。野外工作得到的一手数据，是我们编著本书的关键素材，书中的图片来源于野外拍摄，分布信息来源于凭证标本的采集地点，资源蕴藏量信息来源于实际调查，因此，本书充分体现了湖南第四次中药资源普查的全方位成果。

第四次全国中药资源普查技术指导专家组组长黄璐琦院士多次带领普查专家组莅临湖南指导普查工作。湖南省委、省政府高度重视中药资源普查工作；湖南省中医药管理局作为普查组织实施单位，构建了符合湖南实际情况的普查组织模式；湖南省中医药研究院作为技术牵头单位，组织成立了专家委员会，指导全省普查工作。在各方的共同努力下，湖南顺利完成了第四次中药资源普查工作。我们向支持普查工作的社会各界表示由衷的感谢，向奋战在普查一线的"伙计们"致以诚挚的敬意！

普查的大量数据是我们编著本书的优势，同时也为整理图片、撰写文稿带来了巨大的挑战，加之编者学术水平有限，书中难免存在资料取舍失当及错漏之处，敬请有关专家、学者批评指正。

编　者

2024 年 4 月

凡 例

（1）本书共14册，分为上、中、下篇。上篇综述了湖南自然社会概况、中药资源调查历史、第四次中药资源普查情况、中药资源分布；中篇论述了34种湖南道地、大宗中药资源；下篇共收录中药资源4196种，其中药用菌类资源36种、药用植物资源3799种、药用动物资源315种、药用矿物资源46种。另外，附录中收录药用资源305种。

（2）分类系统。菌类参考Index Fungorum最新的分类学研究成果。蕨类植物采用秦仁昌分类系统（1978）。裸子植物采用郑万钧分类系统（1978）。被子植物采用恩格勒系统（1964）。

（3）本书下篇主要介绍各中药资源，以中药资源名为条目名，下设药材名、形态特征、生境分布、资源情况、采收加工、药材性状、功能主治、用法用量及附注等，其中采收加工、药材性状、用法用量为非必要项，资料不详者项目从略。各项目编写原则简述如下。

1）条目名。该项记述中药资源物种及其科属的中文名、拉丁学名。其中蕨类植物、裸子植物、被子植物的名称主要参考《中国植物志》，藻类、动物、矿物的名称主要参考《中华本草》。

2）药材名。该项记述中药资源的药材名、药用部位与药材别名。凡《中华人民共和国药典》等法定标准收载者，原则上采用法定药材名；法定标准未收载者，主要参考《中华本草》《全国中草药名鉴》《中国中药资源志要》。药材别名记载湖南各地乡村中医、草医及民间习惯用名。

3）形态特征。该项简要描述中药资源的形态特征，突出鉴别特征。主要参考《中国植物志》，并结合普查实际所获取的信息进行描述。

4）生境分布。该项记述中药资源在湖南的生存环境与分布区域。生存环境主要源于凭证标本的生境，并参考相关志书的描述。分布区域源于凭证标本的采集地，以"地市级行政区划（县级行政区划）"的形式进行描述。在湖南五大中药资源分区中皆有分布且凭证标本超过20号者，记述为"湖南各地均有分布"。

5）资源情况。该项记述中药资源的蕴藏量情况，用丰富、较丰富、一般、较少、稀少来表示；并用"野生"或"栽培"记述药材的主要来源。

6）采收加工。该项记述药材的采收时间与加工方法。

7）药材性状。该项主要记述药材的性状特征、品质评价等内容。

8）功能主治。该项记述药材的性味、毒性、归经、功能和主治。

9）附注。该项记述中药资源最新的分类学地位与接受名的变动情况；记述《中华人民共和国药典》与地方标准收载的物种学名；描述物种的濒危等级、其他医药相关用途，以及本草、地方志书中的资源方面的记载情况等。

（4）附录。以名录形式收载中篇、下篇没有收载的湖南分布的中药资源。

目 录
Contents

蕨类植物

瓶尔小草科 Ophioglossaceae 瓶尔小草属 Ophioglossum

心脏叶瓶尔小草 *Ophioglossum reticulatum* L.

| 药 材 名 |

一支箭（药用部位：带根全草。别名：青藤、蛇咬子、小青藤）。

| 形态特征 |

根茎短细，直立，有少数粗长的肉质根。总叶柄长 4 ~ 8 cm，淡绿色，向基部为灰白色，营养叶片长 3 ~ 4 cm，宽 2.6 ~ 3.5 cm，为卵形或卵圆形，先端圆或近钝头，基部深心形，有短柄，边缘多少呈波状，草质，网状脉明显。孢子叶自营养叶柄的基部生出，长 10 ~ 15 cm，细长，孢子囊穗长 3 ~ 3.5 cm，纤细。

| 生境分布 |

生于密林下。分布于湖南常德（石门）等。

| 资源情况 |

野生资源稀少。药材来源于野生。

| 采收加工 |

春、夏季采挖，去除泥土，洗净，晒干或鲜用。

| 功能主治 |

苦、甘，微寒。归肝经。清热解毒，活血祛

瘀。用于痈肿疮毒，疥疮，毒蛇咬伤，烫火伤，瘀滞腹痛，跌打损伤。

| **用法用量** | 内服煎汤，15 ～ 30 g。外用适量，鲜品捣敷；或煎汤洗；或研末调敷。

瓶尔小草科 Ophioglossaceae 瓶尔小草属 Ophioglossum

狭叶瓶尔小草 *Ophioglossum thermale* Kom.

|药材名|

一支箭（药用部位：带根全草）。

|形态特征|

根茎细短，直立，有一簇细长不分枝的肉质根，向四面横走如匍匐茎，在先端发生新植物。叶单生或 2 ~ 3 叶同自根部生出，总叶柄长 3 ~ 6 cm，纤细，绿色或下部埋于土中呈灰白色；营养叶为单叶，每梗 1，无柄，长 2 ~ 5 cm，宽 3 ~ 10 mm，倒披针形或长圆状倒披针形，向基部为狭楔形，全缘，先端微尖或稍钝，草质，淡绿色，具不明显的网状脉，但在光下则明晰可见。孢子叶自营养叶的基部生出，柄长 5 ~ 7 cm，高出营养叶，孢子囊穗长 2 ~ 3 cm，狭线形，先端尖，由 15 ~ 28 对孢子囊组成。孢子灰白色，近平滑。

|生境分布|

生于山地草坡上或温泉附近。分布于湖南湘西州（保靖）等。

|资源情况|

野生资源稀少。药材来源于野生。

| 采收加工 | 春、夏季采挖，去除泥土，洗净，晒干或鲜用。

| 药材性状 | 本品总叶柄长 3 ~ 6 cm。营养叶倒披针形或长圆状倒披针形，长 2 ~ 5 cm，宽 0.3 ~ 1 cm，先端渐尖，基部渐狭，无柄，草质，网脉不明显。

| 功能主治 | 苦、甘，微寒。归肝经。清热解毒，活血祛瘀。用于痈肿疮毒，疥疮，毒蛇咬伤，烫火伤，瘀滞腹痛，跌打损伤。

| 用法用量 | 内服煎汤，15 ~ 30 g。外用适量，鲜品捣敷；或煎汤洗；或研末调敷。

瓶尔小草 *Ophioglossum vulgatum* L.

| 药 材 名 |

瓶尔小草（药用部位：全草）。

| 形态特征 |

多年生草本。根茎短而直立，具1簇肉质粗根。根匍匐横走。叶通常单生，总叶柄长6～9 cm，深埋土中，下半部灰白色，较粗大；营养叶卵状长圆形或狭卵形，长4～6 cm，宽1.5～2.4 cm，先端钝圆或急尖，基部急剧变狭并稍下延，无柄，微肉质至草质，全缘，网状脉明显；孢子叶长9～18 cm或更长，自营养叶基部生出。孢子穗长2.5～3.5 cm，宽约2 mm，先端尖，远超出营养叶。

| 生境分布 |

生于海拔350～1 800 m的林下潮湿草地、灌木林中或田边。分布于湖南邵阳（大祥）、益阳（赫山）等。

| 资源情况 |

野生资源稀少。药材来源于野生。

| 采收加工 |

夏、秋季采收，洗净，鲜用或晒干。

| **药材性状** | 本品呈卷缩状。根茎短。根多数，肉质，具纵沟，深棕色。叶常单生，总叶柄长 6 ~ 9 cm。营养叶从总柄基部以上 6 ~ 9 cm 处生出，皱缩，展开后呈卵状长圆形或狭卵形，长 3 ~ 6 cm，宽 1.5 ~ 2.4 cm，先端钝或稍急尖，基部楔形下延，微肉质，两面均淡褐黄色，叶脉网状；孢子叶线形，自总叶柄先端生出。孢子囊穗长 2.5 ~ 3.5 cm，先端尖，孢子囊排成 2 列，无柄。质柔韧，不易折断。气微，味淡。

| **功能主治** | 甘，微寒。归肺、胃经。清热凉血，镇痛，解毒。用于肺热咳嗽，劳伤吐血，肺痈，胃痛，淋浊，痈肿疮毒，蛇虫咬伤，跌打损伤，小儿高热惊风，目赤肿痛。

| **用法用量** | 内服煎汤，10 ~ 15 g；或研末，3 g。外用适量，鲜品捣敷。

观音座莲科 Ophioglossaceae 观音座莲属 Angiopteris

福建观音座莲 *Angiopteris fokiensis* Hieron.

| 药 材 名 | 马蹄蕨（药用部位：根茎）。

| 形态特征 | 多年生草本，高 1.5 m 以上。根茎块状，直立，下面簇生圆柱状的粗根。叶柄粗壮，肉质而多汁，长约 50 cm，直径 1 ~ 2.5 cm；叶片宽广，长、宽均超过 60 cm，二回羽状，羽片 5 ~ 7 对，互生，长 50 ~ 60 cm，宽 14 ~ 18 cm，狭长圆形，基部不变狭，羽柄长 2 ~ 4 cm，奇数羽状；小羽片 35 ~ 40 对，对生或互生，平展，上部的稍斜向上，具短柄，披针形，先端具渐尖头，基部近截形或几圆形，顶部向上微弯，下部小羽片较短，近基部的小羽片长 3 cm 或更长，顶生小羽片分离，有柄，和下面的小羽片同形，边缘有规则的浅三角形锯齿；叶脉开展，在下面明显；叶草质，两面光滑。孢子囊群棕色，长圆形，长约 1 mm，距叶缘 0.5 ~ 1 mm，彼此接近，

由 8 ~ 10 孢子囊组成。

| **生境分布** | 生于林下溪边或阴湿的酸性土壤或岩石上。分布于湘南、湘西南等。

| **资源情况** | 野生资源一般。药材来源于野生。

| **采收加工** | 全年均可采收，洗净，去除须根，切片，鲜用或晒干。

| **功能主治** | 苦，凉。归心、肺经。清热凉血，祛瘀止血，镇痛安神。用于疟腮，痈肿疮毒，毒蛇咬伤，跌打肿痛，外伤出血，崩漏，乳痈，风湿痹痛，产后腹痛，心烦失眠。

| **用法用量** | 内服煎汤，10 ~ 30 g，鲜品 30 ~ 60 g；或研末，每次 3 g，每日 3 次。外用适量，鲜品捣敷；或干品磨汁涂；或研末撒敷。

紫萁

Osmunda japonica Thunb.

| 药 材 名 | 紫萁（药用部位：根茎）、老虎台衣（药用部位：幼叶上的细毛）。

| 形态特征 | 多年生草本，高 50 ～ 80 cm 或更高。根茎短粗，或呈短树干状而稍弯。叶簇生，直立；叶柄长 20 ～ 30 cm，禾秆色，幼时被密绒毛，不久毛脱落；叶片三角状广卵形，长 30 ～ 50 cm，宽 25 ～ 40 cm，顶部一回羽状，其下二回羽状，羽片 3 ～ 5 对，对生，长圆形，斜向上，奇数羽状，小羽片 5 ～ 9 对，对生或近对生，无柄，分离，长圆形或长圆状披针形，先端稍钝或急尖，向基部稍宽，圆形或近截形，相距 1.5 ～ 2 cm，向上部稍小，顶生小羽片有柄，基部有 1 ～ 2 合生的圆裂片或阔披针形的短裂片，边缘有均匀的细锯齿；叶脉在两面明显，自中肋斜向上，2 回分歧，小脉平行，达于锯齿；叶纸质，成长后光滑无毛；孢子叶（能育叶）与营养叶等高或稍高，羽片和

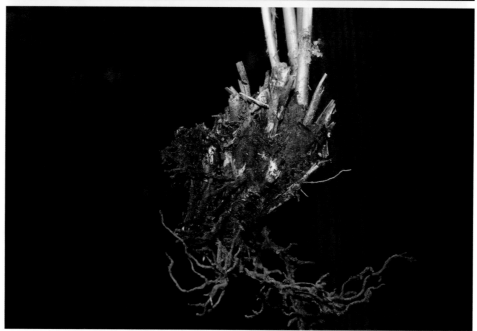

小羽片均短缩，小羽片线形，长 1.5 ~ 2 cm，背面沿中肋两侧密生孢子囊。

| **生境分布** | 生于林下或溪边的酸性土壤上。湖南有广泛分布。

| **资源情况** | 野生资源丰富。药材来源于野生。

| **采收加工** | **紫萁**：春、秋季采挖，洗净，晒干。
老虎台衣：幼叶初出时采集。

| **功能主治** | **紫萁**：苦，微寒。清热解毒，止血。用于痢疾，崩漏，带下。 |
| | **老虎台衣**：外用于创伤出血。 |

| **用法用量** | **紫萁**：内服煎汤，15 ~ 50 g。 |
| | **老虎台衣**：外用适量，研末敷。 |

紫萁科 Osmundaceae 紫萁属 Osmunda

华南紫萁
Osmunda vachellii Hook.

| 药 材 名 |

华南紫萁（药用部位：根茎及叶柄的髓部）。

| 形态特征 |

多年生草本，高达 1 m。根茎直立，粗肥，呈圆柱状。叶簇生于顶部，叶柄长 20 ~ 40 cm，直径超过 5 mm，棕禾秆色，略有光泽，坚硬；叶片长圆形，长 40 ~ 90 cm，宽 20 ~ 30 cm，一型，羽片为二型，一回羽状，羽片 15 ~ 20 对，近对生，斜向上，相距 2 cm，有短柄，以关节着生于叶轴上，长 15 ~ 20 cm，宽 1 ~ 1.5 cm，披针形或线状披针形，向两端渐变狭，先端具长渐尖头，基部狭楔形，下部的羽片较长，向顶部的羽片稍短，顶生小羽片有柄，全缘或向先端略为浅波状；叶脉粗健，在两面明显，2 回分歧，小脉平行，达叶边，叶边稍向下卷；叶厚纸质，两面光滑，略有光泽，干后绿色或黄绿色；下部数对（通常 3 ~ 4 对，多达 8 对）羽片能育，生孢子囊，羽片紧缩为线形，宽仅 4 mm，中肋两侧密生圆形、分开的孢子囊穗，孢子囊穗深棕色。

| 生境分布 |

生于草坡上和溪边树荫处的酸性土壤中。分

布于湘南、湘西北等。

| **资源情况** | 野生资源一般。药材来源于野生。

| **采收加工** | 全年均可采收，除去须根、绒毛，鲜用或晒干。

| **药材性状** | 本品根茎呈圆柱形，一端钝圆，另一端较尖，稍弯曲。外表黄棕色，其上密被叶柄残基及须根，无鳞片。气微，味微苦、涩。

| **功能主治** | 微苦、涩，平。归肺、肝、膀胱经。清热解毒，祛湿舒筋，驱虫。用于流行性感冒，痄腮，痈肿疮疖，带下，筋脉拘挛，胃痛，肠道寄生虫病。

| **用法用量** | 内服煎汤，30 ~ 60 g。外用适量，捣敷；或研末敷。

| **附　注** | 本种接受名为紫萁科 Osmundaceae 羽节紫萁属 *Plenasium* 华南羽节紫萁 *Plenasium vachellii* (Hook.) C. Presl。

分株紫萁

Osmunda cinnamomea L.

药材名

桂皮紫萁（药用部位：根茎。别名：紫萁、牛毛广东、贯众）。

形态特征

根茎短粗直立，或成粗肥圆柱状的主轴，先端有叶丛簇生。叶二型；不育叶的柄长30～40 cm，坚强，干后为淡棕色；叶片长40～60 cm，宽18～24 cm，长圆形或狭长圆形，具渐尖头，2回羽状深裂；羽片20对或更多，下部的羽片对生，平展，上部的羽片互生，向上斜，相距约2.5 cm，披针形，具渐尖头，长8～10 cm，宽1.8～2.4 cm，基部截形，无柄，羽状深裂几达羽轴；裂片约15对，长圆形，具圆头，长约1 cm，宽约5 mm，开展，密接，全缘。中脉明显，侧脉羽状，斜向上，每脉二叉分枝，纤细，两面可见，但并不很明显。叶为薄纸质，干后为黄绿色，幼时密被灰棕色绒毛，成长后变光滑。孢子叶比营养叶短而瘦弱，遍体密被灰棕色绒毛，叶片强度紧缩，羽片长2～3 cm，裂片缩成线形，背面满布暗棕色的孢子囊。

| **生境分布** | 生于溪边、山坡阴湿处。分布于湖南邵阳（新宁）等。

| **资源情况** | 野生资源一般。药材来源于野生。

| **采收加工** | 春、秋季采挖，洗净，除去须根及叶柄，晒干。

| **功能主治** | 苦，微寒。清热解毒，止血，驱虫，利尿。用于疟腮，流行性感冒，痢疾，鼻衄，崩漏，外伤出血，钩虫病，蛲虫病，小便不利。

| **用法用量** | 内服煎汤，10 ~ 30 g; 或炒炭研末，每次 3 g，每日 2 ~ 3 次。外用适量，研末调涂。

瘤足蕨科 Plagiogyriaceae 瘤足蕨属 Plagiogyria

华中瘤足蕨 *Plagiogyria euphlebia* Mett.

| 药 材 名 | 华中瘤足蕨（药用部位：全草或根茎）。

| 形态特征 | 多年生草本。根茎粗大，圆柱形，弯曲。不育叶的叶柄长 23 ~ 30 cm，直径 2 ~ 2.5 mm，基部以上不具气囊体或在顶部有 1 对气囊体；叶片长 32 ~ 45 cm，宽 13 ~ 18 cm，长圆形，基部不变狭，奇数羽状，羽片 14 ~ 16 对，近对生或互生，相距 2 ~ 2.5 cm，斜向上，披针形，略呈镰状，通常长 9 ~ 11 cm，宽 1 ~ 1.3 cm，具渐尖头，基部为短楔形，有短柄，顶生 1 羽片同形等大，基部常有 1 ~ 2 圆形裂片，其下方 2 ~ 3 羽片常与叶轴合生，基部 1 ~ 2 对羽片同大或略短，平展，有较长的叶柄（叶柄长约 3 mm），下部几为全缘，向上有浅波状、疏而低的牙齿，先端有钝锯齿，叶脉稀疏，略斜向上，单一或 2 叉，直达叶边，在两面明显隆起；叶纸质，光滑，

干后为褐绿色或棕绿色；能育叶较高，叶柄长达 50 cm，叶长 30 ~ 40 cm，羽片长 8 ~ 10 cm，线形，有长叶柄，具急尖头。

| **生境分布** | 生于海拔 500 ~ 1 200 m 的山地林下。湖南各地均有分布。

| **资源情况** | 野生资源一般。药材来源于野生。

| **采收加工** | 夏、秋季采收，洗净，鲜用或晒干。

| **功能主治** | 微苦，凉。清热解毒。用于流行性感冒。

| **用法用量** | 内服煎汤，9 ~ 15 g。外用适量，鲜品捣敷。

华东瘤足蕨
Plagiogyria japonica Nakai

| 药 材 名 | 华东瘤足蕨（药用部位：根茎）。

| 形态特征 | 多年生草本。根茎短粗直立，或为高达 7 cm 的圆柱状主轴。叶簇生；叶柄近四方形，暗褐色；叶片长圆形，羽状，羽片 13 ~ 16 对，互生，近开展，相距 2.5 cm，披针形或近镰形，长 7 ~ 9 cm，宽 1.5 cm，基部的羽片不缩短或略短，无柄，具短渐尖头，基部近圆楔形，下侧楔形，分离，上侧略与叶轴合生，略上延，基部几对羽片的基部为短楔形，几分离，向顶部的羽片略缩短，合生，顶生羽片长 7 ~ 10 cm，与其下的较短羽片合生，边缘有疏钝锯齿，向先端锯齿较粗，中脉隆起，两侧小脉明显，二叉分枝，极少为单脉，直达锯齿；叶纸质，两面光滑，干后黄绿色，叶轴下面扁圆，上面两侧各有 1 狭边；能育叶与不育叶等高或更高，叶柄较长，叶片长

16 ~ 30 cm，有短柄，先端急尖。

| **生境分布** | 生于海拔 1 450 m 的山地常绿阔叶林缘或沟谷中。分布于湖南娄底（新化）、湘西州（永顺）等。

| **资源情况** | 野生资源稀少。药材来源于野生。

| **采收加工** | 全年均可采挖，洗净，除去须根与叶柄，鲜用或晒干。

| **功能主治** | 微苦，凉。归肺、肝经。清热解毒，消肿止痛。用于外感风热，头痛，流行性感冒，跌打损伤。

| **用法用量** | 内服煎汤，9 ~ 15 g。外用适量，鲜品捣敷。

瘤足蕨科 Plagiogyriaceae 瘤足蕨属 Plagiogyria

耳形瘤足蕨 *Plagiogyria stenoptera* (Hance) Diels

| 药 材 名 |

小牛肋巴（药用部位：全草或根茎）。

| 形态特征 |

多年生草本，高35～70 cm。根茎粗壮直立。叶簇生，二型；营养叶叶柄长5～20 cm，三棱形，基部有1对气囊体，叶片披针形或狭倒卵形，长25～50 cm，宽6～14 cm，向基部急缩成半圆形的小耳片，1回羽状深裂几达叶轴，羽片坚纸质，30～38对，互生，线状披针形，先端渐尖或尾状，近全缘，边缘顶部有粗齿，长5.5～8.5 cm，宽1～1.2 cm，叶脉羽状，侧脉单一或2叉；孢子叶叶柄长10～40 cm，叶片长20～35 cm，羽片收缩成条形，宽约2 mm，离生。

| 生境分布 |

生于海拔1 500～1 800 m的林下。分布于湖南邵阳（绥宁）、郴州（宜章）、湘西州（永顺）等。

| 资源情况 |

野生资源稀少。药材来源于野生。

| **采收加工** | 夏、秋季采收，洗净，鲜用或晒干。

| **功能主治** | 清热解毒，发表止咳。用于感冒头痛，咳嗽。

| **用法用量** | 内服煎汤，9 ~ 15 g。

里白科 Gleicheniaceae 芒萁属 Dicranopteris

芒萁

Dicranopteris pedata (Houttuyn) Nakaike

| 药 材 名 | 芒萁（药用部位：全草或根茎）。

| 形态特征 | 多年生草本，高3~5m，蔓延生长。根茎横走，直径约3mm，深棕色，被锈毛。叶远生，叶柄长约60cm，直径约6mm，深棕色，幼时基部被棕色毛，后变光滑，叶轴5~8回二叉分枝，1回叶轴长13~16cm，直径约3.4mm，2回以上的羽轴较短，末回叶轴长3.5~6cm，直径约1mm，上面具1纵沟；各回腋芽卵形，密被锈色毛，苞片卵形，边缘具三角形裂片，叶轴第1回分叉处无侧生的托叶状羽片，其余各回分叉处两侧均有1对托叶状羽片，羽片斜向下，下部的羽片长12~18cm，宽3.2~4cm，上部的羽片变小，末回羽片长3cm，披针形或宽披针形，末回羽片形似托叶状的羽片长5.5~15cm，宽2.5~4cm，篦齿状深裂几达羽轴，裂片平展，

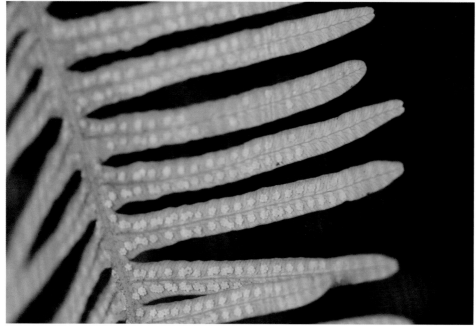

15 ~ 40 对，披针形或线状披针形，通常长 10 ~ 19 mm，宽 2 ~ 3 mm，先端钝，微凹，基部上侧的数对裂片极小，三角形，长 4 ~ 6 mm，全缘，中脉在下面凸起，侧脉在上面明显，在下面不明显，斜展，每组有 3 小脉；叶坚纸质，上面绿色，下面灰白色，无毛。孢子囊群圆形，细小，1 列，着生于基部上侧小脉的弯弓处，由 5 ~ 7 孢子囊组成。

| 生境分布 | 生于疏林下或火烧迹地上。湖南有广泛分布。

| 资源情况 | 野生资源丰富。药材来源于野生。

| 采收加工 | 全年均可采收，鲜用或晒干。

| 功能主治 | 苦、涩，平。清热利尿，化瘀，止血。用于鼻衄，肺热咯血，尿道炎，膀胱炎，小便不利，水肿，月经过多，血崩，带下；外用于创伤出血，跌打损伤，烫火伤，骨折，蜈蚣咬伤。

| 用法用量 | 内服煎汤，根茎或茎心 25 ~ 50 g，全草 50 ~ 100 g。外用适量，捣敷；或研末敷。

里白科 Gleicheniaceae 里白属 Diplopterygium

中华里白
Diplopterygium chinense (Rosenstock) De Vol

| 药 材 名 | 中华里白（药用部位：根茎）。

| 形态特征 | 大型陆生蕨类植物，高约 3 m。根茎深棕色，横走，密被棕色鳞片。叶柄深棕色，密被红棕色鳞片，后变光滑；叶大型，坚纸质，二回羽状，羽片长圆形，长约 1 m，宽约 20 cm，小羽片多数，互生，披针形，长 14 ～ 18 cm，宽 2.4 cm，羽状深裂，裂片 50 ～ 60 对，互生，长 1 ～ 1.4 cm，宽约 2 mm，披针形或狭披针形，全缘，干后略反卷，基部汇合，侧脉叉状，近水平斜展；叶轴褐棕色，初被红棕色鳞片，边缘有长睫毛。孢子囊群圆形，由 3 ～ 4 孢子囊组成，生于羽片背面的中脉和叶缘之间或基部上侧的小脉上，在主脉两侧各排成 1 行，被夹毛。

| 生境分布 | 生于海拔 400 ～ 1 700 m 的溪边或林下。湖南有广泛分布。

| 资源情况 | 野生资源较丰富。药材来源于野生。

| 采收加工 | 全年均可采挖，洗净，晒干。

| 药材性状 | 本品略弯，直径 5 ～ 7 mm，表面深褐色，外皮较皱，叶柄基部及须根被棕色鳞毛。质坚硬且脆，易折断；断面不整齐，深褐色，散有棕色纤维束和淡黄色分体中柱。气微，味淡、微辛。

| 功能主治 | 微苦、涩，凉。止血，接骨。用于胃脘胀痛，鼻衄，骨折。

| 用法用量 | 内服煎汤，9 ～ 15 g。外用适量，研末塞鼻或调敷。

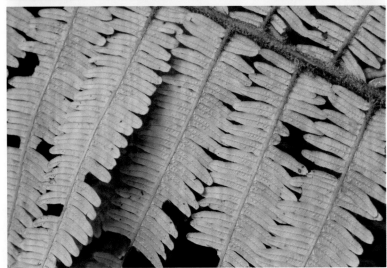

里白科 Gleicheniaceae 里白属 Diplopterygium

里白

Diplopterygium glaucum (Thunberg ex Houttuyn) Nakai

| 药 材 名 | 里白（药用部位：根茎）。

| 形态特征 | 多年生草本，高约 1.5 m。叶柄直径约 8 mm，褐绿色；羽片长约 90 cm，宽 23 ~ 28 cm，长圆形，先端渐尖，小羽片约 30 对，几对生，具极短的叶柄，彼此远离，下部的小羽片相距 3.6 cm，中部的小羽片相距约 2.2 cm，长 12 ~ 17 cm，宽 2.2 ~ 2.4 cm，狭披针形，向先端渐尖，基部不变狭，截形，羽状深裂，裂片 20 ~ 35 对，平展，长 10 ~ 12 mm，宽约 3 mm，顶圆，常微凹，基部汇合，缺刻尖狭，全缘，中脉在上面平，在下面凸起，侧脉在两面明显，叉状，斜展，直达叶缘；叶草质，上面绿色，无毛，下面灰绿色或灰白色，小羽轴、中脉及边缘疏被棕色星状毛；叶轴扁圆，在上面平，两侧有边，禾秆色，光滑。孢子囊群中生，1 列，着生于每组上侧小脉上，由 3

孢子囊组成。

| **生境分布** | 生于海拔 1 500 m 以下的常绿阔叶林下、杉木林间或沟边。湖南有广泛分布。

| **资源情况** | 野生资源较丰富。药材来源于野生。

| **采收加工** | 秋、冬季采收，洗净，晒干。

| **功能主治** | 苦、涩，凉。归肝经。行气止血，化瘀接骨。用于胃痛，鼻衄，跌打损伤，骨折。

| **用法用量** | 内服煎汤，9 ~ 15 g。外用适量，研末塞鼻或调敷。

里白科 Gleicheniaceae 里白属 Diplopterygium

光里白

Diplopterygium laevissimum (Christ) Nakai

| 药 材 名 |

光里白（药用部位：根茎）。

| 形态特征 |

陆生中型蕨类植物，高 1 ~ 1.5 m。根茎圆柱形，横走，被暗棕色鳞片。叶柄下面圆，上面平，有沟，基部被疣状突起；叶厚纸质，下面灰绿色，密被鳞片的顶芽两侧生出 1 对 2 回羽状深裂的羽片，或翌年顶芽发育成主轴，主轴再生出顶芽，形成多对羽片；羽片卵状长圆形，长 35 ~ 60 cm，中部宽达 25 cm，先端渐尖，小羽片 20 ~ 30 对，几无柄，互生，中部的羽片最长达 20 cm，狭披针形，向先端长渐尖，羽状全裂，裂片 25 ~ 40 对，互生，向上斜展，长 7 ~ 13 mm，宽约 2 mm，基部下侧裂片长约 5 mm，披针形，全缘，干后内卷，侧脉分叉。孢子囊群圆形，由 4 ~ 5 孢子囊组成，在主脉两侧各排成 1 行。

| 生境分布 |

生于海拔 500 ~ 1 800 m 的山谷阴湿处。湖南有广泛分布。

| **资源情况** | 野生资源较丰富。药材来源于野生。

| **采收加工** | 秋、冬季采收，洗净，除去须根及叶柄，晒干。

| **药材性状** | 本品较平直，直径 4 ~ 6 mm，表面较光滑，暗褐色，有亮棕色大鳞片及多数黑色须根。质坚硬，易折断；断面不平坦，皮层棕色，中央为淡黄色中柱。气微，味淡而后微辛。

| **功能主治** | 微苦、涩，凉。行气，止血，接骨。用于胃脘胀痛，跌打骨折，鼻衄。

| **用法用量** | 内服煎汤，9 ~ 15 g。外用适量，研末塞鼻；或调敷。

海金沙科 Lygodiaceae 海金沙属 Lygodium

曲轴海金沙

Lygodium flexuosum (L.) Sw.

| 药 材 名 |

牛抄藤（药用部位：全草。别名：柳叶海金沙）。

| 形态特征 |

植株高达 7 m。三回羽状；羽片多数，相距 9 ~ 15 cm，对生于叶轴的短距上，向两侧平展，距端有一丛淡棕色柔毛。羽片长圆状三角形，长 16 ~ 25 cm，宽 15 ~ 20 cm，羽柄长约 2.5 cm，羽轴多少向左右弯曲，上面两侧有狭边，奇数二回羽状，一回小羽片 3 ~ 5 对，互生或对生，相距 3 ~ 4 cm，开展，基部 1 对最大，长三角状披针形或戟形，具长尾头，长 9 ~ 10.5 cm，宽 5 ~ 9.5 cm，有长 3 ~ 7 cm 的小柄，先端无关节，下部羽状；末回裂片 1 ~ 3 对，有短柄或无柄，无关节，基部 1 对三角状卵形或阔披针形，基部深心形，具短尖头或钝头，长 1.2 ~ 5 cm，宽 1 ~ 1.5 cm，距上面 1 对 5 ~ 8 mm，向上的末回羽片渐短，先端 1 片特长，披针形，具钝头，长 5 ~ 9 cm，宽 1.2 ~ 1.5 cm，单生或有时和下面 1 ~ 2 片在基部联合；自第 2 对或第 3 对的一回小羽片起不分裂，披针形，基部耳状。顶生的一回小羽片披针形，基部近圆形，具钝头，长 6 ~ 10 cm，宽

1.5 ~ 3 cm，有时基部有 1 汇合裂片。叶缘有细锯齿。中脉明显，侧脉纤细，明显，自中脉斜上，3 回二叉分枝，达于小锯齿。叶草质，干后暗绿褐色，下面光滑，小羽轴两侧有狭翅和棕色短毛，叶面沿中脉及小脉略被刚毛。孢子囊穗长 3 ~ 9 mm，线形，棕褐色，无毛，小羽片顶部通常不育。

| 生境分布 | 生于海拔 100 ~ 800 m 的疏林中。分布于湖南永州（江华）等。

| 资源情况 | 野生资源较少。药材来源于野生。

| 采收加工 | 夏、秋季采收，晒干或鲜用。

| 功能主治 | 甘、微苦，寒。舒筋通络，清热利湿，止血。用于风湿疼痛，肢体麻木，跌打损伤，尿路感染，尿路结石，水肿，痢疾，疮痈肿毒，小儿口疮，火眼，癣疾，外伤出血。

| 用法用量 | 内服煎汤，10 ~ 15 g。外用适量，捣敷；或煎汤洗；或制成软膏涂。

海金沙科 Lygodiaceae 海金沙属 Lygodium

海金沙 *Lygodium japonicum* (Thunb.) Sw.

| **药 材 名** | 海金沙（药用部位：成熟孢子）、海金沙藤（药用部位：地上部分）。

| **形态特征** | 多年生攀缘草本，长 1 ~ 4 m。根茎细而匍匐，被细柔毛。茎细弱，呈干草色，有白色微毛。叶为一至二回羽状复叶，纸质，两面均被细柔毛；能育羽片卵状三角形，长 12 ~ 20 cm，宽 10 ~ 16 cm，小叶卵状披针形，边缘有锯齿或不规则分裂，上部小叶无柄；羽状或戟形，下部小叶有柄，不育羽片尖三角形，通常与能育羽片相似，但有时为一回羽状复叶，小叶阔线形，或基部分裂成不规则的小片。孢子囊生于能育羽片的背面，在二回小叶的齿及裂片先端呈穗状排列，穗长 2 ~ 4 mm；孢子囊盖鳞片状，卵形，盖下生一横卵形的孢子囊，孢子囊环带侧生，聚集一处。孢子囊多在夏、秋季产生。

| 生境分布 | 生于阴湿山坡的灌丛中或路边林缘。湖南有广泛分布。

| 资源情况 | 野生资源丰富。药材来源于野生。

| 采收加工 | 海金沙：秋季孢子未脱落时采割藤叶，晒干，揉搓或打下孢子，除去藤叶。
海金沙藤：夏、秋季采收，除去杂质，鲜用或晒干。

| 药材性状 | 海金沙：本品呈粉末状，棕黄色或浅棕黄色。体轻，手捻有光滑感，置手中易由指缝滑落。气微，味淡。

海金沙藤：本品草质。茎细长，栗褐色。叶二型，一至二回羽状；羽片多数，对生于叶轴的短枝上，枝端有一被黄色柔毛的休眠芽，羽柄长约 1.5 cm。不育羽片三角形，长、宽均为 10 ~ 12 cm；小羽片 2 ~ 4 对，互生，卵圆形，长 4 ~ 8 cm，宽 3 ~ 6 cm；二回小羽片 2 ~ 3 对，互生，卵状三角形，掌状分裂；末回小羽片有短柄或无柄，不以关节着生，通常掌状 3 裂，中央裂片短而宽，长约 3 cm，宽 6 ~ 8 mm，先端钝，基部近心形，边缘有不规则的浅锯齿；叶纸质，中脉及侧脉略被短毛。能育羽片卵状三角形；末回小羽片或裂片边缘疏生流苏状的孢子囊穗。气微，味淡。

| 功能主治 | 海金沙：甘、咸，寒。归膀胱、小肠经。清利湿热，通淋止痛。用于热淋，石淋，血淋，膏淋，尿道涩痛。

海金沙藤：甘，寒。归膀胱、小肠、肝经。清热解毒，利水通淋，活血通络。用于尿路感染，尿路结石，白浊带下，小便不利，肾炎性水肿，湿热黄疸，感冒发热、咳嗽，咽喉肿痛，肠炎，痢疾，烫伤，丹毒，跌打损伤，风湿痹痛。

| 用法用量 | 海金沙：内服煎汤，6 ~ 15 g，包煎。
海金沙藤：内服煎汤，9 ~ 30 g。外用煎汤洗，鲜品 30 ~ 90 g；或捣敷。

海金沙科 Lygodiaceae 海金沙属 Lygodium

小叶海金沙

Lygodium scandens (L.) Sw.

| 药 材 名 | 海金沙藤（药用部位：地上部分）。

| 形态特征 | 多年生蔓攀草本，高 5 ~ 7 m。叶轴纤细如铜丝；叶二回羽状，羽片多数，相距 7 ~ 9 cm，对生于叶轴的距上，距长 2 ~ 4 mm，先端密生红棕色毛；不育羽片生于叶轴下部，长圆形，长 7 ~ 8 cm，宽4 ~ 7 cm，叶柄长 1 ~ 1.2 cm，奇数羽状，顶生小羽片有时 2 叉，小羽片 4 对，互生，有长 2 ~ 4 mm 的小叶柄，柄端有关节，各片相距约 8 mm，卵状三角形、阔披针形或长圆形，先端钝，基部较阔，心形、近平截或圆形，边缘有矮钝齿，或锯齿不明显，叶脉清晰，三出，小脉 2 ~ 3 回二叉分枝，斜向上，直达锯齿，叶薄草质，干后暗黄绿色，两面光滑；能育羽片长圆形，通常奇数羽状，小羽片的柄长 2 ~ 4 mm，柄端有关节，小羽片 9 ~ 11，互生，各片相

距 7 ~ 10 mm，三角形或卵状三角形，具钝头，长 1.5 ~ 3 cm，宽 1.5 ~ 2 cm。孢子囊穗排列于叶缘，到达先端，5 ~ 8 对，线形，一般长 3 ~ 5 mm，长者长 8 ~ 10 mm，黄褐色，光滑。

| **生境分布** | 生于溪边灌丛中。分布于湖南张家界（桑植）、永州（江永、道县、零陵）、怀化（通道、洪江）等。

| **资源情况** | 野生资源较少。药材来源于野生。

| **采收加工** | 秋季孢子未成熟时采收，除去杂质，鲜用或干燥。

| **药材性状** | 本品草质。茎细长，栗褐色。叶二型，二回羽状；羽片多数，对生于叶轴的短枝上，枝端有一被黄色柔毛的休眠芽，羽柄长约 1.5 cm；不育羽片三角形，小羽片 2 ~ 4 对，互生，卵圆形，长 4 ~ 8 cm，宽 3 ~ 6 cm，二回小羽片 2 ~ 3 对，互生，卵状三角形，掌状分裂，末回小羽片有短柄或无柄，不以关节着生，通常掌状 3 裂，中央裂片短而阔，长约 3 cm，宽 6 ~ 8 mm，先端钝，基部近心形，边缘有不规则的浅锯齿，叶纸质，中脉及侧脉上略被短毛；能育羽片卵状三角形，末回小羽片或裂片边缘疏生流苏状的孢子囊穗。气微，味淡。

| 功能主治 | 甘，寒。归膀胱、小肠、肝经。清热解毒，利水通淋，活血通络。用于尿路感染，尿路结石，白浊带下，小便不利，肾炎性水肿，湿热黄疸，感冒发热、咳嗽，咽喉肿痛，肠炎，痢疾，烫伤，丹毒，跌打损伤，风湿痹痛。 |

| 用法用量 | 内服煎汤，9 ～ 30 g。外用煎汤洗，鲜品 30 ～ 90 g；或捣敷。 |

膜蕨科 Hymenophyllaceae 膜蕨属 Hymenophyllum

华东膜蕨

Hymenophyllum barbatum (v. d. B.) Bak.

| 药 材 名 | 华东膜蕨（药用部位：全草）。

| 形态特征 | 多年生草本，高 2 ~ 3 cm。根茎纤细，丝状，直径约 0.2 mm，长而横走，暗褐色，疏生淡褐色的柔毛或近光滑，下面疏生纤维状的根。叶远生；叶柄长 0.5 ~ 2 cm，丝状，暗褐色，全部或大部分有狭翅，疏被淡褐色的柔毛；叶片卵形，长 1.5 ~ 2.5 cm，宽 1 ~ 2 cm，2 回羽状分裂，羽片长圆形，3 ~ 5 对，稍呈覆瓦状，互生，无柄，颇开展或稍斜向上，羽裂几达有宽翅的羽轴，末回裂片线形，4 ~ 6 对，叶脉叉状分枝，暗褐色，在两面明显隆起，与叶轴及羽轴上面同被褐色的柔毛；叶薄膜质，半透明，除叶轴及羽轴上面疏被红棕色短毛外，余均无毛；叶轴暗褐色，有宽翅，叶轴及羽轴均稍曲折。孢子囊群生于叶片顶部的短裂片上；囊苞长卵形，长约 1.5 mm，宽

1 mm，具圆头，先端有少数小尖齿，基部的裂片稍缩狭。

| 生境分布 | 生于海拔 800 ～ 1 000 m 的林下树干上或背阴的岩石上。分布于湖南郴州（宜章）、张家界（桑植）、湘西州（永顺）等。

| 资源情况 | 野生资源稀少。药材来源于野生。

| 采收加工 | 夏、秋季采收，鲜用或晒干。

| 药材性状 | 本品根茎纤细，丝状，黑色。叶柄丝状，长 0.5 ～ 2 cm，被淡褐色柔毛；叶片展开后呈卵形，长 1.5 ～ 2.5 cm，宽 1 ～ 2 cm，薄膜质，半透明，淡褐色或鲜绿色。气微，味淡。

| 功能主治 | 微涩，凉。归肝经。化瘀止血。用于外伤出血。

| 用法用量 | 外用适量，鲜品捣敷；或干品研末敷。

膜蕨科 Hymenophyllaceae 蕗蕨属 Mecodium

蕗蕨 *Mecodium badium* (Hook. et Grev.) Cop.

| 药 材 名 | 蕗蕨（药用部位：全草。别名：马尾草）。

| 形态特征 | 植株高 15 ~ 25 cm。根茎铁丝状，直径约 0.8 mm，长而横走，褐色，几光滑，下面疏生粗纤维状的根。叶远生，相距约 2 cm；叶柄长 5 ~ 10 cm，直径约 1 mm，褐色或绿褐色，无毛，两侧平直或呈波纹状的宽翅达叶柄基部或近叶柄基部，翅连叶柄宽超过 2 mm；叶片披针形至卵状披针形或卵形，长 10 ~ 15 cm，宽 4 ~ 6 cm，3 回羽裂；羽片 10 ~ 12 对，互生，有短柄，开展，三角状卵形至斜卵形，长 1.5 ~ 4 cm，宽 1 ~ 2.5 cm，先端钝，基部斜楔形，密接；小羽片 3 ~ 4 对，互生，无柄，开展，长圆形，长 1 ~ 1.5 cm，宽 5 ~ 8 mm，先端钝，基部下侧下延，密接；末回裂片 2 ~ 6，互生，极斜向上，长圆形或阔线形，长 2 ~ 5 mm，宽 1 ~ 1.5 mm，具圆钝头，全缘，

单一或分叉，间隙宽 1 ~ 2 mm。叶脉叉状分枝，两面明显隆起，褐色，光滑无毛，末回裂片有小脉 1。叶为薄膜质，干后褐色或绿褐色，光滑无毛，细胞壁厚而平直。叶轴及各回羽轴均全部有阔翅，无毛，稍曲折。孢子囊群多数，位于全部羽片上，着生于向轴的短裂片先端；囊苞近圆形或扁圆形，直径 1.5 ~ 2 mm，宽大于高，唇瓣深裂达基部，全缘或上缘有微牙齿，唇瓣下的裂片稍狭缩。

| 生境分布 | 生于海拔 600 ~ 1 600 m 的密林下溪边潮湿的岩石上。分布于湖南邵阳（绥宁）、常德（石门）、张家界（桑植）、郴州（宜章）、永州（东安、江华）、怀化（通道）等。

| 资源情况 | 野生资源较少。药材来源于野生。

| 采收加工 | 全年均可采收，晒干或鲜用。

| 功能主治 | 微苦、涩，凉。清热解毒，生肌止血。用于烫火伤，痈疖肿毒，外伤出血。

| 用法用量 | 内服煎汤，9 ~ 15 g。外用适量，鲜品捣敷；或干品研末调敷。

膜蕨科 Hymenophyllaceae 蕗蕨属 *Mecodium*

长柄蕗蕨 *Mecodium osmundoides* (v. d. B.) Ching

| **药 材 名** | 长柄蕗蕨（药用部位：全草）。

| **形态特征** | 多年生草本，高 3 ~ 5 cm。根茎纤细，丝状，深褐色，长而横走，几光滑，下面疏生纤维状的根。叶远生，相距 1 ~ 2.5 cm；叶柄长 4 ~ 10 mm，纤细，丝状，深褐色，光滑无毛，全部有翅，翅连叶柄宽约 0.8 mm；叶片三角状卵形，长 2.5 ~ 4 cm，宽 1.5 ~ 2 cm，先端钝，基部近心形，2 回羽状分裂，羽片 5 ~ 7 对，互生，几无柄，开展，斜卵形，长 3.5 ~ 7 mm，宽 3 ~ 5 mm，先端钝，基部斜楔形，先端具钝头并常有浅缺刻，全缘，平直，单一或通常分叉，密接，叶脉叉状分枝，在两面稍隆起；叶薄膜质，干后浅褐色，光滑无毛；叶轴及羽轴深褐色，无毛，稍曲折，有翅。孢子囊群位于叶片上部 1/3 处，裂片均能育；囊苞卵形，长 1 ~ 1.2 mm，具尖头，全缘，

唇瓣深裂几达基部，其下的裂片较囊苞狭。

| **生境分布** | 生于海拔 500 ~ 1 800 m 的林中及山谷溪旁阴湿的岩石上。分布于湖南湘西州（永顺）等。

| **资源情况** | 野生资源稀少。药材来源于野生。

| **采收加工** | 全年均可采收，鲜用或晒干。

| **药材性状** | 本品根茎纤细，丝状，褐色，光滑。叶柄细长，长 4 ~ 10 mm，直径约 0.5 mm，深褐色，光滑；叶片宽卵形，薄膜质，半透明，长 2.5 ~ 4 cm，宽 1.5 ~ 2 cm，上下两面均为棕色。气微，味淡后渐辛，麻舌。

| **功能主治** | 微苦，凉。归心经。清热解毒，生肌止血。用于痈疖，疥疮，烫火伤，肿毒，外伤出血。

| **用法用量** | 内服煎汤，9 ~ 15 g。外用适量，干品研末调涂；或鲜品捣敷。

膜蕨科 Hymenophyllaceae 瓶蕨属 Vandenboschia

瓶蕨 *Vandenboschia auriculata* (Bl.) Cop.

| 药 材 名 | 瓶蕨（药用部位：根茎）。

| 形态特征 | 多年生草本，高 15 ~ 30 cm。根茎长而横走，直径 2 ~ 3 mm，灰褐色，坚硬，被黑褐色、有光泽的多细胞节状毛，后毛渐脱落。叶柄腋间有一密被节状毛的芽；叶远生，沿根茎在同一平面上排成 2 行，互生，平展或稍斜出；叶柄短；叶片披针形，长 15 ~ 30 cm，宽 3 ~ 5 cm，略为二型，能育叶与不育叶相似，一回羽状，羽片 18 ~ 25 对，互生，无柄，上部的羽片斜出，中部的羽片平展，基部的羽片反折并覆盖根茎，卵状长圆形，基部上侧阔耳片覆盖叶轴，边缘不整齐羽裂达 1/2，不育裂片狭长圆形，先端有钝圆齿，每齿有小脉 1，能育裂片通常缩狭或仅有 1 脉。孢子囊群顶生于向轴的短裂片上，每个羽片有 10 ~ 14；囊苞狭管状，长 2 ~ 2.5 mm，口部截形，不膨大，

有浅钝齿，基部以下裂片不变狭或略变狭；囊群托突出，长约 4 mm。

| **生境分布** | 生于海拔 1 000 ~ 1 800 m 的林下溪沟边。分布于湖南张家界（武陵源、永定）等。

| **资源情况** | 野生资源一般。药材来源于野生。

| **功能主治** | 淡、涩，平。归脾、胃经。健脾开胃，止血。用于消化不良，外伤出血。

| **用法用量** | 内服煎汤，9 ~ 15 g。外用适量，研末敷；或鲜品捣敷。

膜蕨科 Hymenophyllaceae 瓶蕨属 Vandenboschia

漏斗瓶蕨
Vandenboschia naseana (Christ) Ching

| 药 材 名 | 热水莲（药用部位：全草）。

| 形态特征 | 多年生草本，高 25 ~ 40 cm。根茎黑褐色，横走，坚硬，密生褐色节状毛，下面疏生纤维状根。叶腋有被毛的芽；叶远生；叶柄长 5 ~ 15 cm，两侧狭翅下延至基部，基部被扁平的节状毛；叶片膜质，宽披针形至卵状披针形，长 20 ~ 35 cm，宽 6 ~ 10 cm，3 回羽裂，羽片 14 ~ 20 对，互生，有短柄，彼此以狭翅相连，三角状斜卵形至卵状披针形，长 3 ~ 7 cm，宽 1.5 ~ 2.5 cm；一回羽片 6 ~ 10 对，互生，无柄，长卵形，基部上侧 1 羽片最大，常覆盖叶轴；二回羽片 3 ~ 6 对，互生，长圆形，叶轴及羽轴均有翅，疏被黑褐色节状毛。孢子囊群位于末回裂片先端；囊苞管状，呈狭漏斗形，长约 1.5 mm，直立或稍弯，两侧有狭翅，口部截形或略膨大，边缘不外卷；囊托丝

状，黑色，长约 3 mm，伸出囊苞外。

| **生境分布** | 生于海拔 400 ~ 1 800 m 的常绿阔叶林下的树干上或溪边阴湿的岩石上。分布于湖南怀化（麻阳）、湘西州（永顺、保靖）等。

| **资源情况** | 野生资源稀少。药材来源于野生。

| **采收加工** | 全年均可采收，洗净，晒干。

| **功能主治** | 淡、涩，平。归脾、胃经。健脾开胃，止血。用于消化不良，外伤出血。

| **用法用量** | 内服煎汤，9 ~ 15 g。外用适量，研末敷。

蚌壳蕨科 Dicksoniaceae 金毛狗属 Cibotium

金毛狗脊 *Cibotium barometz* (L.) J. Sm.

| 药 材 名 | 狗脊（药用部位：根茎）。

| 形态特征 | 多年生草本，高 2.5 ~ 3 m。根茎平卧，有时直立，短而粗壮，带木质，密被棕黄色带有金色光泽的长柔毛。叶多数，丛生成冠状，大型；叶柄粗壮，褐色，基部密被金黄色长柔毛和黄色狭长的披针形鳞片；叶片卵圆形，长可达 2 m，3 回羽状分裂；下部羽片卵状披针形，长 30 ~ 60 cm，宽 15 ~ 30 cm，上部羽片逐渐短小，顶部羽片呈狭羽尾状；小羽片线状披针形，渐尖，羽状深裂至全裂，裂片密接，狭矩圆形或近镰形，长 0.5 ~ 1 cm，宽 2 ~ 4 mm，亚革质，上面暗绿色，下面粉灰色；叶脉开放，不分枝。孢子囊群着生于边缘的侧脉顶上，略呈矩圆形，每裂片有 2 ~ 12 孢子囊群；囊群盖侧裂呈双唇状，棕褐色。

| **生境分布** | 生于山脚沟边及林下背阴处的酸性土壤中。分布于湘南、湘西南、湘西北、湘中等。

| **资源情况** | 野生资源丰富。药材来源于野生。

| **采收加工** | 秋、冬季采挖，除去泥沙、硬根、叶柄及金黄色绒毛，切厚片，干燥，为"生狗脊片"；蒸后，晒至六七成干，切厚片，干燥，为"熟狗脊片"。

| **药材性状** | 本品呈不规则的长块状，长 10 ~ 30 cm，直径 2 ~ 10 cm。表面深棕色，残留金黄色绒毛；上面有数个红棕色的木质叶柄，下面残存黑色细根。质坚硬，不易折断。无臭，味淡、微涩。生狗脊片呈不规则的长条形或圆形，长 5 ~ 20 cm，直径 2 ~ 10 cm，厚 1.5 ~ 5 mm。切面浅棕色，较平滑，近边缘 1 ~ 4 mm 处有 1 棕黄色隆起的木质部环纹或条纹，边缘不整齐，偶有金黄色绒毛残留。质脆，易折断，有粉性。熟狗脊片呈黑棕色，质坚硬。

| **功能主治** | 苦、甘，温。归肝、肾经。强腰脊，祛风湿，利关节。用于肾虚腰痛背强，足膝软弱无力，风湿痹痛，小便过多，遗精，带下。

| **用法用量** | 内服煎汤，10 ~ 15 g；或浸酒。外用适量，鲜品捣敷。

稀子蕨科 Monachosoraceae 稀子蕨属 *Monachosorum*

尾叶稀子蕨 *Monachosorum flagellare* (Maxim.) Hay.

|药材名|

尾叶稀子蕨（药用部位：全草）。

|形态特征|

多年生草本。根茎短，平卧，斜升，密生须根。叶簇生，直立；叶柄偏细，长 7 ~ 13 cm，直径 1 ~ 1.5 mm，禾秆色或棕禾秆色，下面圆，上面有一深狭的沟，内密生腺状毛；叶片长 20 ~ 30 cm，下部宽 8 ~ 10 cm，长圆状卵形，向顶部长渐尖或为长尾形，有时着地生根，基部阔圆形，二回羽状，羽片多数（40 ~ 50 对），互生或下部近对生，开展，有短柄，相距约 1 cm，基部 1 对羽片通常略短，平展，从第 2 对起羽片长 5 ~ 8 cm，宽 1.5 ~ 2 cm，披针形或近镰状，具渐尖头，基部对称，近截形，一回羽状，小羽片 10 ~ 14 对，平展，无柄，顶部以下的羽片有狭翅，汇合，略呈三角形，长 6 ~ 10 mm，宽 4 ~ 5 mm，具急尖头或近钝头，基部不等，下侧楔形，上侧斜截形，羽状浅裂，小裂片三角状，或有少数锯齿；小羽片叶脉羽状，不明显，小脉单一或 2 叉状，每齿有 1 小脉；叶膜质，干后变褐色，下面疏生微细腺状毛。孢子囊群圆而小，每小羽片有 2 ~ 3 孢子囊群，生于向顶的一边，下边无或有少数孢子囊。

| **生境分布** | 生于海拔 800 ~ 1 500 m 的密林下。分布于湖南怀化（麻阳）、湘西州（花垣、永顺）等。

| **资源情况** | 野生资源稀少。药材来源于野生。

| **采收加工** | 全年均可采收，晒干。

| **药材性状** | 本品根茎呈短圆柱形，上方簇生多数叶，下方有众多须根。叶柄长 7 ~ 13 cm，直径 1 ~ 1.5 mm，禾秆色，下面圆，上面有一纵狭的沟，内密生腺状毛；叶片长圆卵形，顶部呈长尾形，长 20 ~ 30 cm，宽 8 ~ 10 cm，膜质，褐色；小羽毛无柄，略呈三角形，基部不对称；小裂片三角状，少有锯齿，叶脉不明显；叶下表面疏生细腺状毛，有时可见孢子囊群，生于向顶的一边，小羽片有 2 ~ 3 孢子囊群。气微，味微苦。

| **功能主治** | 祛风除湿，止痛。用于风湿痹痛，痛风。

| **用法用量** | 内服煎汤，9 ~ 15 g。

稀子蕨科 Monachosoraceae 稀子蕨属 Monachosorum

稀子蕨 *Monachosorum henryi* Christ

| 药材名 | 观音莲（药用部位：全草）。

| 形态特征 | 多年生草本。根茎粗而短，斜升。叶簇生，直立；叶柄长 30 ~ 50 cm，直径约 3.5 mm，淡绿色或绿禾秆色，草质，密被锈色贴生的腺状毛，后渐变光滑；叶片膜质，长 30 ~ 40 cm，狭卵形或三角状椭圆形，具渐尖头，4 回羽状深裂，羽片互生，有柄，彼此密接或向上部几呈覆瓦状，基部 1 对羽片最大，干后褐绿色或褐色；叶轴及羽轴密生锈色腺毛，叶轴中部常有 1 珠芽生于腋间。孢子囊群圆而小，每小裂片有 1 孢子囊群，近顶生于小脉上，位于裂片的中央，无囊群盖。

| 生境分布 | 生于海拔 500 ~ 1 600 m 的密林下。分布于湖南怀化（洪江、通

道）等。

| 资源情况 | 野生资源稀少。药材来源于野生。

| 药材性状 | 本品根茎圆柱形，粗短，表面棕色，横断面可见黄白色维管束。叶柄长 25 ~ 40 cm，直径约 3.5 mm，禾秆色，草质，密被锈色的腺状毛；叶片三角状长圆形，长 25 ~ 40 cm，宽 18 ~ 30 cm，4 回羽状细裂，膜质，褐绿色；叶轴及羽轴有锈色腺毛，叶轴中部以上常有 1 珠芽腋生于羽片基部。孢子囊群圆而小，近顶生于小脉上。气微，味微涩。

| 功能主治 | 微苦，平。归肝经。祛风除湿，止痛。用于风湿骨痛，跌打伤痛，疝气痛。

| 用法用量 | 内服煎汤，9 ~ 15 g。

陵齿蕨科 Lindsaeaceae 鳞始蕨属 Lindsaea

陵齿蕨
Lindsaea cultrata (Willd.) Sw.

| 药 材 名 | 鳞始蕨（药用部位：全草。别名：土黄连、还魂草）。

| 形态特征 | 多年生草本，高 20 cm，稀达 30 cm。根茎横走，直径 2 mm，栗色，密被鳞片；鳞片线状钻形，栗红色。叶近生，直立；叶柄长 4 ～ 7 cm，有时达 13 cm，禾秆色或基部栗黑色，有光泽，仅基部有鳞片，下边圆形，上边有沟；叶片线状披针形，长 10 ～ 14 cm，有时达 18 cm，宽 1.7 ～ 2 cm，少有达 2.2 cm，基部不变狭或稍狭，先端渐尖，一回羽状，羽片 17 ～ 20（～ 30）对，互生，开展，有短柄，下部各羽片稍远离，中上部羽片接近，呈对开式，斜三角形，长 8 ～ 9（～ 13）cm，宽 5 ～ 6 cm，基部楔形，先端钝或近急尖，下缘直，近先端处上弯，长 8 ～ 10 mm，内缘直，宽 4 ～ 5 mm，上缘直或稍弯凸出，有缺刻，长 8 ～ 9 mm；叶脉二叉分枝，在下面不明显，

上面略明显；叶草质，干后绿色；叶轴禾秆色，光滑，下面圆形，上面有沟。孢子囊群沿羽片上缘着生，每缺刻有 1 孢子囊群，横跨 2 ~ 3 小脉先端；囊群盖横线形，边缘啮蚀状。

| **生境分布** | 生于海拔 200 m 的林下背阴处、林缘、山坡草地或田边。分布于湖南湘西州（永顺）等。

| **资源情况** | 野生资源稀少。药材来源于野生。

| **采收加工** | 夏、秋季采收，洗净，鲜用或晒干。

| **药材性状** | 本品根茎圆柱形，表面密生条状钻形鳞片，上方生多数叶，下方有众多须根。叶柄禾秆色，长 4 ~ 7 cm；叶片条状披针形，长 10 ~ 14 cm，宽约 2 cm；羽片有短柄，半圆状斜三角形，宽 4 ~ 5 cm，下缘平直，全缘，上缘稍呈弧形凸起，有缺刻。孢子囊群生于两缺刻之间，横跨 2 ~ 4 小脉先端，囊群盖边缘略呈啮断状。气微，味淡。

| **功能主治** | 利尿，止血。用于小便不畅，尿血，吐血。

| **用法用量** | 内服煎汤，9 ~ 15 g。

陵齿蕨科 Lindsaeaceae 鳞始蕨属 Lindsaea

团叶陵齿蕨 *Lindsaea orbiculata* (Lam.) Mett. ex Kuhn

| 药 材 名 | 团叶鳞始蕨（药用部位：全草）。

| 形 态 特 征 | 多年生草本，陆生蕨类，植株高 25 ～ 30 cm。根茎短而横走，密被棕色钻形鳞片。叶近生；叶柄长 5 ～ 20 cm，禾秆色，下部棕色，腹面扁平或有浅纵沟，背面弧形；叶片纸质，披针形至线状披针形，长 10 ～ 20 cm，宽 1.5 ～ 2 cm，一回羽状，有时下部二回羽状，羽片 15 ～ 20 对，互生或略斜向上，斜圆扇形或近圆形，基部内缘凹入，下缘平直，外缘圆形，有不整齐的尖牙齿，长 7 ～ 10 mm，宽 10 ～ 12 mm；叶脉二叉分枝。孢子囊群沿羽片上部边缘着生；囊群盖线形，膜质，向外开展，边缘有细齿。

| 生 境 分 布 | 生于海拔 500 ～ 1 100 m 的溪边林下或石上。分布于湖南郴州（汝

城）、永州（冷水滩）、常德（鼎城）、怀化（通道）、株洲（石峰）等。

| 资源情况 | 野生资源较少。药材来源于野生。

| 采收加工 | 夏、秋季采收，洗净，鲜用或晒干。

| 药材性状 | 本品根茎圆柱形，表面密生红棕色狭小的鳞片，着生众多灰褐色须根。叶柄长 5 ~ 11 cm，栗褐色，上面有沟，下面稍圆，光滑；叶片长条状披针形，长 15 ~ 20 cm，宽 1.5 ~ 2 cm，一至二回羽状，纸质，灰绿色；叶轴禾秆色，有 4 棱；羽片有短柄，团扇形，基部内缘凹入，下缘平直，外缘圆形，有不整齐的尖牙齿；叶脉二叉分枝，扇形。孢子囊群生于小脉先端的连接脉上，靠近叶缘，连续分布；孢子囊盖线形，棕色，有细牙齿。质韧。气微，味淡、微苦。

| 功能主治 | 苦，凉。归肝经。清热解毒，止血。用于痢疾，疮疥，枪弹伤。

| 用法用量 | 内服煎汤，9 ~ 15 g。外用适量，鲜品捣敷。

陵齿蕨科 Lindsaeaceae 乌蕨属 Odontosoria

乌蕨 *Odontosoria chinensis* J. Sm.

| 药 材 名 | 大叶金花草（药用部位：全草或根茎）。

| 形态特征 | 多年生草本。植株高达 65 cm。根茎短而横走，粗壮，密被赤褐色的钻状鳞片。叶近生，叶片披针形，四回羽状，羽片 15 ~ 20 对，互生，密接，下部的羽片相距 4 ~ 5 cm，有短柄，斜展，卵状披针形；二回（或末回）小羽片小，倒披针形，先端截形，有牙齿，基部楔形，下延，其下部的小羽片常再分裂成具一二细脉的、短而同形的裂片；叶脉在上面不明显，在下面明显，在小裂片上为二叉分枝；叶坚草质，干后棕褐色，通体光滑。孢子囊群着生于边缘，每裂片上有 1或 2 孢子囊群顶生于 1 ~ 2 细脉上；囊群盖灰棕色，革质，半杯形，宽，与叶缘等长，近全缘或边缘多少啮断状，宿存。

| 生境分布 | 生于海拔 200 ～ 1 900 m 的林下或灌丛中的阴湿地。湖南各地均有分布。

| 资源情况 | 野生资源丰富。药材来源于野生。

| 采收加工 | 夏、秋季采收，除去杂质，洗净，鲜用或晒干。

| 药材性状 | 本品根茎粗壮，长 2 ～ 7 cm，表面密被赤褐色钻状鳞片，上方生多数叶，下方生众多紫褐色须根。叶柄较短，直径约 2 mm，呈不规则的细圆柱形，表面光滑，禾秆色或基部红棕色，有数条角棱及 1 凹沟；叶片披针形，3 ～ 4 回羽状分裂，略折皱，棕褐色至深褐色，小裂片楔形，先端平截或 1 ～ 2 浅裂。孢子囊群 1 ～ 2 着生于小裂片先端边缘。气微，味苦。

| 功能主治 | 微苦，寒。归肝、肺、大肠经。清热，解毒，利湿，止血。用于感冒发热，咳嗽，咽喉肿痛，肠炎，痢疾，肝炎，湿热带下，痈疮肿毒，疟腮，口疮，烫火伤，毒蛇、狂犬咬伤，湿疹，吐血，尿血，便血，外伤出血。

| 用法用量 | 内服煎汤，15 ～ 30 g；或绞汁。外用适量，捣敷；或研末外敷；或煎汤洗。

姫蕨科 Hypolepidaceae 碗蕨属 Dennstaedtia

细毛碗蕨
Dennstaedtia pilosella (Hook.) Ching

| 药 材 名 |　细毛碗蕨（药用部位：根茎）。

| 形态特征 |　多年生草本。根茎横走或斜升，密被灰棕色长毛。叶近生或几簇生；叶柄长 9 ~ 14 cm，直径约 1 mm，幼时密被灰色节状长毛，老时留下粗糙的痕，禾秆色；叶片长 10 ~ 20 cm，宽 4.5 ~ 7.5 cm，长圆状披针形，先端渐尖，二回羽状，羽片 10 ~ 14 对，下部的羽片长 3 ~ 5 cm，宽 1.5 ~ 2.5 cm，对生或几互生，相距 1.5 ~ 2.5 cm，具有狭翅的短柄或几无柄，斜向上或略弯弓，羽状分裂或深裂；一回小羽片 6 ~ 8 对，长 1 ~ 1.7 cm，宽约 5 mm，长圆形或阔披针形，上部先出，基部上侧 1 小羽片较长，与叶轴并行，两侧浅裂，先端有 2 ~ 3 尖锯齿，基部楔形，下延，和羽轴相连，小裂片先端具 1 ~ 3 小尖齿；叶脉羽状分叉，分叉不达齿端，小尖齿有 1 小脉，水囊不显；

叶草质，干后绿色或黄绿色，两面密被灰色节状长毛；叶轴与叶柄同色，和羽轴均密被灰色节状毛。孢子囊群圆形，生于小裂片腋间；囊群盖浅碗形，绿色，有毛。

| 生境分布 | 生于海拔 200 ～ 1 500 m 的山地背阴处的石缝中。分布于湖南怀化（麻阳）等。

| 资源情况 | 野生资源稀少。药材来源于野生。

| 功能主治 | 清热解表。用于感冒发热，头痛。

| 附　　注 | 本种接受名为碗蕨科 Dennstaedtiaceae 碗蕨属 *Dennstaedtia* 细毛碗蕨 *Dennstaedtia hirsuta* (Sw.) Mett. ex Miq.

姬蕨科 Hypolepidaceae 碗蕨属 Dennstaedtia

碗蕨 *Dennstaedtia scabra* (Wall.) Moore

| 药 材 名 | 碗蕨（药用部位：全草）。

| 形态特征 | 陆生蕨类，植株高 70 ～ 120 cm。根茎粗壮，密生褐色节状长毛。叶疏生；叶柄长 20 ～ 35 cm，棕色，腹面扁平有纵沟，具褐色节状毛；叶片纸质，两面脉上密生白色节状毛，三角状披针形或长圆形，3 ～ 4 回羽状分裂，羽片 15 ～ 20 对，互生，有柄，卵状披针形或线状披针形，下部羽片较大，长 10 ～ 32 cm，宽 3 ～ 10 cm；二回羽片 12 ～ 18 对，互生，卵形或卵状披针形，下部的羽片较大，长 2.5 ～ 10 cm，宽 1 ～ 3 cm；三回羽片斜卵形，长 5 ～ 25 mm，宽 3 ～ 10 mm，边缘有少数尖齿，有时具 4 ～ 6 对侧裂片；叶脉羽状，每裂片有 1 小脉，先端膨大成水囊。孢子囊群生于裂片边缘的小脉先端；囊群盖碗形，黄绿色，边缘有齿。

| **生境分布** | 生于海拔 1 000 ~ 1 800 m 的林下或溪边。分布于湖南邵阳（邵阳）、怀化（洪江）、娄底（新化）、湘西州（花垣、古丈）等。 |

| **资源情况** | 野生资源稀少。药材来源于野生。 |

| **药材性状** | 本品根茎圆柱形，粗长，表面红棕色，密被棕色的节状毛，着生众多灰黑色的须根。叶柄长 20 ~ 35 cm，红棕色，稍有光泽；叶片长 20 ~ 35 cm，宽 15 ~ 20 cm，3 ~ 4 回羽状深裂，三角状披针形或矩圆形，纸质，棕绿色；叶两面、羽轴及叶脉均具褐色的节状长毛；末回裂片短，钝尖，全缘，每裂片有 1 小脉，先端膨大成水囊，不达叶边。孢子囊群生于小脉先端；囊群盖碗形，灰绿色，略有毛。质脆。气微，味淡。 |

| **功能主治** | 辛，凉。归膀胱经。祛风，清热解表。用于感冒头痛，风湿痹痛。 |

| **用法用量** | 内服煎汤，9 ~ 15 g。 |

姬蕨科 Hypolepidaceae 碗蕨属 *Dennstaedtia*

光叶碗蕨 *Dennstaedtia scabra* (Wall.) Moore var. *glabrescens* (Ching) C. Chr.

| 药 材 名 | 光叶碗蕨（药用部位：全草）。

| 形态特征 | 本种与碗蕨的区别在于本种叶片光滑无毛或略有疏毛。

| 生境分布 | 生于海拔 680 ~ 1 000 m 的溪边、路边、林下。分布于湖南郴州（宜章）、永州（零陵）等。

| 资源情况 | 野生资源稀少。药材来源于野生。

| **功能主治** | 清热解表。用于感冒发热。

姬蕨科 Hypolepidaceae 碗蕨属 *Dennstaedtia*

溪洞碗蕨
Dennstaedtia wilfordii (Moore) Christ

| 药 材 名 | 溪洞碗蕨（药用部位：全草）。

| 形态特征 | 多年生草本。根茎细长，横走，黑色，疏被棕色节状长毛。叶2列，疏生或近生，叶柄长约14 cm，直径仅1.5 mm，基部栗黑色，被与根茎同样的长毛，基部以上为红棕色或淡禾秆色，无毛，光滑，有光泽；叶片长约27 cm，宽6～8 cm，长圆状披针形，先端渐尖或具尾状头，2～3回羽状深裂，羽片12～14对，长2～6 cm，宽1～2.5 cm，卵状阔披针形或披针形，先端渐尖或具尾状头，羽柄长3～5 mm，互生，相距2～3 cm，斜向上，1～2回羽状深裂；一回小羽片长1～1.5 cm，宽不及1 cm，长圆状卵形，上先出，基部楔形，下延，斜向上，羽状深裂或边缘呈粗锯齿状；末回羽片先端为2～3叉的短尖头，全缘；中脉不明显，侧脉纤细明显，羽状

分叉，小裂片有 1 小脉，不到达叶边，先端有明显的纺锤形水囊；叶薄草质，干后淡绿色或草绿色，通体光滑无毛；叶轴上面有沟，下面圆形，禾秆色。孢子囊群圆形，生于末回羽片的腋中或上侧小裂片先端；囊群盖半盅形，淡绿色，口边多少为啮蚀状，无毛。

| **生境分布** | 生于海拔 200 ~ 1 500 m 的山地背阴处的石缝中。分布于湖南永州（冷水滩）、湘西州（花垣）等。

| **资源情况** | 野生资源稀少。药材来源于野生。

| **功能主治** | 清热解表。用于感冒发热。

姬蕨

Hypolepis punctata (Thunb.) Mett.

| 药 材 名 |

姬蕨（药用部位：全草）。

| 形态特征 |

多年生草本，陆生蕨类，植株高达 1 m。根茎横走，粗壮，密生棕色节状长毛。叶疏生，叶柄长 30 ～ 55 cm，禾秆色，基部呈棕色，有灰白色节状毛；叶片纸质，近卵形，3 ～ 4 回羽状浅裂，长 35 ～ 75 cm，宽20 ～ 25 cm，基部圆楔形，先端渐尖，羽片5 ～ 10 对，狭卵形或卵状披针形，第 1 对羽片最大，长 12 ～ 20 cm，宽 4 ～ 10 cm；二回羽片 10 ～ 20 对，宽披针形或线状披针形，下部的较大，长 2.5 ～ 5 cm，宽 1.2 ～ 2 cm；末回羽片 6 ～ 8 对，长圆形，两侧有 3 ～ 4对浅裂片，两面有灰白色节状毛；叶脉羽状，侧脉分叉。孢子囊群圆形，生于末回裂片基部的两侧或上侧的近缺刻处，无囊群盖，常被略反折的裂片边缘遮盖。

| 生境分布 |

生于海拔 500 ～ 1 800 m 的溪边背阴处。湖南各地均有分布。

| **资源情况** | 野生资源丰富。药材来源于野生。 |

| **采收加工** | 夏、秋季采收，洗净，鲜用或晒干。 |

| **药材性状** | 本品根茎被棕色毛。叶柄略粗曲，长 22 ～ 25 cm，表面棕褐色；叶片常皱缩，展平后呈长卵状三角形，长 35 ～ 70 cm，宽 20 ～ 25 cm，顶部叶片 1 回羽状深裂，中部以下 3 ～ 4 回羽状深裂，羽片卵状披针形，2 回羽状分裂，小裂片矩圆形，长约 5 mm，边缘有钝锯齿。有时在末回裂片基部两侧或上侧的近缺刻处可见孢子囊群。气微，味苦、辛。 |

| **功能主治** | 苦、辛，凉。归肺、肝经。清热解毒，收敛止血。用于烫火伤，外伤出血。 |

| **用法用量** | 外用适量，鲜品捣敷；或干品研末敷。 |

姬蕨科 Hypolepidaceae 鳞盖蕨属 Microlepia

华南鳞盖蕨 *Microlepia hancei* Prantl

| 药 材 名 |

华南鳞盖蕨（药用部位：全草）。

| 形态特征 |

多年生草本，陆生中型蕨类，植株高达 1 m。根茎灰棕色，横走，密生灰棕色透明的节状长茸毛。叶疏生；叶柄长 30 ～ 40 cm，棕禾秆色或棕黄色；叶片草质，有灰色细毛，卵状长圆形，长 50 ～ 60 cm，中部宽 25 ～ 30 cm，3 回羽状深裂，羽片 10 ～ 16 对，互生，相距 8 ～ 10 cm，柄短，有狭翅，羽片长三角形，中部羽片较大，长 13 ～ 20 cm，宽 5 ～ 8 cm，2 回羽状深裂，一回羽片 5 ～ 7 对，基部上侧的羽片长圆形，长约 7 mm，宽 4 ～ 5 mm，下侧的羽片近卵形，长约 5 mm，宽约 3 mm，向上渐短，基部下延，再向上即汇合成羽状深裂的短尖头，有钝锯齿；侧脉纤细，羽状分枝，叶脉疏生刚毛；叶轴、羽轴均略有灰色细毛。孢子囊群小，圆形，生于小裂片基部上侧的近缺刻处；囊群盖膜质，近肾形，灰棕色，稍有毛。

| 生境分布 |

生于林中或溪边湿地。分布于湖南邵阳（新邵）、岳阳（云溪）、常德（武陵）、张家

界（武陵源）、怀化（中方）等。

| 资源情况 | 野生资源稀少。药材来源于野生。

| 采收加工 | 夏、秋季采收，除去杂质，洗净，鲜用或晒干。

| 药材性状 | 本品根茎呈圆柱形，表面密生有节的长茸毛。叶柄长 30 ~ 40 cm，棕黄色，密生有节的长茸毛；叶片卵状矩圆形，长 50 ~ 60 cm，宽 25 ~ 30 cm，3 回羽裂，草质，绿色或黄绿色，两面沿叶脉有刚毛；叶轴及各羽轴略有灰色细毛；小羽片三角状披针形，末回小裂片近斜方形，具圆钝头，边缘浅裂或呈粗齿状。孢子囊群位于裂片基部上侧的近缺刻处；囊群盖近肾形，稍有毛。气微，味微苦。

| 功能主治 | 微苦，寒。归肝经。清热，利湿。用于黄疸性肝炎，流行性感冒，风湿骨痛。

| 用法用量 | 内服煎汤，9 ~ 15 g。

姬蕨科 Hypolepidaceae 鳞盖蕨属 Microlepia

边缘鳞盖蕨 *Microlepia marginata* (Houtt.) C. Chr.

| 药 材 名 | 边缘鳞盖蕨（药用部位：嫩叶）。

| 形态特征 | 多年生草本，陆生蕨类植物，植株高 60 ~ 100 cm。根茎长而横走，密被锈色长柔毛。叶远生；叶柄长 20 ~ 30 cm，深禾秆色，几光滑；叶片纸质，上面多少被毛，长圆状三角形，长达 55 cm，宽 13 ~ 25 cm，一回羽状，羽片 20 ~ 25 对，基部羽片对生，远离，上部羽片互生，近生，有短柄，羽片披针形，长 10 ~ 15 cm，宽 1 ~ 1.8 cm，基部不等，上侧稍呈耳状凸起，下侧楔形，边缘呈缺刻状或浅裂，小裂片三角形，偏斜，全缘或边缘有少数牙齿；叶脉羽状。孢子囊群生于羽片边缘的小脉先端；囊群盖半杯状，黄绿色，有毛，着生于基部及两侧。

| **生境分布** | 生于海拔 300 ~ 1 500 m 的林下或溪边。湖南各地均有分布。 |

| **资源情况** | 野生资源一般。药材来源于野生。 |

| **采收加工** | 夏、秋季采收，洗净，鲜用或晒干。 |

| **药材性状** | 本品叶柄长 20 ~ 30 cm，深禾秆色，有纵沟，几光滑；叶片矩圆状三角形，长达 55 cm，宽 13 ~ 25 cm，1 ~ 2 回羽裂，纸质，绿色，两面有短硬毛，羽片披针形，先端渐尖，基部上侧稍呈耳状凸起，下侧楔形，边缘近羽裂，裂片三角形，急尖或钝尖；侧脉在裂片上呈羽状。小裂片有 1 ~ 6 孢子囊群；囊群盖浅杯形，棕色，有短硬毛。气微，味淡。 |

| **功能主治** | 微苦，寒。归肝经。清热解毒，祛风活络。用于痈疮疖肿，风湿痹痛，跌打损伤。 |

| **用法用量** | 内服煎汤，9 ~ 15 g。外用适量，捣敷。 |

姬蕨科 Hypolepidaceae 鳞盖蕨属 Microlepia

粗毛鳞盖蕨 *Microlepia strigosa* (Thunb.) Presl

药材名

粗毛鳞盖蕨（药用部位：全草）。

形态特征

多年生草本，高 1 m 以上。根茎横走，粗壮，密生褐棕色长针状毛。叶远生；叶柄长 40 ~ 60 cm，禾秆色或绿褐色，基部有褐色节状毛；叶轴及羽轴腹面略有毛，背面密生褐色短毛；叶片厚纸质，长圆形，长 40 ~ 60 cm，宽 15 ~ 30 cm，2 回羽裂，羽片 14 ~ 20 对，互生，有柄，线状披针形，基部偏斜，楔形，先端长尖或长渐尖，羽状，下部的较大，长 14 ~ 20 cm，宽 2 ~ 3.5 cm，二回羽片 14 ~ 25 对，互生，斜卵形或近菱形，边缘上侧有缺刻或呈粗钝齿状，长 1.5 ~ 2 cm，宽 6 ~ 10 mm，背面脉上有毛；叶脉羽状。孢子囊群生于小脉先端；囊群盖杯状，黄绿色，有毛，以基部及两侧着生于叶缘。

生境分布

生于海拔 800 ~ 1 700 m 的林下或溪边。分布于湖南长沙（岳麓、长沙）、邵阳（邵阳）、怀化（麻阳）、湘西州（花垣）等。

| 资源情况 |　野生资源稀少。药材来源于野生。

| 采收加工 |　夏、秋季采收，除去杂质，洗净，鲜用或晒干。

| 药材性状 |　本品根茎呈圆柱形，直径约 4 mm，表面密生灰棕色长针状毛。叶柄长达 50 cm，褐棕色，有粗糙的斑痕；叶片矩圆形，长可达 60 cm，宽 15 ~ 28 cm，2 回羽裂，厚纸质，绿色或褐棕色；叶轴、羽轴及叶脉都有短硬毛；羽片条状披针形，有柄，小羽片长 1.4 ~ 2 cm，边缘浅裂或呈粗钝齿状。孢子囊群生于小脉先端，小羽片有 8 ~ 9 孢子囊群；囊群盖半杯形，有棕色短毛。气微，味微苦。

| 功能主治 |　微苦，寒。归肺、肝经。清热利湿。用于流行性感冒，肝炎。

| 用法用量 |　内服煎汤，9 ~ 15 g。

蕨

Pteridium aquilinum (L) Kuhn var. *latiusculum* (Desv.) Underw. ex Heller

药材名

蕨菜（药用部位：嫩苗）、蕨根（药用部位：根茎）。

形态特征

多年生草本，高可达 1 m。根茎长而横走，粗壮，被黑褐色茸毛。叶疏生；叶柄粗壮，淡褐色，光滑，长 25 ~ 50 cm；叶片近革质，3 ~ 4 回羽状分裂，阔三角形或长圆状三角形，长 30 ~ 60 cm，宽 20 ~ 40 cm，末回羽片长圆形，先端圆钝，全缘或下部有 1 ~ 3 对浅裂片或波状圆齿。孢子囊群沿叶缘分布于小脉先端的联接脉上；囊群盖条形，为变形的叶缘反卷而成的假囊群盖。

生境分布

生于海拔 1000 m 以下的山地阳坡及林缘阳光充足处中。湖南各地均有分布。

资源情况

野生资源丰富。药材来源于野生。

| **功能主治** | 甘，寒。清热解毒，祛风利湿，降气化痰，利水安神。用于感冒发热，痢疾，黄疸，高血压，风湿腰痛，带下，脱肛。

車前蕨科 Antrophyaceae 車前蕨属 *Antrophyum*

长柄车前蕨
Antrophyum obovatum Bak.

| 药 材 名 | 长柄车前蕨（药用部位：全草。别名：金线标）。

| 形态特征 | 根茎粗短，直立，密被肉质须根，先端密被鳞片；鳞片黑褐色，披针形，长 6 ~ 10 mm，先端长渐尖，呈纤毛状，边缘有疏细齿，粗筛孔状，筛孔狭长而透明，有虹色光泽；叶簇生。叶柄长 2 ~ 15 cm，扁平，基部被与根茎上相同的鳞片，稍上疏被形状、大小不一的小鳞片，向上光滑；叶柄下部鳞片脱落处常留下疣状小突起；叶片倒卵形，长 2 ~ 10 cm，中部或中部以上较宽，宽 2 ~ 8 cm，先端渐尖或呈尾状，有时呈不规则撕裂状，基部渐狭而稍下延于叶柄，全缘或略呈波状，具薄的软骨质白边，干后向下略反折；无中脉与侧脉之分，小脉多次二叉分枝，联结成多列长条形、较整齐的网眼。叶薄革质，干后上面淡绿色，叶脉略隆起，有时间断，部分连成网状，

叶片边缘和两端不育；隔丝先端细胞膨大成头状或倒圆锥状。

| **生境分布** | 生于海拔 250 ～ 2 000 m 的常绿阔叶林中，附生于岩石上或树干基部。分布于湖南张家界（桑植）、常德（石门）、怀化（通道）等。

| **资源情况** | 野生资源较少。药材来源于野生。

| **采收加工** | 全年均可采收，洗净，晒干。

| **药材性状** | 本品根茎短，被鳞片，鳞片披针形，黑褐色。叶片肉质，倒卵形至广圆形，先端长渐尖，基部渐狭，全缘或稍呈波状，叶脉网状。孢子囊群线形，沿背面下陷的网脉着生。气微，味苦。

| **功能主治** | 苦，凉。清热解毒，活血通络。用于咽喉肿痛，乳蛾，乳痈，关节肿痛。

| **用法用量** | 内服煎汤，6 ～ 15 g；或浸酒。

凤尾蕨科 Pteridaceae 凤尾蕨属 Pteris

猪鬃凤尾蕨 *Pteris actiniopteroides* Christ

| 药 材 名 | 猪鬃凤尾蕨（药用部位：全草）。

| 形态特征 | 多年生草本，高 20 ～ 40 cm。根茎短而直立，密生棕黑色线形鳞片。叶纸质，簇生，二型；营养叶叶柄长 3 ～ 8 cm，棕色或栗褐色；叶片宽卵形或倒卵形，长 8 ～ 24 cm，宽 5 ～ 15 cm，先端尾状，奇数一回羽状，侧生羽片通常 2 对，对生，线形，长 5 ～ 20 cm，宽 3 ～ 4 mm，边缘有小尖齿，第 1 对常 3 ～ 4 叉状深裂，叶脉羽状，侧脉 2 叉或不分叉；孢子叶叶柄长 5 ～ 14 cm，叶片卵形至倒卵形，长 8 ～ 24 cm，宽 6 ～ 16 cm，奇数一回羽状，侧生羽片 2 ～ 5 对，线形，长 7 ～ 20 cm，宽约 2 mm，仅在不育部分有小尖齿，下部羽片 2 ～ 3 叉或 5 叉状深裂。孢子囊群线形，沿叶脉分布；囊群盖线形，膜质，全缘，灰白色。

| **生境分布** | 生于海拔 600 ~ 2 000 m 的裸露的石灰岩缝隙中。分布于湘东，以及娄底（新化）、湘西州（花垣、古丈、永顺）等。

| **资源情况** | 野生资源稀少。药材来源于野生。

| **采收加工** | 全年均可采收，洗净，晒干。

| **功能主治** | 苦、淡，凉。归肺、胃、膀胱经。和胃止痛，利水消肿，止咳祛痰。用于咳嗽痰多，胃脘疼痛，痢疾，水肿，小便不利。

| **用法用量** | 内服煎汤，5 ~ 15 g。

凤尾蕨科 Pteridaceae 凤尾蕨属 Pteris

凤尾蕨

Pteris cretica L. var. *nervosa* (Thunb.) Ching et S. H. Wu

| **药 材 名** | 井口边草（药用部位：全草）。

| **形态特征** | 多年生草本，陆生蕨类植物，植株高 50 ～ 100 cm。根茎短，横走，密被棕色披针形鳞片。叶纸质，密生，二型；营养叶叶柄长12 ～ 35 cm，光滑，禾秆色，有时下部带红棕色，叶片卵形或卵圆形，长 20 ～ 40 cm，宽 15 ～ 25 cm，基部圆楔形，先端尾状，奇数一回羽状，侧生羽片 2 ～ 5 对，对生，线形，长 12 ～ 20 cm，宽 8 ～ 16 mm，最下部羽片有柄，基部常二叉状深裂，边缘有刺状锯齿，叶脉羽状，侧脉 2 叉状或不分叉；孢子叶较大，叶柄长 30 ～ 50 cm，叶片卵圆形，长 25 ～ 40 cm，宽 15 ～ 20 cm，一回羽状，中部以下的羽片通常分叉，有时基部 1 对还有 1 ～ 2 分离的小羽片，侧生羽片 2 ～ 5 对，线形，长 15 ～ 20 cm，宽 6 ～ 8 mm，近先端的营养部分有尖齿。孢子囊

群生于羽片边缘至近先端；囊群盖线形，膜质，全缘，灰白色。

| 生境分布 | 生于海拔 2 000 m 以下的阴湿处或石灰岩缝中。湖南各地均有分布。

| 资源情况 | 野生资源丰富。药材来源于野生。

| 采收加工 | 全年均可采收，洗净，切段，鲜用或晒干。

| 功能主治 | 甘、淡，凉。归肝、大肠经。清热利湿，止血生肌，解毒消肿。用于泄泻，痢疾，黄疸，淋证，水肿，咯血，尿血，便血，刀伤出血，跌打肿痛，疮痛，烫火伤。

| 用法用量 | 内服煎汤，10 ~ 30 g。外用适量，研末撒；或煎汤洗；或鲜品捣敷。

凤尾蕨科 Pteridaceae 凤尾蕨属 Pteris

岩凤尾蕨
Pteris deltodon Baker

| **药材名** | 岩凤尾蕨（药用部位：全草）。

| **形态特征** | 多年生草本，植株高 15 ~ 25 cm。根茎短而直立，直径约 1 cm，先端被黑褐色鳞片。叶簇生，一型；叶柄长 10 ~ 20 cm，直径 1 ~ 2 mm，基部褐色，向上为浅禾秆色，稍有光泽；叶片卵形或三角状卵形，长 10 ~ 20 cm，宽 4 ~ 7 cm，3 叉或奇数一回羽状，羽片 3 ~ 5，顶生羽片稍大，阔披针形，长 5 ~ 8 cm，中部宽 1.2 ~ 2 cm，先端渐尖，基部阔楔形，上部边缘有三角形粗大的锯齿，下部全缘，无柄或有短柄，侧生羽片较短小，斜向上，对生，镰状，先端短尖，基部钝圆而斜，无柄；不育羽片与能育羽片同形，但较宽、短，顶生羽片长圆状披针形，侧生羽片卵形，叶缘除基部外均有三角形粗大锯齿；羽轴禾秆色，下面隆起；侧脉很明显，单一或分叉；叶干

后纸质，褐绿色，无毛。

| **生境分布** | 生于海拔 600 ~ 1 500 m 的阴暗而稍干燥的石灰岩壁上。分布于湖南怀化（麻阳）、湘西州（吉首、花垣、古丈）、常德（石门）等。

| **资源情况** | 野生资源稀少。药材来源于野生。

| **采收加工** | 全年均可采收，鲜用或晒干。

| **功能主治** | 甘、苦，凉。归大肠、肺、肝经。清热利湿，敛肺止咳，定惊，解毒。用于泄泻，痢疾，淋证，久咳不止，小儿惊风，疮疖，蛇虫咬伤。

| **用法用量** | 内服煎汤，9 ~ 15 g。

凤尾蕨科 Pteridaceae 凤尾蕨属 Pteris

刺齿半边旗 *Pteris dispar* Kunze

| **药 材 名** | 刺齿半边旗（药用部位：全草）。

| **形态特征** | 多年生陆生蕨类植物，高 30 ~ 80 cm。根茎短而横生，密生棕色披针形鳞片。叶草质，密生，二型；营养叶叶柄栗色至栗褐色，长 8 ~ 12 cm，3 ~ 4 棱，光滑，仅在基部有棕色线形鳞片，叶轴及羽轴两侧隆起的狭边上有短刺，叶片长圆形至长圆状披针形，长 15 ~ 40 cm，宽 6 ~ 15 cm，先端尾状，2 回奇数深羽裂或 2 回半边深羽裂，侧生羽片 4 ~ 6 对，柄极短，羽片三角状披针形或三角形，基部偏斜，先端尾状，羽裂几达羽轴，第 1 对羽片最大，长 5 ~ 8 cm，宽 2 ~ 3 cm，裂片 4 ~ 9，长圆形或狭长圆形，仅营养叶顶部有刺尖状锯齿，侧脉分叉，小脉伸至锯齿内；孢子叶与营养叶相似而较长，叶片狭卵形，侧生羽片 5 ~ 7 对，裂片先端渐尖。孢子囊群线形，

生于羽片边缘的小脉上，仅顶部不育；囊群盖线形，膜质，灰绿色，全缘。

| 生境分布 | 生于海拔 300 ～ 950 m 的山谷疏林下。湖南各地均有分布。

| 资源情况 | 野生资源一般。药材来源于野生。

| 采收加工 | 全年均可采收，鲜用或晒干。

| 功能主治 | 苦、涩，凉。归肝、大肠经。清热解毒，祛瘀凉血。用于痢疾，泄泻，疟腮，风湿痹痛，跌打损伤，痈疮肿毒，毒蛇咬伤。

| 用法用量 | 内服煎汤，15 ～ 30 g。外用适量，捣敷。

凤尾蕨科 Pteridaceae 凤尾蕨属 Pteris

剑叶凤尾蕨 *Pteris ensiformis* Burm.

| 药 材 名 |

凤冠草（药用部位：全草或根茎）。

| 形态特征 |

多年生草本，高 15 ~ 60 m。根茎短细，斜升或匍匐，有条状披针形的鳞片，赤褐色。叶簇生；叶柄禾秆色，表面光滑，有 4 棱；生孢子囊的叶片矩圆状卵形，长 10 ~ 25 cm，宽 5 ~ 15 cm，2 回羽状分裂，有羽片 3 ~ 5 对，下部的羽片有柄，向上的羽片无柄，有侧生小羽片 1 ~ 3 对，或有时仅 2 叉，顶生小羽片特长，和其下的 1 对小羽片合生，小羽片披针形，不生孢子囊的顶部有细锯齿，其余全缘；不生孢子囊的叶较小，小羽片矩圆形或卵状披针形，边缘有尖锯齿。孢子囊群线形，连续排列于孢子叶边缘，但小羽片的顶部及基部无孢子囊分布。

| 生境分布 |

生于海拔 150 ~ 1 000 m 的林下或溪边潮湿的酸性土壤上。分布于湖南岳阳（华容）、怀化（新晃、芷江、溆浦）等。

| 资源情况 |

野生资源稀少。药材来源于野生。

| **采收加工** | 全年均可采收，洗净，鲜用或晒干。

| **功能主治** | 苦、微涩，微寒；有小毒。归肝、大肠、膀胱经。清热，利湿，凉血止血，解毒消肿。用于痢疾，泄泻，疟疾，黄疸，淋病，带下，咽喉肿痛，疖腮，痈疽，瘰疬，崩漏，痔疮出血，外伤出血，跌打肿痛，疥疮，湿疹。

| **用法用量** | 内服煎汤，15 ~ 30 g，大剂量可用 60 ~ 120 g。外用适量，煎汤洗；或捣敷。

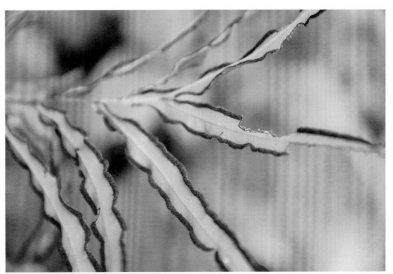

溪边凤尾蕨 *Pteris excelsa* Gaud.

| 药 材 名 | 溪边凤尾蕨（药用部位：全草）。

| 形态特征 | 多年生草本，高达 180 cm。根茎短而直立，木质，粗健，直径达 2 cm，先端被黑褐色鳞片。叶簇生，2 回深羽裂，顶生羽片长圆状阔披针形，长 20 ~ 30 cm 或更长，下部宽 7 ~ 12 cm，向上渐狭，先端渐尖为尾状，篦齿状深羽裂几达羽轴，基部稍扩大，下侧下延；顶部不育叶边缘有浅锯齿，侧生羽片 5 ~ 10 对，互生或近对生，下部羽片相距 10 ~ 15 cm，有短柄，开展，形状、大小及分裂度与顶生羽片相同，基部 1 对羽片最大，长 40 cm 以上，有时基部下侧分叉，上部的羽片较小，无柄；羽轴在下面隆起，禾秆色，无毛，上面有浅纵沟，沟两旁具粗刺；侧脉仅在下面可见，稀疏，斜展，通常 2 叉；叶干后草质，通常暗绿色，无毛，羽片下面的下部偶有稀疏的短柔

毛；叶轴禾秆色，上面有纵沟。

| **生境分布** | 生于海拔 600 ~ 1 800 m 的溪边疏林下或灌丛中。分布于湖南郴州（汝城）、邵阳（隆回）、怀化（靖州）、湘西州（古丈、永顺）等。

| **资源情况** | 野生资源稀少。药材来源于野生。

| **功能主治** | 清热解毒，祛风解痉。用于小儿惊风，腹泻，急性黄疸性肝炎。

凤尾蕨科 Pteridaceae 凤尾蕨属 Pteris

傅氏凤尾蕨 *Pteris fauriei* Hieron.

药材名

金钗凤尾蕨（药用部位：叶）。

形态特征

多年生草本，陆生蕨类植物，植株高 50 ～ 60 cm。根茎短，斜生，先端和叶柄基部有狭披针形鳞片。叶纸质，近丛生，一型；叶柄禾秆色；叶片卵状三角形，长 30 ～ 45 cm，宽 30 ～ 40 cm，2 回深羽裂达羽轴两侧的狭翅，基部 1 对羽片 2 叉，裂片 20 ～ 30 对，宽披针形或线状略镰形，斜向上，略弯弓，长 2.5 ～ 4 cm，宽 5 ～ 7 mm，全缘，叶主脉处有少数针状细刺，侧脉 2 叉。孢子囊群沿裂片顶部以下的边缘连续分布；囊群盖线形，膜质，灰色，全缘。

生境分布

生于海拔 50 ～ 800 m 的林下沟旁的酸性土壤上。湖南各地均有分布。

资源情况

野生资源稀少。药材来源于野生。

功能主治

苦，凉。归心经。清热利湿，祛风定惊，敛

疮止血。用于痢疾，泄泻，黄疸，小儿惊风，外伤出血，烫火伤。

| **用法用量** |　内服煎汤，6 ~ 15 g。外用适量，研末撒；或捣敷。

狭叶凤尾蕨 Pteris henryi Christ

| 药 材 名 |

片鸡尾草（药用部位：全草或根茎、嫩叶）。

| 形态特征 |

多年生草本，陆生蕨类植物，高 10 ～ 40 cm。根茎短，横走或斜生，密被浅棕色披针形鳞片。叶草质，丛生，二型；营养叶叶柄长 3 ～ 8 cm，细弱，有棱，禾秆色，叶片宽三角形或卵形，长 6 ～ 25 cm，宽 5 ～ 20 cm，奇数羽状复叶，先端尾状，侧生羽片 1 ～ 3 对，对生或互生，下部羽片有柄，线形，长 2.5 ～ 20 cm，宽 3 ～ 4 mm，边缘有小尖齿，第 1 对羽片常 2 ～ 4 叉状深裂，叶脉羽状，侧脉 2 叉状；孢子叶较长、大，叶柄长 6 ～ 16 cm，叶片卵形或椭圆形，长 10 ～ 30 cm，宽 6 ～ 20 cm，一回奇数羽状，侧生羽片 1 ～ 4 对，线形，长 5 ～ 20 cm，宽 2 ～ 3 mm，仅不育部分具小尖齿，下部羽片 2 ～ 4 叉状深裂。孢子囊群线形，着生于羽片边缘的边脉上；囊群盖线形，膜质，全缘，灰白色。

| 生境分布 |

生于海拔 410 ～ 1 800 m 的生石灰岩的缝隙中。分布于湖南邵阳（城步）等。

| **资源情况** | 野生资源稀少。药材来源于野生。

| **采收加工** | 全年均可采收，洗净，鲜用或晒干。

| **功能主治** | 苦、涩，凉。清热解毒，敛疮止血，利湿。用于烫火伤，狂犬咬伤，外伤出血，带下，小便淋痛。

| **用法用量** | 内服煎汤，3 ~ 6 g。外用适量，捣敷；或研末调敷。

全缘凤尾蕨 *Pteris insignis* Mett. ex Kuhn

| 药 材 名 | 全缘凤尾蕨（药用部位：全草。别名：蒲山剑、铁蕨、鸡脚莲）。

| 形态特征 | 植株高 1 ～ 1.5 m。根茎斜升，木质，粗壮，直径约 3 cm，先端被黑褐色鳞片。叶簇生；柄坚硬，长 60 ～ 90 cm，基部直径 5 ～ 7 mm，深禾秆色而稍有光泽，近基部栗褐色并疏被脱落的黑褐色鳞片；叶片卵状长圆形，长 50 ～ 80 cm，宽 20 ～ 30 cm，一回羽状；羽片 6 ～ 14 对，对生或近互生，向上斜出，线状披针形，先端渐尖，基部楔形，全缘，稍呈波状，并有软骨质的边，长 16 ～ 20 cm，下部的羽片不育，宽约 2.5 cm，有长约 1 cm 的柄，各羽片相距 4 ～ 6 cm，基部 1 对有时具一短小的分叉，中部以上的羽片能育，宽 1 ～ 1.5 cm，仅有短柄，顶生羽片同形，有柄。叶脉明显，主脉在下面隆起，深禾秆色，侧脉斜展，在两面均隆起，稀疏，单一或从下部分叉。叶干

后厚纸质，灰绿色至褐绿色，无光泽，无毛；叶轴浅褐色。孢子囊群线形，着生于能育羽片的中上部，羽片的下部及先端不育；囊群盖线形，灰白色或灰棕色，全缘。

| **生境分布** | 生于海拔 250 ～ 800 m 的山谷阴湿密林下或水沟旁。分布于湖南郴州（宜章）、怀化（洪江）、永州（江永）等。

| **资源情况** | 野生资源稀少。药材来源于野生。

| **采收加工** | 全年均可采收，洗净，鲜用或晒干。

| **功能主治** | 微苦，凉。清热利湿，活血消肿。用于黄疸，痢疾，血淋，热淋，风湿痛，咽喉肿痛，瘰疬，跌打损伤。

| **用法用量** | 内服煎汤，10 ～ 15 g。外用适量，捣敷。

凤尾蕨科 Pteridaceae 凤尾蕨属 Pteris

井栏边草

Pteris multifida Poir.

| 药 材 名 |

凤尾草（药用部位：全草或根）。

| 形态特征 |

多年生草本，高 30 ~ 70 cm。地下茎粗壮，
密被线状披针形的黑褐色鳞片。叶丛生；叶
柄长 5 ~ 23 cm，灰棕色或禾秆色，无毛；
生孢子囊的孢子叶 2 回羽状分裂，上面绿色，
下面淡绿色，中轴具宽翅，羽片 3 ~ 7 对，
对生或近对生，上部的羽片无柄，不分裂，
先端渐尖，长线形，全缘，先端的羽片最长，
下部的羽片有柄，羽状分裂或基部具 1 ~ 2
裂片，羽状分裂者具小羽片数枚，长线形，
小羽片在叶轴上下延成翅，叶脉明显，细脉
由中脉羽状分出，单一或二叉分枝，直达边
缘；不生孢子囊的营养叶较小，二回小羽片
较宽，线形或卵圆形，边缘有锯齿。孢子囊
群线形，着生于孢子叶羽片的下面边缘；孢
子囊群盖稍超出叶缘，膜质。

| 生境分布 |

生于海拔 1 000 m 以下的墙壁、井边、石灰
岩缝隙中或灌丛下。湖南各地均有分布。

| **资源情况** | 野生资源丰富。药材来源于野生。

| **采收加工** | 全年均可采收。

| **药材性状** | 本品多扎成小捆，长 25 ~ 70 cm。根茎短，棕褐色，下面丛生须根，上面有簇生叶。叶柄细，有棱，棕黄色或黄绿色，长 4 ~ 23 cm，易折断；叶片草质，一回羽状，灰绿色或黄绿色，不育叶羽片宽 4 ~ 8 cm，边缘有不整齐的锯齿；能育叶长条形，宽 3 ~ 6 cm，边缘反卷。孢子囊群生于羽片下面的边缘。气微，味淡、微涩。

| **功能主治** | 淡、微苦，寒。归大肠、心、肝经。清热利湿，凉血止血，消肿解毒。用于痢疾，泄泻，淋浊，带下，黄疸，疔疮肿毒，喉痹乳蛾，淋巴结结核，腮腺炎，乳腺炎，高热抽搐，蛇虫咬伤，吐血，衄血，尿血，便血，外伤出血。

| **用法用量** | 内服煎汤，9 ~ 15 g，鲜品 30 ~ 60 g；或捣汁。外用适量，捣敷。

凤尾蕨科 Pteridaceae 凤尾蕨属 Pteris

栗柄凤尾蕨 *Pteris plumbea* Christ

| 药 材 名 | 五齿剑（药用部位：全草）。

| 形态特征 | 多年生草本，高 25 ～ 35 cm。根茎直立或稍偏斜，先端被黑褐色鳞片。叶簇生；叶柄 4 棱，长 10 ～ 20 cm，直径 1 ～ 2 mm，连同叶轴为栗色（幼时有时为禾秆色），边缘有时呈禾秆色，有光泽，光滑；叶片（成长叶）近一型，长圆形或卵状长圆形，长 20 ～ 25 cm，宽 10 ～ 15 cm，一回羽状；羽片通常 2 对，对生，斜向上，基部羽片有栗色的短柄，通常 2 ～ 3 叉；顶生小羽片线状披针形，长 10 ～ 15 cm，宽 8 ～ 10 mm，先端渐尖，基部阔楔形，稍偏斜；两侧的小羽片短于顶生小羽片，第 2 对羽片偶为 2 叉，无柄，不下延；顶生羽片通常与其下 1 对侧生羽片合生而呈 3 叉，基部多少下延，边缘软骨质，能育部分全缘，不育部分边缘有锐锯齿；主脉在两面

均隆起，侧脉明显，单一或分叉；叶干后草质，灰绿色或上面为棕绿色，无毛。

| **生境分布** | 生于海拔 200 ~ 700 m 的石灰岩地区疏林下的石隙中。分布于湖南郴州（临武）、湘西州（花垣）等。

| **资源情况** | 野生资源稀少。药材来源于野生。

| **采收加工** | 全年均可采收，洗净，晒干。

| **功能主治** | 微苦，凉。清热利湿，活血止血。用于痢疾，跌打损伤，刀伤出血。

| **用法用量** | 内服煎汤，9 ~ 15 g。外用适量，捣敷。

凤尾蕨科 Pteridaceae 凤尾蕨属 Pteris

半边旗
Pteris semipinnata L.

| 药 材 名 |

半边旗（药用部位：全草或根茎）。

| 形态特征 |

多年生草本，高 30 ~ 100 cm。根茎短，匍匐，密被狭披针形、黑褐色的鳞片。叶疏生；叶柄粗壮，直立，长 20 ~ 50 cm，深褐色或近基部呈黑色，光亮，裸净，与叶轴相同；叶近革质，两面无毛，卵状披针形，长 15 ~ 50 cm，宽 10 ~ 25 cm，上部羽状深裂达叶轴，裂片线形或椭圆形，劲直或呈镰形，全缘，基部下延，下部约 2/3 处有 4 ~ 8 对近对生的半羽状羽片，羽片疏生，先端长尖，全缘，上缘不分裂，下缘深裂达中脉，裂片线形或镰形，基部下延；叶脉明显，单出或分枝。孢子囊群线形，连续排列于叶缘；子囊群盖线形，膜质。

| 生境分布 |

生于海拔 850 m 以下的疏林下背阴处、溪边或岩石旁的酸性土壤上。湖南各地均有分布。

| 资源情况 |

野生资源丰富。药材来源于野生。

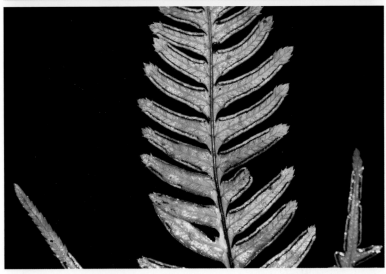

| **采收加工** | 全草，全年均可采收，洗净，鲜用或晒干。根茎，全年均可采挖，除去叶须、根和鳞叶，洗净，趁鲜切片，干燥。

| **功能主治** | 苦、辛，凉。归肝、大肠经。清热利湿，凉血止血，解毒消肿。用于泄泻，痢疾，黄疸，目赤肿痛，牙痛，吐血，痔疮出血，外伤出血，跌打损伤，皮肤瘙痒，毒蛇咬伤。

| **用法用量** | 内服煎汤，9～15 g。外用适量，捣敷；或研末撒；或煎汤熏洗。

蜈蚣草
Pteris vittata L.

| 药 材 名 | 蜈蚣草（药用部位：全草或根茎）。

| 形态特征 | 植株高 20 ～ 100 cm。根茎直立，短而粗健，直径 2 ～ 2.5 cm，木质，密被蓬松的黄褐色鳞片。叶簇生；叶柄坚硬，长 10 ～ 30 cm 或更长，基部直径 3 ～ 4 mm，深禾秆色至浅褐色，幼时密被与根茎上同样的鳞片，后鳞片渐稀疏；叶片倒披针状长圆形，长 20 ～ 90 cm 或更长，宽 5 ～ 25 cm 或更宽，一回羽状；顶生羽片与侧生羽片同形，侧生羽片多数（达 40 对），互生或有时近对生，下部羽片较疏离，相距 3 ～ 4 cm，斜展，无柄，不与叶轴合生，向下羽片逐渐缩短，基部羽片仅为耳形，中部羽片最长，狭线形，长 6 ～ 15 cm，宽 5 ～ 10 mm，先端渐尖，基部扩大成浅心形，两侧稍呈耳形，上侧耳片较大，常覆盖叶轴，各羽片间隔 1 ～ 1.5 cm；不育叶边缘有微细而均匀的密

锯齿，不为软骨质，主脉在下面隆起，浅禾秆色，侧脉纤细，密接，斜展，单一或分叉；叶干后薄革质，暗绿色，无光泽，无毛；叶轴禾秆色，疏被鳞片。成熟的植株除下部缩短的羽片不育外，其他羽片均能育。

| **生境分布** | 生于海拔 2 000 m 以下的钙质土或石灰岩上。湖南各地均有分布。

| **资源情况** | 野生资源丰富。药材来源于野生。

| **采收加工** | 全年均可采收，洗净，鲜用或晒干。

| **功能主治** | 淡、苦，凉。归肝、大肠、膀胱经。祛风除湿，舒筋活络，解毒杀虫。用于风湿筋骨疼痛，腰痛，肢麻屈伸不利，半身不遂，跌打损伤，感冒，痢疾，乳痈，疮毒，疥疮，蛔虫病，蛇虫咬伤。

| **用法用量** | 内服煎汤，6 ~ 12 g。外用适量，捣敷；或煎汤熏洗。

凤尾蕨科 Pteridaceae 凤尾蕨属 Pteris

西南凤尾蕨
Pteris wallichiana Agardh

| 药 材 名 |

三叉凤尾蕨（药用部位：全草）。

| 形态特征 |

陆生蕨类植物，植株高达 2 m。根茎粗短，直立，木质，直径 1.5 ~ 2 cm，先端被褐色鳞片。叶簇生；叶柄长 60 ~ 80 cm，基部稍膨大，直径 1 ~ 2 cm，坚硬，栗红色，表面粗糙，上面有阔纵沟；叶片五角状阔卵形，长 70 ~ 85 cm，基部宽约 60 cm，3 回深羽裂，自叶柄先端分为 3 大枝，侧生 2 枝通常再 1 次（或 2 次）分枝，中央 1 枝长圆形，长 50 ~ 70 cm，宽 20 ~ 25 cm，柄长 7 ~ 10 cm，侧生 2 枝小于中央 1 枝；小羽片超过 20 对，互生，斜展或斜向上，上部的无柄，下部的有短柄，相距 3 ~ 4 cm，披针形，长 11 ~ 15（ ~ 20）cm，宽 2 ~ 2.5（ ~ 3.5）cm，先端具长 1 ~ 2 cm、边缘有浅齿的线状尖尾，基部近截形至阔楔形，篦齿状深羽裂达小羽轴两侧的狭翅，基部的小羽片略缩短，顶生小羽片的形状、大小及分裂度与上部的侧生小羽片相同，基部楔形，有短柄；裂片 23 ~ 30 对，互生，接近或有尖缺刻，间隔 1 ~ 2 mm，斜展，长圆状阔披针形，长 10 ~ 13（ ~ 18）mm，向基部渐宽，宽 3.5 ~ 4.5 mm，先端钝或尖，边缘有浅钝锯齿；小羽轴下面隆起，禾秆色或下部稍带棕色，无毛，上面有浅纵沟，沟两旁有短刺；侧脉两面均明显，斜展，裂片基部上侧 1 脉与其上 1 裂片的基部下侧 1 脉联结成 1 弧形脉，沿小羽轴两侧各形成 1 列狭长、与小羽轴平行的网眼，在弧形脉外缘有数条外行达缺刻的单一小脉，网眼以外的小脉皆分离，顶部 2 ~ 3 对小脉单一，其余皆自基部以上呈 2 叉状，斜向上；叶干后坚草质，暗绿色或灰绿色，近无毛；羽轴禾秆色至棕禾秆色，有时为红棕色，无毛，上面有浅纵沟。

| **生境分布** | 生于海拔 800 ~ 1 800 m 的林下沟谷中。分布于湖南怀化（麻阳）、湘西州（吉首、古丈、永顺）等。

| **资源情况** | 野生资源稀少。药材来源于野生。

| **采收加工** | 全年均可采收，鲜用或晒干。

| **功能主治** | 微苦、涩，凉。归肝、大肠经。清热止痢，定惊，止血。用于痢疾，小儿惊风，外伤出血。

| **用法用量** | 内服煎汤，6 ~ 15 g。外用适量，捣敷；或研末撒。

中国蕨科 Sinopteridaceae 粉背蕨属 Aleuritopteris

银粉背蕨 Aleuritopteris argentea (Gmél.) Fée

| 药 材 名 | 通经草（药用部位：全草）。

| 形态特征 | 多年生草本，高 20 ~ 40 cm。根茎直立或斜升（偶沿石缝横走），先端被棕色披针形有光泽的鳞片。叶簇生；叶柄长 7 ~ 20 cm，有光泽，褐栗色，基部被鳞片，无毛；叶片五角形，长宽几相等，5 ~ 10 cm，2 ~ 3 回羽状分裂，最下部的羽片最大，斜三角形，再次羽状深裂，裂片线状长椭圆形；营养叶有微锯齿，下面被乳白色或淡黄色粉末，裂片边缘有明显而均匀的细牙齿；叶质稍厚，中轴褐栗色。孢子囊群多分布于叶片的边缘，褐色，狭而连续；囊群盖内缘呈疏圆齿状。

| 生境分布 | 生于海拔 500 ~ 1 500 m 的干旱地区、石灰岩缝中或土壁上。湖南各地均有分布。

| 资源情况 | 野生资源一般。药材来源于野生。

| 采收加工 | 夏、秋季采收，除去泥土，捆成小把，晒干。

| 药材性状 | 本品根茎短小，密被红棕色鳞片。叶数枚簇生；叶柄细长，长 10 ~ 20 cm，栗棕色，有光泽；叶片卷缩，展开后呈近五角形，长、宽均 5 ~ 10 cm，掌状羽裂，细裂片宽窄不一，上表面绿色，下表面被银白色或淡黄色粉粒。孢子囊群集生于叶缘，呈条形。质脆，易折断。气微，味淡。

| 功能主治 | 辛、甘，平。归肺、肝经。祛痰止咳，活血通经，利湿，解毒消肿。用于咳嗽，月经不调，经闭腹痛，赤白带下，肺痨咯血，泄泻，小便涩痛，肺痈，乳痈，风湿关节痛，跌打损伤，肋间神经痛，暴发火眼，疮肿。

| 用法用量 | 内服煎汤，9 ~ 15 g。外用适量，煎汤熏洗；或捣敷。

中国蕨科 Sinopteridaceae 粉背蕨属 Aleuritopteris

粉背蕨 *Aleuritopteris pseudofarinosa* Ching et S. K. Wu

| 药 材 名 | 粉背蕨（药用部位：全草）。

| 形态特征 | 多年生草本，高 15 ~ 50 cm。根茎短，直立。叶柄丛生，长 10 ~ 30 cm，有光泽，与中轴同为褐栗色，下部疏被披针形的鳞片；叶亚革质，三角状长圆形或三角状椭圆形，长 5 ~ 30 cm，宽 4 ~ 15 cm，3 回羽状分裂，羽片对生，无柄，最下部的羽片最大，其基部向下羽片伸长，更作深裂，先端渐尖，背面被白粉。孢子囊群盖棕色，膜质，圆形，连续或汇合。孢子球状四面体形，黑色或深色，有疣状突起。

| 生境分布 | 生于山坡阴处或石隙处。分布于湖南永州（零陵）、怀化（溆浦）等。

| 资源情况 | 野生资源稀少。药材来源于野生。

| **采收加工** | 秋后采收，洗净，晒干。

| **功能主治** | 淡，平。归肺、脾、肝经。祛痰止咳，健脾利湿，活血止血。用于咳嗽，泄泻，痢疾，消化不良，月经不调，吐血，便血，带下，淋证，跌打损伤，瘰疬。

| **用法用量** | 内服煎汤，15 ~ 30 g，大剂量可用至 60 g。

中国蕨科 Sinopteridaceae 碎米蕨属 Cheilanthes

毛轴碎米蕨 *Cheilanthes chusana* Hook.

| 药 材 名 |

毛轴碎米蕨（药用部位：全草）。

| 形态特征 |

多年生草本，植株高 10 ~ 30 cm。根茎短而直立，被栗黑色披针形鳞片。叶簇生，密被红棕色披针形和钻状披针形鳞片以及少数短毛，2 回羽状全裂，中部羽片最大，三角状披针形，先端短尖或钝，基部上侧与羽轴并行，下侧斜出，深羽裂，裂片长圆形或长舌形，无柄，或基部下延而有狭翅相连，具钝头，边缘有圆齿，下部羽片渐缩短，彼此疏离，有阔的间隔，基部 1 对羽片三角形；叶脉在裂片上呈羽状，单一或分叉，极斜向上，在两面均不明显；叶干后草质，绿色或棕绿色，两面无毛，羽轴下面下半部栗色、上半部绿色。孢子囊群圆形，生于小脉先端，位于裂片的圆齿上，每齿具 1 ~ 2；囊群盖椭圆状肾形或圆肾形，黄绿色，宿存，彼此分离。

| 生境分布 |

生于海拔 120 ~ 830 m 的路边、林下或溪边石缝中。湖南各地均有分布。

| **资源情况** | 野生资源一般。药材来源于野生。

| **功能主治** | 微苦，寒。止泻利尿，清热解毒，止血散血。用于痢疾，小便痛，喉痛，蛇咬伤，痈疖肿疡。

| **用法用量** | 内服煎汤，6 ~ 15 g。外用适量，研末调敷；或炙灰调敷。

中国蕨科 Sinopteridaceae 隐囊蕨属 Notholaena

中华隐囊蕨 *Notholaena chinensis* Bak.

| 药 材 名 |

山莲（药用部位：全草）。

| 形态特征 |

植株高（6～）10～25 cm。根茎横走，直径约 3 mm，密被鳞片；鳞片小，钻状披针形，下部深栗色，上部棕色。叶远生或近生；叶柄长（2～）3～6 cm；叶片长圆状披针形或披针形，二回羽状或 2 回羽裂；羽片 10～20 对，彼此密接，基部 1 对最大，长 2～4 cm，基部宽 1.5～2.5 cm，三角形，具短尾头或钝尖头，基部不等，上侧与叶轴并行，下侧斜出，几无柄，距上 1 对长 1～2.5 cm，略向上弯弓，羽裂几达羽轴；裂片 5～8 对，下侧下部 2～4 裂片远较上侧的长，长 1～2 cm（上侧的长 5～10 mm），宽 3～4 mm，线形，具钝头，全缘或下部 1～2 裂片有三角形浅裂片；第二对羽片向上略渐缩短，三角形至阔披针形，具尾头或钝头，羽裂至圆齿状；顶部羽片全缘。叶脉羽状分叉，不易见。叶纸质，柔软，干后上面褐绿色，疏被淡棕色柔毛，下面密被棕黄色厚绒毛。孢子囊群生于小脉先端，由少数孢子囊组成，隐没于绒毛中，成熟时略可见。

| **生境分布** | 生于石缝中。分布于湖南邵阳（绥宁）等。

| **资源情况** | 野生资源较少。药材来源于野生。

| **功能主治** | 用于痢疾。

中国蕨科 Sinopteridaceae 金粉蕨属 Onychium

野雉尾金粉蕨 *Onychium japonicum* (Thunb.) Kunze

| 药 材 名 | 金粉蕨（药用部位：全草。别名：野鸡尾）。

| 形态特征 | 多年生草本，高约60 cm。根茎长而横走，疏被鳞片，鳞片棕色或红棕色，披针形。叶散生，基部褐棕色，略有鳞片，光滑，叶片几与叶柄等长，宽约10 cm或更宽，卵状三角形或卵状披针形，具渐尖头，4回羽状细裂；羽片12~15对，互生，长圆状披针形或三角状披针形，先端渐尖，并具羽裂尾头，3回羽裂，各回小羽片彼此接近；末回能育小羽片或裂片长5~7 mm，宽1.5~2 mm，线状披针形，有不育的急尖头；末回不育裂片短而狭，线形或短披针形，具短尖头；叶轴和各回羽轴上面有浅沟，在下面凸起，不育裂片仅有1中脉，能育裂片斜向上的侧脉与叶缘的边脉汇合；叶干后坚草质或纸质，灰绿色或绿色，无毛。孢子囊群长（3~）5~6 mm；

囊群盖线形或短长圆形，膜质，灰白色，全缘。

| **生境分布** | 生于海拔 50 ~ 2 000 m 的林下沟边或溪边石上。湖南各地均有分布。

| **资源情况** | 野生资源丰富。药材来源于野生。

| **功能主治** | 苦，寒。清热解毒。用于感冒高热，肠炎，痢疾，小便不利，山薯、木薯、砷中毒；外用于烫火伤，外伤出血。

| **用法用量** | 内服煎汤，1.5 ~ 3 g。外用适量，研末敷或调敷；或炙灰调敷。

中国蕨科 Sinopteridaceae 蕨属 Onychium

栗柄金粉蕨

Onychium japonicum (Thunb.) Kuntze var. *lucidum* (D. Don) Christ

| **药 材 名** | 栗柄金粉蕨（药用部位：全草）。

| **形态特征** | 陆生蕨类，高大。根茎长而横走，密被棕色卵状披针形鳞片。叶质较厚，裂片较狭长；叶柄栗色或棕色；叶片长卵形至卵状披针形，长 20 ～ 30 cm，宽 6 ～ 15 mm，3 ～ 4 回羽状分裂；一回羽片 8 ～ 15 对，有柄，狭卵形，基部宽楔形，先端长渐尖，第一对羽片最大，长 10 ～ 15 cm，宽约 5 cm；二回羽片 8 ～ 12 对，近卵形；三回羽片 3 ～ 4 对，互生，椭圆形或倒卵形，羽状分裂；四回羽片 2 ～ 3 对，互生，倒披针形或披针形。孢子囊群线形，长 2 ～ 6 mm；囊群盖长圆形或短线形，膜质，全缘，白色。

| **生境分布** | 生于林缘、水边。分布于湖南衡阳（雁峰、蒸湘、衡阳、衡山）、

怀化（芷江、洪江、沅陵）等。

| **资源情况** | 野生资源稀少。药材来源于野生。

| **功能主治** | 苦，凉。清热解毒，利湿，止血。用于黄疸性肝炎，流行性感冒，咳嗽，腮腺炎，扁桃体炎，乳腺炎，肠炎，痢疾；外用于跌打损伤，骨折，外伤出血，狂犬咬伤。

| **用法用量** | 外用捣敷，鲜品 25 ～ 50 g。

铁线蕨科 Adiantaceae 铁线蕨属 Adiantum

团羽铁线蕨 *Adiantum capillus-junonis* Rupr.

| 药 材 名 |

猪毛针（药用部位：全草或根）。

| 形态特征 |

多年生草本，植株高 8 ~ 15 cm。根茎短而直立，被褐色披针形鳞片。叶簇生；叶柄长 2 ~ 6 cm，直径约 0.5 cm，纤细如铁丝，深栗色，有光泽，基部被褐色披针形鳞片，向上光滑；叶片披针形，一回奇数羽状，羽片 4 ~ 8 对，下部羽片对生，上部羽片近对生，斜向上，具明显的柄，柄端具关节，团扇形或近圆形，基部对称，圆楔形或圆形，两侧全缘，上缘圆形，能育羽片具 2 ~ 5 浅缺刻，不育部分具细牙齿，不育羽片上缘具细牙齿，上部羽片、顶生羽片与下部羽片同形而略小；叶脉多回 2 歧分叉，直达叶边，在两面均明显；叶轴先端常延伸成鞭状，能着地生根，进行无性繁殖。每羽片有孢子囊群 1 ~ 5；囊群盖长圆形或肾形，上缘平直，纸质，棕色，宿存。孢子周壁具粗颗粒状纹饰。

| 生境分布 |

生于海拔 300 ~ 1 800 m 的湿润石灰岩下、阴湿墙壁基部的石缝中或背阴湿润的白垩土上。分布于湖南郴州（宜章、桂东、安仁）、永州（新田）等。

| **资源情况** | 野生资源稀少。药材来源于野生。

| **功能主治** | 微苦，凉。清热利尿，舒筋活络，补肾止咳。用于血淋，尿闭，乳腺炎，遗精，咳嗽。

| **用法用量** | 外用捣敷，鲜品 25 ～ 50 g。

铁线蕨科 Adiantaceae 铁线蕨属 Adiantum

铁线蕨 *Adiantum capillus-veneris* L.

| 药 材 名 | 猪鬃草（药用部位：全草）。

| 形态特征 | 多年生草本，高 15 ～ 40 cm。根茎细长横走，密被棕色披针形鳞片。叶远生或近生；叶柄纤细，栗黑色，有光泽；叶片卵状三角形，中部以下多为二回羽状，中部以上为一回奇数羽状，羽片 3 ～ 5 对，互生，侧生末回小羽片上缘圆形，具 2 ～ 4 浅裂或深裂成条状的裂片，不育裂片先端钝圆形，具阔三角形的小锯齿或啮蚀状的小齿，能育裂片先端截形，直或略下陷，全缘或两侧具啮蚀状的小齿，基部渐狭成偏斜的阔楔形；叶脉多回 2 歧分叉，直达边缘，在两面均明显。每羽片有孢子囊群 3 ～ 10，孢子囊群横生于能育的末回小羽片上缘；囊群盖长形、长肾形或圆肾形，上缘平直，淡黄绿色，老时棕色，膜质，全缘，宿存。孢子周壁具粗颗粒状纹饰。

| **生境分布** | 生于海拔 100 ～ 1 800 m 的流水溪旁的石灰岩上、石灰岩洞底或滴水岩壁上。湖南各地均有分布。

| **资源情况** | 野生资源一般。药材来源于野生。

| **采收加工** | 夏、秋季采收，洗净，鲜用或晒干。

| **功能主治** | 苦，凉。归肝、肾经。清热解毒，利水通淋。用于感冒发热，肺热咳嗽，湿热泄泻，痢疾，淋浊，带下，乳痈，瘰疬，疔毒，烫伤，毒蛇咬伤。

| **用法用量** | 内服煎汤，15 ～ 30 g；或浸酒。外用适量，煎汤洗；或研末调敷。

铁线蕨科 Adiantaceae 铁线蕨属 Adiantum

鞭叶铁线蕨 *Adiantum caudatum* L.

| 药 材 名 | 鞭叶铁线蕨（药用部位：全草）。

| 形态特征 | 多年生草本，高 15 ～ 40 cm。根茎短而直立，被深栗色披针形全缘的鳞片。叶簇生；叶柄、叶轴和羽片两面密被多细胞棕色长硬毛；叶片披针形或线状披针形，一回羽状，羽片近长圆形，上缘及外缘深裂或条裂成许多狭裂片，下缘几通直而全缘，基部不对称，上侧截形，裂片线形，先端平截，全缘，上部再撕裂为线形的细裂片，细裂片先端平截，具少数牙齿；叶轴先端延伸成鞭状，能着地生根，进行无性繁殖。每羽片有 5 ～ 12 孢子囊群；囊群盖圆形或长圆形，褐色，被毛，上缘平直，全缘，宿存。孢子周壁具粗粒状纹饰。

| 生境分布 | 生于海拔 100 ～ 1 200 m 的林下或山谷石上及石缝中。分布于湖南

永州（道县）等。

| **资源情况** | 野生资源稀少。药材来源于野生。

| **采收加工** | 夏、秋季采收，洗净，晒干。

| **功能主治** | 苦、微甘，平、寒。归大肠、肾经。清热解毒，利水消肿。用于痢疾，水肿，小便淋浊，乳痈，烫火伤，毒蛇咬伤，口腔溃疡。

| **用法用量** | 内服煎汤，30 ~ 60 g。外用适量，研末撒。

月芽铁线蕨 *Adiantum edentulum* Christ

| **药 材 名** | 猪毛七（药用部位：全草）。

| **形态特征** | 植株高 15 ～ 30（～ 50） cm。根茎短而直立或斜升，密被深棕色的披针形鳞片。叶簇生；柄长 8 ～ 15 cm，直径约 1 mm，栗黑色，有光泽，基部密被与根茎上相同的鳞片，向上光滑；叶片长卵形或卵状披针形，长 10 ～ 15 cm，宽 4.5 ～ 8 cm，具尖头，基部楔形，通常二至三回羽状，羽片 4 ～ 5 对，互生，斜向上，有柄，基部 1 对较大，长 2.5 ～ 5.5 cm，宽 2 ～ 3 cm，长卵形或卵状长三角形，一回奇数羽状或二回羽状；小羽片 4 ～ 5 对，互生，斜向上，相距 5 ～ 15 mm，彼此接近或疏离；末回小羽片为不对称的扇形，长 5 ～ 15 mm，宽 8 ～ 14 mm，互生，斜向上，上缘为波状圆形，1 ～ 3 浅裂或半裂（中部有 1 深裂），不育裂片全缘或呈微波状，能育裂片上缘具浅阔的

弯缺，两侧全缘，基部渐狭为短楔形，具短柄（长 0.5 ~ 2 mm），纤细如发丝，顶生小羽片与侧生小羽片同形，但略大于其下的侧生小羽片；第 2 对小羽片距基部 1 对小羽片 4 ~ 6 cm，向上各对小羽片均与基部 1 对小羽片同形而渐变小。叶脉多回 2 歧分叉，直达边缘，两面均明显。叶干后纸质，下面灰绿色，两面均无毛；叶轴、各回羽轴和小羽柄均与叶柄同色，有光泽，光滑，向左右两侧曲折。孢子囊群每羽片具 3 ~ 4，横生于裂片上缘的阔弯缺内；囊群盖长形或圆肾形，棕色，上缘平直或弯凹，膜质，全缘，宿存。孢子周壁表面具较大而明显的网状纹饰。

| **生境分布** | 生于海拔 1 000 ~ 2 000 m 的林下或沟中苔被岩石上、阴湿的岩壁上。分布于湖南张家界（桑植）、常德（石门）等。

| **资源情况** | 野生资源稀少。药材来源于野生。

| **采收加工** | 夏、秋季采收，洗净，晒干。

| **功能主治** | 苦，平。清利湿热，祛风。用于湿热黄疸，小便淋痛，风湿热痹。

| **用法用量** | 内服煎汤，10 ~ 15 g。外用适量，鲜品捣敷。

铁线蕨科 Adiantaceae 铁线蕨属 Adiantum

普通铁线蕨 *Adiantum edgeworthii* Hook.

| 药 材 名 | 猪毛参（药用部位：全草）。

| 形态特征 | 多年生草本，高 20 ~ 35 cm。根茎短而直立，顶部连同叶柄基部被近黑色披针形鳞片。叶簇生；叶柄长 10 ~ 15 cm，栗红色，向上光滑；叶轴栗红色，通常先端延伸成鞭状，着地生根，进行无性繁殖；叶片坚纸质，线状披针形，长 8 ~ 20 cm，宽 2 ~ 3 cm，先端长渐尖，一回羽状，羽片 15 ~ 30 对，互生，中部羽片较大，长约 1.5 cm，宽约 8 mm，对开式三角形，上缘浅裂至深裂，基部不对称，截形，下缘直而全缘，向下的各羽片稍缩短，向上的羽片渐变小，稀疏，同形；叶脉扇形，多回二叉分枝，延伸至叶缘。孢子囊群长圆形或圆肾形，横生于由裂片先端变质反折的囊群盖下面，每羽片 2 ~ 5；囊群盖圆肾形或长圆形，上缘平直，灰棕色，全缘，无毛。

生境分布	生于海拔 600 ～ 2 000 m 的林下湿地或岩石上。分布于湖南郴州（桂东）等。
资源情况	野生资源稀少。药材来源于野生。
采收加工	夏、秋季采收，洗净，鲜用或晒干。
功能主治	苦，凉。利尿通淋，止血。用于热淋，血淋，刀伤出血。
用法用量	内服煎汤，10 ～ 15 g。外用适量，鲜品捣敷。

铁线蕨科 Adiantaceae 铁线蕨属 Adiantum

肾盖铁线蕨 *Adiantum erythrochlamys* Diels

| 药 材 名 | 小猪鬃七（药用部位：全草）。

| 形态特征 | 植株高 12 ～ 35 cm。根茎短而横走或斜升，密被栗黑色、有光泽的狭长披针形鳞片。叶簇生或近生；柄长 5 ～ 22 cm，直径可达 2 mm，栗色，有光泽，基部密被与根茎上相同的鳞片，向上光滑；叶片披针状长三角形，长 6 ～ 22 cm，基部宽 4 ～ 8 cm，先端渐尖，基部楔形，三回羽状，羽片 4 ～ 7 对，互生，斜向上，有柄，基部 1 对略大，长 2.5 ～ 4 cm，宽约 2 cm，长卵形，中部以下为简单的二回羽状，小羽片 2 对，互生，斜展，相距 6 ～ 18 mm，二至三出，彼此密接且稍重叠；末回小羽片狭扇形或倒卵形，长 5 ～ 14 mm，宽 4 ～ 10 mm，基部狭楔形，不育小羽片的上缘圆形，有明显的波状圆齿；能育小羽片的中央具阔而深的缺刻，两侧也具明显的波状

圆齿，外缘和内缘全缘，两侧对称，具纤细的短柄；羽片上部为奇数一回羽状，具小羽片 3 ～ 4 对，互生，斜向上，相距 4 ～ 9 mm，与末回小羽片同形同大；第 2 对羽片距基部 1 对 2 ～ 4 cm，向上各对羽片均与基部 1 对同形而略变小。叶脉多回 2 歧分叉，直达边缘，两面均明显。叶干后纸质，黄绿色或褐绿色，两面无毛；叶轴、各回羽轴和小羽柄均与叶柄同色，有光泽，光滑。孢子囊群每羽片多为 1，少有 2，横生于每小羽片上缘的阔而深的缺刻内；囊群盖圆形或圆肾形，上缘呈深缺刻状，褐色，近革质，全缘，宿存。孢子周壁具颗粒状纹饰，处理后易破坏，但不脱落。

| **生境分布** | 生于海拔 600 ～ 2 000 m 的林下溪旁岩石上或石缝中。分布于湖南张家界（桑植）、常德（石门）等。

| **资源情况** | 野生资源稀少。药材来源于野生。

| **采收加工** | 夏、秋季采收，洗净，晒干或鲜用。

| **功能主治** | 苦，凉。利水通淋，清热解毒。用于小便淋沥涩痛，瘰疬，溃疡。

| **用法用量** | 内服煎汤，10 ～ 15 g。外用适量，研末撒；或鲜品捣敷。

铁线蕨科 Adiantaceae 铁线蕨属 Adiantum

扇叶铁线蕨 *Adiantum flabellulatum* L.

| 药 材 名 | 过坛龙（药用部位：全草或根）。

| 形 态 特 征 | 多年生草本，高 20 ～ 45 cm。根茎短而直立，密被棕色、有光泽的钻状披针形鳞片。叶簇生；叶片扇形，2 ～ 3 回不对称的二叉分枝，一回奇数羽状，互生，平展，具短柄，中部以下的小羽片大小几相等，对开式半圆形（能育的）或斜方形（不育的），内缘及下缘直而全缘，基部阔楔形或扇状楔形，外缘和上缘近圆形或圆截形，能育部分具浅缺刻，裂片全缘；叶脉多回 2 歧分叉，直达边缘，在两面均明显；各回羽轴及小羽柄均为紫黑色，有光泽，上面密被红棕色短刚毛，下面光滑。每羽片有 2 ～ 5 孢子囊群，孢子囊群横生于裂片上缘和外缘，以缺刻分开；囊群盖半圆形或长圆形，上缘平直，革质，褐黑色，全缘，宿存。孢子具不明显的颗粒状纹饰。

| **生境分布** | 生于海拔 100 ～ 1 100 m 的阳光充足的酸性红壤土、黄壤土上。湖南各地均有分布。 |

| **资源情况** | 野生资源丰富。药材来源于野生。 |

| **采收加工** | 全年均可采收，洗净，鲜用或晒干。 |

| **功能主治** | 苦、辛，凉。归肝、膀胱、大肠经。清热，利湿，解毒散结。用于流行性感冒发热，泄泻，痢疾，黄疸，石淋，痈肿，瘰疬，蛇虫咬伤，跌打肿痛。 |

| **用法用量** | 内服煎汤，15 ～ 30 g，鲜品加倍；或捣汁。外用适量，捣敷；或研末撒；或研末调敷。 |

铁线蕨科 Adiantaceae　铁线蕨属 Adiantum

白垩铁线蕨 *Adiantum gravesii* Hance

| 药 材 名 | 白垩铁线蕨（药用部位：全草）。

| 形态特征 | 多年生草本，高4～14 cm。根茎短小，直立，被黑色钻状披针形鳞片。叶簇生；叶柄长2～6 cm，纤细，栗黑色，有光泽，光滑；叶片长圆形或卵状披针形，一回奇数羽状，羽片2～4对，互生，斜向上，相距1～2 cm，羽片阔倒卵形或阔卵状三角形，长、宽均约1 cm，具圆头，中央具1（罕2）浅阔缺刻，全缘，基部圆楔形或近圆形，两侧呈微波状，有短柄，柄长达3 mm（为羽片长度的1/5或更短），柄端具关节，干后羽片易从关节脱落而柄宿存，顶生羽片与侧生羽片同形而稍大；叶脉2歧分叉，直达软骨质的边缘，在两面均可见。每羽片有1（罕2）孢子囊群；囊群盖肾形或新月形，罕近圆形，上缘弯凹，棕色，革质，宿存。

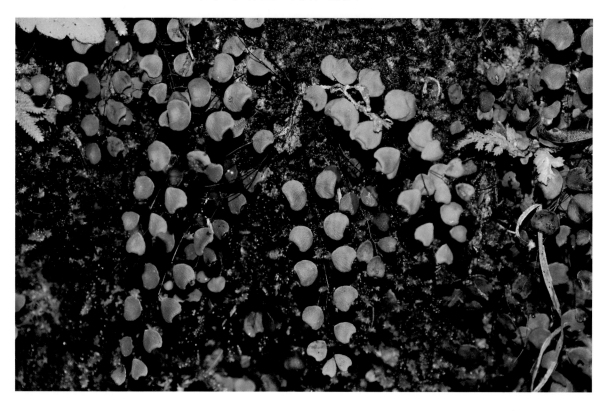

生境分布	生于海拔 620 ～ 1 500 m 的湿润的岩壁、石缝或山洞中的白垩土上。分布于湖南湘西州（花垣、古丈）等。
资源情况	野生资源稀少。药材来源于野生。
采收加工	夏、秋季采收，洗净，晒干。
功能主治	甘，凉。清热，利水通淋，清热解毒。用于热淋，血淋，水肿，乳糜尿，乳痈，睾丸炎。
用法用量	内服煎汤，10 ～ 15 g。

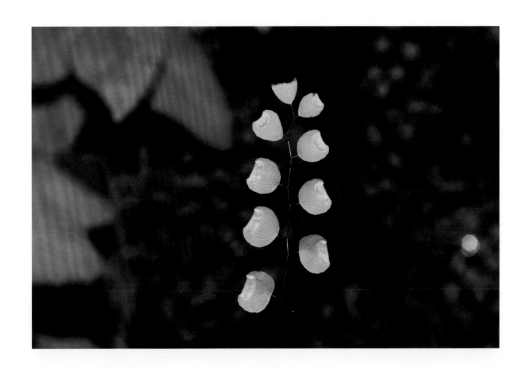

铁线蕨科 Adiantaceae 铁线蕨属 Adiantum

假鞭叶铁线蕨
Adiantum malesianum Ghatak

| 药 材 名 | 岩风子（药用部位：全草）。

| 形态特征 | 多年生草本，高 15 ~ 20 cm。根茎短而直立，密被披针形、棕色、边缘具锯齿的鳞片。叶簇生，通体被多细胞节状长毛；叶片线状披针形，下部的羽片不逐渐缩小，最下 1 对羽片不缩小而呈扇形；叶轴下面的毛密，羽片下面的毛密而紧贴，朝向羽片的前方；叶脉多回 2 歧分叉，在下面不明显，在上面显著隆起；叶轴先端往往延长成鞭状，落地生根，进行无性繁殖。每羽片有 5 ~ 12 孢子囊群；囊群盖圆肾形，上缘平直，上面密被毛，棕色，纸质，全缘，宿存。

| 生境分布 | 生于海拔 200 ~ 1 400 m 的山坡灌丛下的岩石上或石缝中。分布于湖南湘西州（古丈）等。

| **资源情况** | 野生资源稀少。药材来源于野生。

| **采收加工** | 夏、秋季采收，洗净，晒干。

| **功能主治** | 苦，凉。利水通淋，清热解毒。用于淋证，水肿，乳痈，疮毒。

| **用法用量** | 内服煎汤，10 ~ 15 g。

铁线蕨科 Adiantaceae 铁线蕨属 Adiantum

单盖铁线蕨 *Adiantum monochlamys* Eaton

| **药材名** | 石长生（药用部位：全草）。

| **形态特征** | 多年生草本，高 25 ~ 55 cm。根茎长而横走，密被栗黑色、有光泽的狭长披针形鳞片。叶近生或散生；叶片狭长卵状三角形，先端一回羽状，其下三回羽状，羽片 6 ~ 8 对，基部 1 对最大，三角状卵形，二回奇数羽状；一回小羽片 2 ~ 3 对，各对具末回小羽片 3 ~ 5 对；末回小羽片狭长倒三角形，不育的末回小羽片具有三角形的尖锯齿，能育的末回小羽片中部深陷，两侧具有三角形的尖锯齿，两侧边缘直，全缘，具纤细的栗色短柄，顶生小羽片与侧生小羽片同形等大，柄较长；叶脉多回 2 歧分叉，直达小羽片的锯齿尖端，在两面均明显。每羽片有 1、偶 2 孢子囊群，孢子囊群横生于末回小羽片上缘的缺

刻内；囊群盖肾形，上缘呈深缺刻状，薄纸质，红褐色，全缘或呈微波状，宿存。

| 生境分布 | 生于海拔 800 m 的山地林下。分布于湖南张家界（永定）等。

| 资源情况 | 野生资源稀少。药材来源于野生。

| 采收加工 | 秋季采收，鲜用或晒干。

| 功能主治 | 咸，微寒；有小毒。清热化痰，解毒。用于肺热咳嗽，感冒发热，痈肿疔毒。

| 用法用量 | 内服煎汤，9 ~ 15 g。外用适量，捣敷。

铁线蕨科 Adiantaceae 铁线蕨属 Adiantum

灰背铁线蕨 *Adiantum myriosorum* Baker

| 药 材 名 |

铁扇子（药用部位：全草）。

| 形态特征 |

多年生草本。根茎粗壮，木质，先端生深棕色、坚厚的鳞片。叶簇生，直立；叶片阔扇形，叶柄长 12 ~ 25 cm，粗壮，黑色，极光亮，先端以锐角二叉平分为左右两边，两边侧枝上生出 3 ~ 6 对羽片；小羽片多数，篦齿状，水平开展，小羽片具钝头和尖锯齿；叶片背面灰白色，叶脉细而明显，至牙齿的先端。孢子囊群圆形或横生成肾形；孢子具网状纹饰。

| 生境分布 |

生于海拔 1 200 ~ 1 800 m 的林下沟旁或石灰岩上。分布于湖南湘西州（永顺）等。

| 资源情况 |

野生资源稀少。药材来源于野生。

| 采收加工 |

夏季采收，洗净，晒干。

| **功能主治** | 淡、苦，平。归膀胱经。清热，利水，活血。用于烫火伤，跌打损伤，癃闭，冻疮。

| **用法用量** | 内服煎汤，30 ~ 60 g。外用适量，研末醋调敷。

水蕨科 Parkeriaceae 水蕨属 Ceratopteris

粗梗水蕨

Ceratopteris pteridoides (Hook.) Hieron.

| 药 材 名 | 水蕨（药用部位：全草）。

| 形态特征 | 多年生草本，高 20 ～ 30 cm。叶柄、叶轴与下部羽片的基部均显著膨胀成圆柱形，叶柄基部尖削，布满细长的根。叶二型；不育叶为深裂的单叶，绿色，光滑，叶柄长约 8 cm，直径约 1.6 cm，叶片卵状三角形，裂片宽带状；能育叶幼嫩时绿色，成熟时棕色，光滑，叶柄长 5 ～ 8 cm，直径 1.2 ～ 2.7 cm，叶片长 15 ～ 30 cm，阔三角形，二至四回羽状，末回裂片边缘薄而透明，强裂反卷达主脉，覆盖孢子囊，呈线形或角果形，具渐尖头，长 2 ～ 7 cm，宽约 2 mm。孢子囊沿主脉两侧的小脉着生，幼时为反卷的叶缘所覆盖，成熟时叶张开，露出孢子囊。

| **生境分布** | 生于沼泽、河沟和水塘。分布于湖南长沙（岳麓）等。

| **资源情况** | 野生资源稀少。药材来源于野生。

| **功能主治** | 甘、苦，寒。归脾、胃、大肠经。消积，散瘀，解毒，止血。用于腹中痞块，痢疾，小儿胎毒，疮疖，跌打损伤，外伤出血。

| **用法用量** | 内服煎汤，15 ～ 30 g。外用适量，捣敷。

水蕨科 Parkeriaceae 水蕨属 Ceratopteris

水蕨
Ceratopteris thalictroides (L.) Brongn.

| 药 材 名 | 水蕨（药用部位：全草）。

| 形态特征 | 一年生水生草本，高 30 ~ 80 cm，绿色，多汁。根茎短而直立，以须根固着于淤泥中。叶二型，无毛；营养叶叶柄长 10 ~ 40 cm，圆柱形，肉质，叶片直立或漂浮，狭矩圆形，长 10 ~ 30 cm，宽 5 ~ 15 cm，2 ~ 4 回深羽裂，末回裂片披针形，宽约 6 mm；孢子叶较大，矩圆形或卵状三角形，长 15 ~ 40 cm，宽 10 ~ 22 cm，2 ~ 3 回羽状深裂，末回裂片条形，角果状，宽约 2 mm，边缘薄而透明，反卷达主脉，主脉两侧的小脉联结成网，无内藏小脉。孢子囊沿能育叶裂片的网脉着生，稀疏，棕色，幼时为反卷的叶缘覆盖，成熟后叶多少张开。

| **生境分布** | 生于池沼、水田、水沟的淤泥中或漂浮于深水面。分布于湖南衡阳（衡山、耒阳、衡东、常宁）、永州（冷水滩）、株洲（渌口）、怀化（通道）等。

| **资源情况** | 野生资源一般。药材来源于野生。

| **采收加工** | 夏、秋季采收，洗净泥土，鲜用或晒干。

| **药材性状** | 本品根茎短，密生须根。叶二型，无毛；营养叶狭短圆形，长 10 ～ 30 cm，宽 5 ～ 15 cm，2 ～ 4 回羽裂，末回裂片披针形或矩圆状披针形，宽约 6 mm；孢子叶较大，矩圆形或卵状三角形，长 15 ～ 40 cm，宽 10 ～ 20 cm，2 ～ 3 回羽状深裂，末回裂片条形，角果状，宽约 2 mm，叶脉网状，无内藏小脉。孢子囊沿网脉疏生。

| **功能主治** | 甘、苦，寒。归脾、胃、大肠经。消积，散瘀，解毒，止血。用于腹中痞块，痢疾，小儿胎毒，疮疖，跌打损伤，外伤出血。

| **用法用量** | 内服煎汤，15 ～ 30 g。外用适量，捣敷。

裸子蕨科 Hemionitidaceae 凤丫蕨属 Coniogramme

峨眉凤丫蕨

Coniogramme emeiensis Ching et Shing

| 药 材 名 | 峨眉凤丫蕨（药用部位：全草）。

| 形态特征 | 植株高可达 1 m。根茎粗短，横卧，被深棕色披针形鳞片。叶柄长 40 ~ 60 cm，基部直径 4 ~ 5 mm，禾秆色或下面饰有红紫色，上面有沟，基部略被鳞片；叶片长 30 ~ 50 cm，宽 20 ~ 28 cm，阔卵状长圆形，二回羽状；侧生羽片 7 ~ 10 对，下部 1 ~ 2 对最大，长 15 ~ 25 cm，宽 10 cm 左右，近卵形，柄长 1 ~ 2 cm，羽状；侧生小羽片 1 ~ 3 对，长 7 ~ 12 cm，中部宽 1.5 ~ 2 cm，披针形，先端尾状长渐尖，向基部变狭，楔形，有短柄，顶生小羽片同形，长 12 ~ 20 cm，宽 2.5 ~ 3 cm，基部叉裂；中部羽片三出至 2 叉，向上的羽片单一，与其下的顶生小羽片同形，但渐变小；顶生羽片较大，基部叉裂，有长柄；羽片边缘有向前伏贴的三角形粗齿，往往

呈浅缺刻状或波状。叶脉分离，侧脉 1 ～ 2 回分叉，先端有棒形水囊，伸达锯
齿基部。叶干后草质，上面暗绿色，下面淡绿色，常沿侧脉间有不规则的黄色
条纹，两面无毛。孢子囊群伸达侧脉的 3/4 ～ 4/5。

| **生境分布** | 生于海拔 600 ～ 1 750 m 的林下或路边灌丛。分布于湖南湘西州（古丈）、怀化（通道）等。

| **资源情况** | 野生资源稀少。药材来源于野生。

| **功能主治** | 微苦，凉。清热利湿，活血消肿。用于痢疾，血淋，热淋，风湿痛，咽喉肿痛，跌打损伤。

裸子蕨科 Hemionitidaceae 凤丫蕨属 Coniogramme

普通凤丫蕨 *Coniogramme intermedia* Hieron.

| 药 材 名 |

黑虎七（药用部位：全草或根茎）。

| 形态特征 |

多年生草本，高 60 ～ 120 cm。根茎横走，疏生披针形鳞片。叶柄禾秆色或有淡棕色斑点；叶片与叶柄等长或较叶柄稍短，卵状三角形或卵状长圆形，二回羽状，侧生羽片 3 ～ 5（～ 8）对，基部 1 对羽片最大，长 18 ～ 24 cm，宽 8 ～ 12 cm，三角状长圆形，柄长 1 ～ 2 cm，一回羽状，侧生小羽片 1 ～ 3 对，披针形，具长渐尖头，基部圆形至圆楔形，有短柄，顶生小羽片较大，基部极不对称或叉裂，第 2 对羽片三出或单一，从第 3 对起羽片单一，披针形，具长渐尖头，基部呈略不对称的圆楔形，有短柄至无柄，顶生羽片较其他羽片大，基部常叉裂，羽片和小羽片边缘有斜向上的锯齿；叶脉分离，侧脉 2 回分叉，先端的水囊线形，略加厚，伸入锯齿，但不到齿缘；叶干后草质至纸质，上面暗绿色，下面色较淡，有疏短柔毛。孢子囊群沿侧脉分布达离叶边不远处。

| 生境分布 |

生于海拔 350 ～ 2 000 m 的林下溪边湿润处。

湖南各地均有分布。

| **资源情况** | 野生资源一般。药材来源于野生。

| **采收加工** | 秋季采挖根茎，除去须根及泥土，晒干。

| **功能主治** | 甘、淡，平。归膀胱、大肠经。清利湿热，祛风活血。用于小便淋涩，痢疾，泄泻，带下，风湿痹痛，疮毒，跌打损伤。

| **用法用量** | 内服煎汤，10 ~ 15 g。

裸子蕨科 Pteridaceae 凤丫蕨属 Coniogramme

凤丫蕨 *Coniogramme japonica* (Thunb.) Diels

| **药 材 名** | 凤丫草（药用部位：全草或根茎）。

| **形态特征** | 多年生草本，高60～120 cm。叶柄禾秆色或栗褐色，基部以上光滑；叶片与叶柄等长或较叶柄稍长，宽20～30 cm，长圆状三角形，二回羽状，基部1对羽片最大，卵圆状三角形，柄长1～2 cm，羽状（偶2叉），侧生小羽片1～3对，披针形，有柄或向上的小羽片无柄，顶生小羽片较侧生小羽片大，长20～28 cm，宽2.5～4 cm，阔披针形，具长渐尖头，通常向基部略变狭，基部为不对称的楔形或叉裂，第二对羽片三出、二叉或从第2对羽片起向上均单一，但渐变小，与顶生小羽片同形，顶生羽片较其下的羽片大，有长柄，羽片和小羽片边缘有向前伸的疏矮齿；叶脉网状，在羽轴两侧形成2～3行狭长的网眼，网眼外的小脉分离，小脉先端有纺锤形水囊，不达

锯齿基部。孢子囊群沿叶脉分布，几达叶边。

| **生境分布** | 生于海拔 100 ~ 1 300 m 的湿润林下和山谷阴湿处。湖南各地均有分布。

| **资源情况** | 野生资源丰富。药材来源于野生。

| **采收加工** | 全年均可采收，洗净，鲜用或晒干。

| **功能主治** | 苦，凉。清利湿热，祛风除湿，活血止痛，清热解毒。用于风湿筋骨痛，跌打损伤，瘀血腹痛，闭经，面赤肿痛，肿毒初起，乳腺炎。

| **用法用量** | 内服煎汤，25 ~ 50 g；或浸酒。

书带蕨科 Vittariaceae 书带蕨属 Haplopteris

书带蕨
Haplopteris flexuosa (Fée) E. H. Crane

| 药 材 名 | 书带蕨（药用部位：全草）。

| 形态特征 | 多年生草本。根茎横走，密被黄褐色鳞片；鳞片钻状披针形，具光泽，先端纤毛状，边缘具睫毛状齿，网眼壁较厚，深褐色。叶近生，常密集成丛；叶柄短，纤细，下部浅褐色，基部被纤细的小鳞片；叶片线形，长 15 ~ 40 cm 或更长，宽 4 ~ 6 mm，较小者长 6 ~ 12 cm，宽 1 ~ 2.5 mm，中肋在叶片下面隆起，纤细，其上面凹陷成 1 狭缝，侧脉不明显；叶薄草质，边缘反卷，遮盖孢子囊群。孢子囊群线形，生于叶缘内侧的浅沟槽中，沟槽内侧略隆起或扁平，孢子囊群线与中肋之间有阔的不育带或狭窄的叶片上布满成熟的孢子囊群线，叶片下部和先端不育，隔丝多数，先端倒圆锥形，长、宽近相等，亮褐色。孢子长椭圆形，无色透明，单裂缝，表面具模糊的颗粒状纹饰。

| 生境分布 | 生于海拔 100 ~ 2 000 m 的林中树干上或岩石上。湖南各地均有分布。

| 资源情况 | 野生资源稀少。药材来源于野生。

| 采收加工 | 全年或夏、秋季采收，洗净，鲜用或晒干。

| 药材性状 | 本品根茎细长，圆柱形，长短不一，表面灰棕色，被黑褐色鳞片，鳞片钻状披针形，先端纤维状；上面有圆柱状凸起的叶痕，下面有棕色须根；质坚脆，易折断。叶柄极短或几无；叶片革质，条形，长 30 ~ 40 cm，宽 4 ~ 6 mm，黄绿色，叶缘反卷，中脉在上面凹下，两面均具明显的纵棱，有的下面纵棱边脉上有棕色孢子囊群。气微，味淡。

| 功能主治 | 苦、涩，凉。归心、肝经。疏风清热，舒筋止痛，健脾消疳，止血。用于小儿急惊风，目翳，跌打损伤，风湿痹痛，疳积，干血痨，咯血，吐血。

| 用法用量 | 内服煎汤，9 ~ 30 g，鲜品可用 60 ~ 90 g；或研末；或浸酒。

书带蕨科 Vittariaceae 书带蕨属 Haplopteris

平肋书带蕨

Haplopteris fudzinoi (Makino) E. H. Crane

| 药 材 名 | 树韭菜（药用部位：全草）。

| 形态特征 | 多年生草本。根茎短，横走或斜升，密被鳞片；鳞片黄褐色，具虹光，蓬松，略卷曲，钻状长三角形或线状披针形，边缘具睫毛状齿，先端尾状长渐尖，扭曲，近全缘。叶近生，密集成簇生状；叶柄色较深，长 1 ~ 6 cm，或近无；叶片线形或狭带形，长 15 ~ 55 cm，宽约 5 mm，有的宽 8 ~ 10 mm，先端渐尖，基部长下延，反卷，中肋在叶片上面凸起，两侧叶片凹陷成纵沟槽，几达叶全长，叶片下面中肋粗壮，通常宽扁或较狭窄，两侧有阔的不育带；叶肥厚革质。孢子囊群线形，着生于近叶缘的沟槽中，外侧被反卷的叶缘遮盖，隔丝先端细胞头状或杯状，色略深，长略大于宽。孢子长椭圆形，单裂缝，表面具不明显的颗粒状纹饰。

| **生境分布** | 生于海拔 1 300 ～ 1 800 m 的常绿阔叶林中的树干上或岩石上。分布于湖南株洲（攸县）、怀化（麻阳、通道）等。

| **资源情况** | 野生资源稀少。药材来源于野生。

| **采收加工** | 全年均可采收，洗净，鲜用或晒干。

| **药材性状** | 本品根茎短，基部生有棕褐色鳞片。叶簇生，几无柄；叶片革质，狭线形，长 27 ～ 29 cm，宽约 5 mm，上面中脉两侧有 2 行纵沟，下面中脉平坦。孢子囊群沿叶缘着生。气微，味苦、涩。

| **功能主治** | 微苦，微温。归肝、胃经。理气，活血，止痛。用于跌打损伤，筋骨疼痛，劳伤痛，胃气痛，小儿惊风，疳积，目翳，干血痨。

| **用法用量** | 内服煎汤，15 ～ 30 g，大剂量可用至 90 g；或浸酒。外用适量，鲜品捣敷。

蹄盖蕨科 Athyriaceae 亮毛蕨属 Acystopteris

亮毛蕨 *Acystopteris japonica* (Luerss.) Nakai

| 药 材 名 | 亮毛蕨（药用部位：根茎）。

| 形态特征 | 植株高 35 ~ 60 cm。根茎横走，疏被披针形鳞片。叶近生；叶柄
长 15 ~ 30 cm，栗褐色，疏被鳞片及节状毛，鳞片披针形或窄披针
形；叶片卵状三角形，长 20 ~ 50 cm，宽 15 ~ 40 cm，基部稍上宽
15 ~ 18 cm，二至三回羽状（4 回羽裂），羽片 10 ~ 15 对，斜升，
长达 25 cm，宽达 10 cm，近无柄；小羽片无柄，与羽轴合生，羽裂
达小羽轴两侧的窄翅，裂片有粗齿或锐齿；叶草质，两面沿叶脉疏
生无色透明的节状毛。孢子囊小，圆形，背生于裂片基部上侧的小
脉上，略近边缘生；囊群盖极小，卵圆形，成熟时被压在孢子囊群
之下，几不显。

| **生境分布** | 生于海拔 400 ～ 1 800 m 的沟谷林下。分布于湖南怀化（芷江）、湘西州（永
顺）等。

| **资源情况** | 野生资源稀少。药材来源于野生。

| **功能主治** | 消肿止痛。用于疔肿。

蹄盖蕨科 Athyriaceae 短肠蕨属 Allantodia

中华短肠蕨 *Allantodia chinensis* (Baker) Ching

| **药 材 名** | 中华短肠蕨（药用部位：根茎）。

| **形态特征** | 夏绿中型植物。根茎横走，直径 5 ~ 8 mm，黑褐色，先端密被鳞片；鳞片褐色至黑褐色，披针形，先端长渐尖，长 5 ~ 8 mm，全缘，膜质。叶近生；能育叶长约 1 m；叶柄长 20 ~ 50 cm，直径 2 ~ 3 mm，基部黑褐色，疏被鳞片，向上变为深禾秆色，光滑，上面有浅沟；叶片三角形，长 30 ~ 60 cm，基部宽 25 ~ 40 cm，顶部以下的二回羽状小羽片羽状深裂至全裂；侧生羽片达 13 对，斜展，多数互生，不对称（下侧小羽片较大），先端羽裂，渐尖，基部 1 对羽片最大，近对生或对生，矩圆状阔披针形，长 20 ~ 30 cm，宽 10 ~ 12 cm，柄长 1 ~ 3.5 cm，近叶片顶部的几对羽片缩小，呈披针形，羽状深裂，略有短柄或无柄；侧生小羽片约 13 对，平展，多数互生，对称或近

对称，略有短柄或无柄，披针形至矩圆形，长 5 ～ 8 cm，宽 1.5 ～ 2 cm，羽状深裂达中肋，裂片以狭翅相连，先端渐尖，基部阔楔形至浅心形，小羽片的裂片达 15 对，略斜向上，下部小羽片的裂片稍疏离，上部小羽片的裂片接近或密接，矩圆形至线状披针形，先端钝圆或急尖，边缘有粗齿，或下部几对小羽片羽状半裂；叶脉羽状，上面不明显，下面可见，小羽片的裂片有 6 ～ 8 对小脉，斜向上，多数 2 叉或单一，少数 3 叉或羽状；叶草质，干后呈草绿色或褐绿色，两面光滑；叶轴及羽轴禾秆色，光滑，上面有浅沟。孢子囊群细，短线形，偶长椭圆形至椭圆形，5 ～ 6 对孢子囊群生于小羽片裂片的小脉中部或接近主脉处，多数单生于小脉上侧，部分双生，长多数超过小脉长的 2/3；囊群盖成熟时浅褐色，膜质，从一侧张开，宿存或部分残留；孢子近肾形，周壁不明显，表面具不规则的刺状纹饰。

| **生境分布** | 生于海拔 300 ～ 550 m 的林下沟边或石缝中。分布于湖南娄底（新化）、湘西州（古丈、永顺）等。

| **资源情况** | 野生资源稀少。药材来源于野生。

| **采收加工** | 全年或秋季采收，洗净，晒干。

| **功能主治** | 微苦、涩，凉。归肺、肝经。清热，祛湿。用于黄疸性肝炎，流行性感冒等。

| **用法用量** | 内服煎汤，15 ～ 30 g。

毛柄短肠蕨 Allantodia dilatata (Bl.) Ching

| 药 材 名 | 毛柄短肠蕨（药用部位：根茎）。

| 形态特征 | 多年生草本，高 1 ~ 1.5 m。根茎直立，先端和叶柄基部密被黄褐色、线形鳞片，长约 1 cm，边缘黑色，稍开展。叶簇生；叶柄长 30 ~ 60 cm，直径约 5 mm，直立，坚硬，禾秆色，上面有纵沟；叶片纸质，无毛，三角形，顶部渐尖，羽状，长 70 ~ 100 cm，基部宽约 80 cm，二回羽状；羽片约 8 对，互生，斜向上，相距 8 ~ 10 cm，柄长 4 ~ 5 cm，基部 1 对羽片最大，长圆状披针形，长达 40 cm，宽 20 ~ 25 cm，先端渐尖；小羽片 10 ~ 20 对，互生，柄长 2 ~ 4 mm，披针形，长达 10 cm，宽约 2 cm，先端渐尖，基部近截形，边缘具圆齿或羽裂达 1/3 ~ 1/2，裂片长圆形，斜向上，先端圆形、具钝头或截形，略具细锯齿；每裂片有小脉 4 ~ 5 对，羽状，单一。孢子

囊群线形，背生于小脉中部以下，基部上侧小脉上的孢子囊群双生，其余单一；囊群盖线形，膜质，褐色，宿存。

| **生境分布** | 生于海拔 350 ～ 900 m 的林下溪边湿地或石边。分布于湖南郴州（苏仙）等。

| **资源情况** | 野生资源稀少。药材来源于野生。

| **采收加工** | 全年或秋季采挖，洗净泥土，除去须根，晒干。

| **功能主治** | 微苦，凉。归大肠经。清热解毒，祛湿，驱虫。用于肠炎，流行性感冒，肝炎，疮疖，肠道寄生虫病等。

| **用法用量** | 内服煎汤，15 ～ 30 g。

蹄盖蕨科 Athyriaceae 短肠蕨属 Allantodia

江南短肠蕨 *Allantodia metteniana* (Miq.) Ching

| 药 材 名 |

江南短肠蕨（药用部位：根茎）。

| 形态特征 |

植株高 40 ~ 70 cm。根茎长而横走，顶部密被黑色、线状披针形、有小齿的鳞片。叶近生或疏生；叶柄长 20 ~ 40 cm，基部黑褐色，疏被黑色鳞片，向上渐呈禾秆色而光滑；叶片三角状宽披针形或宽卵形，长 25 ~ 40 cm，宽 12 ~ 17 cm，先端渐尖，羽裂，一回羽状；羽片 6 ~ 10 对，互生，有短柄，镰状披针形，下部的羽片长 6 ~ 10 cm，中部宽 1.2 ~ 1.8 cm，先端尾状渐尖，基部圆形或近截形，边缘波状至羽裂达 1/3 或 1/2，裂片有浅钝齿；裂片叶脉羽状，侧脉单一；叶纸质，无毛。孢子囊群线形，单生于小脉中部，或双生于基部上侧的小脉上；囊群盖同形，膜质。

| 生境分布 |

生于林下。分布于湖南邵阳（邵阳、武冈）、怀化（麻阳）、湘西州（永顺）等。

| 资源情况 |

野生资源稀少。药材来源于野生。

| **功能主治** | 清热解毒，祛风。

蹄盖蕨科 Athyriaceae 短肠蕨属 Allantodia

假耳羽短肠蕨 *Allantodia okudairai* (Makino) Ching

| **药 材 名** | 假耳羽短肠蕨（药用部位：根茎）。

| **形态特征** | 植株高 35 ~ 60 cm。根茎长而横走。叶近生；叶柄长 18 ~ 36 cm，基部被褐色卵形鳞片，向上疏被渐窄的鳞片；叶片三角状披针形，长 18 ~ 30 cm，基部宽 10 ~ 20 cm，先端渐尖或尾状，一回羽状；羽片 8 ~ 12 对，镰状披针形，基部上侧耳状，下侧楔形，先端尾尖，具粗齿或浅裂，裂片先端钝，具齿，下部羽片有短柄，中上部羽片与叶轴以窄翅相连；叶草质；叶脉分离，小脉单一，羽片基部上侧耳片的小脉常 2 叉。孢子囊群线形，稍弯曲，近中肋着生，长达 1 cm；囊群盖同形，膜质，全缘。

| **生境分布** | 生于海拔 400 ~ 1 950 m 的阔叶林下或阴湿处的石上。分布于湖南

湘西州（永顺）等。

| **资源情况** | 野生资源稀少。药材来源于野生。

| **功能主治** | 清热除湿。

蹄盖蕨科 Athyriaceae 安蕨属 Anisocampium

华东安蕨

Anisocampium sheareri (Baker) Ching

| 药 材 名 |

中华短肠蕨（药用部位：根茎）。

| 形态特征 |

多年生草本。根茎长而横走，疏被浅褐色披针形鳞片。叶近生或远生；叶柄长 15 ~ 30 cm；叶长 25 ~ 60 cm，叶片卵状长圆形或卵状三角形，先端渐尖，基部近截形或圆楔形，一回羽状，顶部羽裂，侧生羽片 2 ~ 7 对，镰状披针形，长 6 ~ 10 cm，宽 1.5 ~ 2 cm，具长渐尖头，基部圆形，下部边缘浅裂至全裂，裂片卵圆形或长圆形，有长锯齿，向上的裂片逐渐缩小，终成倒伏状的尖锯齿；叶脉分离，在裂片上为羽状，侧脉 3 ~ 4 对，单一或偶有 2 叉，伸入软骨质的长锯齿内，基部两侧相对的小脉伸达缺刻处。孢子囊群圆形，每裂片 3 ~ 4 对，在主脉两侧各排成 1 行，羽片顶部的孢子囊群排列不规则；囊群盖圆肾形，褐色，膜质，边缘有睫毛，早落。孢子有周壁，表面具脊状纹饰。

| 生境分布 |

生于海拔 20 ~ 1 850 m 的山谷林下溪边或背阴的山坡上。湖南各地均有分布。

| **资源情况** | 野生资源稀少。药材来源于野生。 |

| **功能主治** | 清热利湿。 |

蹄盖蕨科 Athyriaceae 假蹄盖蕨属 Athyriopsis

假蹄盖蕨 *Athyriopsis japonica* (Thunb.) Ching

药材名

小叶凤凰尾巴草（药用部位：全草或根茎）。

形态特征

多年生草本，植株高 30 ~ 50 cm。根茎长而横生，疏被棕色、阔披针形鳞片。叶远生；叶柄长 15 ~ 25 cm，禾秆色，基部疏被红棕色卷曲的短毛和披针形小鳞片，向上近光滑；叶片革质，两面无毛，狭长圆形至卵状长圆形，长 20 ~ 30 cm，中部宽 6 ~ 10 cm，先端渐尖，羽裂，基部不缩狭，仅沿叶轴和羽轴下面疏生棕色的多细胞短毛，2 回深羽裂；羽片约 10 对，互生，斜展，披针形，中部以下的羽片长 5 ~ 8 cm，宽 1 ~ 2 cm，先端渐尖，羽状深裂达羽轴两侧的阔翅，裂片长圆形，先端圆或钝尖，近全缘或边缘波状；叶脉羽状，每裂片有 5 ~ 6 对侧脉，分叉或单一，不达叶边。孢子囊群线形，通常沿侧脉的上侧单生或仅在基部双生；囊群盖线形，浅棕色，膜质，全缘或边缘啮蚀状。

生境分布

生于海拔 60 ~ 1 500 m 的平原、山谷溪边或林下湿地。分布于湖南邵阳（洞口）、株洲（茶陵）、娄底（新化）等。

| **资源情况** | 野生资源稀少。药材来源于野生。

| **采收加工** | 全年或秋季采收，洗净，鲜用或晒干。

| **功能主治** | 苦、涩，凉。归肝、肺经。清热解毒。用于疮疡肿毒，乳痈，目赤肿痛。

| **用法用量** | 内服煎汤，15 ~ 30 g。外用适量，鲜品捣敷。

蹄盖蕨科 Athyriaceae 假蹄盖蕨属 Athyriopsis

毛轴假蹄盖蕨 *Athyriopsis petersenii* (Kunze) Ching

| 药 材 名 | 毛轴假蹄盖蕨（药用部位：根茎）。

| 形态特征 | 中型蕨类，植株高 30 ~ 80 cm。根茎细长横走，连同叶柄基部疏被红棕色宽披针形鳞片。叶疏生；叶柄长 10 ~ 30（~ 60）cm，灰禾秆色，疏被鳞片及棕色短毛；叶片长 15 ~ 50 cm，宽 10 ~ 25 cm，披针形或卵状披针形，一回羽状，羽片 8 ~ 10 对，羽状深裂，互生或下部羽片近对生，披针形，中部以下的羽片长 4 ~ 5 cm，宽 1 ~ 1.5 cm，裂片近平展，接近或呈窄缺刻状分开，窄舌形，有不规则的浅齿；叶脉单一或分叉；叶草质，干后褐色或褐绿色，两面沿羽轴和叶轴疏生红棕色卷曲长毛，叶轴被同样毛和纤维状鳞片。孢子囊群长线形，单生，或于裂片基部的上侧双生或呈弯钩形，每裂片有 2 ~ 4 对孢子囊群；囊群盖棕色，边缘撕裂状，宿存，背面

无毛或有短节毛。

| **生境分布** | 生于海拔 120 ～ 1 000 m 的山地溪边石上。分布于湖南邵阳（洞口、绥宁）。

| **资源情况** | 野生资源稀少。药材来源于野生。

| **功能主治** | 清热解毒，消肿止血。

蹄盖蕨科 Athyriaceae 蹄盖蕨属 Athyrium

长江蹄盖蕨 *Athyrium iseanum* Rosenst.

| 药 材 名 | 大地柏枝（药用部位：全草）。

| 形态特征 | 多年生草本。根茎短，直立，先端和叶柄基部密被深褐色、披针形的鳞片。叶簇生；叶柄黑褐色，向上呈淡绿禾秆色，光滑；能育叶长 25 ~ 70 cm，叶片长圆形，先端渐尖，基部圆形，几不变狭，二回羽状，羽片 10 ~ 20 对，基部 1 对羽片略缩短，一回羽状，小羽片羽裂至二回羽状， 10 ~ 14 对，基部的小羽片对生，叶脉在下面较明显，在下部裂片上为羽状，侧脉 2 ~ 3（~ 5）对，向上的叶脉 2 叉。孢子囊群长圆形、弯钩形、马蹄形或圆肾形，每裂片有 1 孢子囊群，但基部上侧有 2 ~ 3 孢子囊群；囊群盖同形，黄褐色，膜质，全缘，宿存。孢子周壁表面无折皱，有颗粒状纹饰。

| **生境分布** | 生于海拔 50 ~ 2 000 m 的山谷林下阴湿处。分布于湖南怀化（靖州）等。 |

| **资源情况** | 野生资源稀少。药材来源于野生。 |

| **功能主治** | 苦，凉。解毒，止血。用于疮毒，痢疾，衄血。 |

| **用法用量** | 内服煎汤，10 ~ 30 g。外用适量，鲜品捣敷；或研末敷。 |

蹄盖蕨科 Athyriaceae 蹄盖蕨属 Athyrium

贵州蹄盖蕨
Athyrium pubicostatum Ching et Z. Y. Liu

| 药 材 名 | 贵州蹄盖蕨（药用部位：根茎）。

| 形态特征 | 根茎短，直立，先端和叶柄基部密被鳞片；鳞片深褐色，线状披针形，先端纤维状。叶簇生；能育叶长 35 ~ 45 cm；叶柄长 15 ~ 18 cm，基部直径 2.5 ~ 3 mm，黑褐色，向上禾秆色，顶部被浅褐色短腺毛；叶片近长三角形，长 25 ~ 30 cm，宽 15 ~ 20 cm，先端渐尖，基部不变狭，二回羽状；羽片 13 ~ 16 对，下部的羽片近对生，向上的羽片互生，近平展，无柄，基部 1 对羽片略缩短，基部变狭，并往往向下反折；下部的羽片披针形，长约 10 cm，宽 2.5 ~ 3 cm，先端长渐尖，基部对称，截形，上部的羽片镰状披针形，逐渐缩短，先端渐尖，基部略偏斜，上侧呈耳状凸起，下侧楔形，并略下延，一回羽状；小羽片 12 ~ 16 对，基部 1 对对生，较大并紧靠叶轴，

向上的互生，密接，近平展，下部 2 ~ 3 对小羽片与羽轴合生，但彼此多少分离，三角状长圆形，长 1 ~ 1.3 cm，宽 5 ~ 7 mm，具尖头或急尖头，基部偏斜，上侧斜截形，有显著的耳状突起，下侧楔形，略下延，边缘有浅钝锯齿。叶脉在上面不显，在下面仅可见，在小羽片上为羽状，侧脉约 7 对，下部的分叉，上部的单一，但基部上侧的常为羽状。叶干后纸质，浅褐绿色，两面无毛；叶轴和羽轴下面禾秆色，密被浅褐色短腺毛，上面有贴伏的钻状短硬刺。孢子囊群长圆形或短线形，每小羽片 3 ~ 6 对，在主脉两侧各排成 1 行，略近主脉；囊群盖同形，褐色，膜质，全缘，宿存。孢子周壁表面无折皱，有网状纹饰。

| 生境分布 | 生于海拔 250 ~ 2 000 m 的常绿阔叶林下或竹林边。分布于湖南张家界（桑植）、怀化（芷江）、湘西州（永顺）等。

| 资源情况 | 野生资源稀少。药材来源于野生。

| 功能主治 | 清热解毒，杀虫。用于时行感冒，流行性乙型脑炎，蛔虫病等。

蹄盖蕨科 Athyriaceae 蹄盖蕨属 Athyrium

中华蹄盖蕨 *Athyrium sinense* Rupr.

| 药 材 名 | 中华蹄盖蕨（药用部位：根茎）。

| 形态特征 | 多年生草本。根茎短，直立，先端和叶柄基部密被深褐色、卵状披针形或披针形的鳞片。叶簇生；叶柄黑褐色，向上呈禾秆色，略被小鳞片；能育叶长 35 ～ 92 cm，叶片长圆状披针形，二回羽状，羽片约 15 对，基部的羽片近对生，向上的羽片互生，一回羽状，小羽片约 18 对，具钝尖头，并有短尖齿，基部不对称，上侧截形，下侧阔楔形，下延，在羽轴上成狭翅，两侧边缘浅羽裂，裂片 4 ～ 5 对，近圆形，边缘有数个短锯齿；叶脉两面明显，在小羽片上为羽状，侧脉约 7 对，下部的 3 叉或羽状，上部的 2 叉或单一。孢子囊群多为长圆形，少为弯钩形或马蹄形，生于基部上侧的小脉上，每小羽

片有 6 ~ 7 对，在主脉两侧各排成 1 行；囊群盖同形，浅褐色，膜质，边缘啮蚀状，宿存。孢子周壁表面无折皱。

| **生境分布** | 生于海拔 350 ~ 1 800 m 的山地林下。分布于湖南岳阳（岳阳）、郴州（北湖）、湘西州（永顺）等。

| **资源情况** | 野生资源一般。药材来源于野生。

| **采收加工** | 夏、秋季采收，除去须根，洗净，晒干。

| **功能主治** | 微苦，凉。归肺、大肠经。清热解毒，驱虫。用于流行性感冒，麻疹，流行性乙型脑炎，流行性脑脊髓膜炎，钩虫病，蛔虫病。

| **用法用量** | 内服煎汤，10 ~ 15 g。

蹄盖蕨科 Athyriaceae 蹄盖蕨属 Athyrium

华中蹄盖蕨
Athyrium wardii (Hook.) Makino

药材名

华中蹄盖蕨（药用部位：根茎）。

形态特征

多年生草本，植株高 45 ～ 60 cm。根茎短而直立，先端密生深褐色线状披针形鳞片。叶簇生；叶柄长 25 ～ 30 cm，基部黑褐色，密生鳞片，向上呈淡禾秆色，近光滑；叶片卵状三角形或卵状长圆形，长 20 ～ 30 cm，基部宽 20 ～ 25 cm，顶部长渐尖，上部羽状深裂，中部以下二回羽状或 2 回羽状深裂；羽片斜展，宽披针形，长达 15 cm，中部宽 3 ～ 3.5 cm，基部截形，有柄，一回羽状或羽状深裂；小羽片斜展，长圆形，长 1 ～ 1.5 cm，宽 0.8 ～ 1 cm，顶部略窄，基部不对称，上侧截形，稍耳状，无柄或下侧下延成窄翅，有细锯齿；小羽片叶脉羽状，小脉分叉，基部上侧的叶脉羽状；叶纸质，干后淡灰绿色，光滑；叶轴禾秆色，略被小鳞片。孢子囊群长圆形或短线形，每小羽片有 5 对孢子囊群，稍近叶缘；囊群盖同形，全缘，宿存。

生境分布

生于海拔 700 ～ 1 550 m 的山谷林下或溪边

阴湿处。分布于湘东，以及邵阳（洞口）等。

| **资源情况** | 野生资源稀少。药材来源于野生。

| **功能主治** | 解毒，止血。

蹄盖蕨科 Athyriaceae 蹄盖蕨属 Athyrium

禾秆蹄盖蕨 *Athyrium yokoscense* (Franch. et Sav.) Christ

| 药 材 名 | 禾秆蹄盖蕨（药用部位：根茎）。

| 形态特征 | 多年生草本。根茎短粗，直立，先端密被黄褐色、狭披针形的鳞片。叶簇生；叶柄基部深褐色，密被与根茎上同样的鳞片，向上呈禾秆色，几光滑；能育叶长（30 ~ ）40 ~ 60 cm，叶片长圆状披针形，一回羽状，羽片深羽裂至二回羽状，小羽片浅羽裂；叶脉在下面明显，在小羽片上为羽状，侧脉分叉；叶轴和羽轴下面禾秆色，略被浅褐色披针形的小鳞片，上面沿沟两侧的边上有贴伏的短硬刺。孢子囊群近圆形或椭圆形，生于主脉与叶边中间；囊群盖椭圆形、弯钩形或马蹄形，浅褐色，膜质，全缘，宿存。孢子周壁表面有明显的折皱。

生境分布	生于林下岩石缝中。分布于湖南湘潭（湘潭）等。
资源情况	野生资源稀少。药材来源于野生。
采收加工	夏、秋季采收，除去须根，洗净，晒干。
功能主治	微苦，凉。驱虫，止血。用于蛔虫病，外伤出血。
用法用量	内服煎汤，10 ～ 15 g。外用适量，晒干研末调敷。

菜蕨
Callipteris esculenta (Retz.) J. Sm. ex Moore et Houlston

| 药 材 名 | 菜蕨（药用部位：嫩叶）。

| 形态特征 | 多年生草本。根茎高达 15 cm，密被褐色鳞片，边缘有细齿。叶簇生；能育叶长 60 ~ 120 cm；叶柄长 50 ~ 60 cm，基部直径 3 ~ 5 mm，褐禾秆色，基部疏被鳞片，向上光滑；叶片三角形或阔披针形，长 60 ~ 80 cm 或更长，宽 30 ~ 60 cm，顶部羽裂渐尖，下部一回或二回羽状；羽片 12 ~ 16 对，互生，斜展，下部的羽片有柄，阔披针形，长 16 ~ 20 cm，宽 6 ~ 9 cm，羽状分裂或一回羽状，上部的羽片近无柄，线状披针形，长 6 ~ 10 cm，宽 1 ~ 2 cm，先端渐尖，基部截形，边缘有齿或浅羽裂（裂片有小齿）；小羽片 8 ~ 10 对，互生，相距 1 ~ 1.5 cm，平展，近无柄，狭披针形，长 4 ~ 6 cm，宽 6 ~ 10 mm。孢子囊群多数，线形，稍弯曲，生于小脉上，达叶缘；囊群盖线形，

膜质，黄褐色，全缘。孢子表面具大颗粒状或小瘤状纹饰。

| 生境分布 | 生于海拔 100 ~ 1 200 m 的山谷林下湿地及河沟边。分布于湖南邵阳（武冈、绥宁）、衡阳（南岳）等。

| 资源情况 | 野生资源较少。药材来源于野生。

| 功能主治 | 解热。

蹄盖蕨科 Athyriaceae 双盖蕨属 Diplazium

厚叶双盖蕨
Diplazium crassiusculum Ching

| 药 材 名 | 厚叶双盖蕨（药用部位：全草）。

| 形态特征 | 多年生草本。根茎直立或斜升，黑褐色，木质，坚硬，先端密被鳞片；鳞片披针形，质厚，深黑色，有光泽，边缘有小齿。叶簇生；一回羽状的能育叶长 1 m 以上；叶柄长 40 ~ 60 cm，直径 3 ~ 5 mm，灰禾秆色，基部黑色，密被与根茎上相同的鳞片，向上光滑，上面有浅纵沟；叶片椭圆形，长 30 ~ 50 cm，宽 16 ~ 24 cm，一回奇数羽状，侧生羽片通常 2 ~ 4 对，同大，互生或下部的羽片近对生，斜向上，有短柄（基部 1 对羽片的柄长 6 ~ 8 mm），长椭圆形、长卵状披针形或线状阔披针形，长 16 ~ 23 cm，中部宽 3.5 ~ 4.4 cm，向两端变狭，先端长渐尖，基部圆楔形，通常下部近全缘或边缘略呈浅波状，中部以上向先端有细锯齿，顶生羽片与其下的侧生羽片

等大或略大，基部常不对称；中脉明显，下部圆而隆起，上面有浅纵沟，侧生小脉两面均明显，略斜向上，每组有小脉 3 ~ 4，纤细，直达叶边；叶坚草质，干后褐绿色，下面中脉两侧偶有褐色的线状小鳞片。孢子囊群与囊群盖长线形，通常单生于小脉上侧，斜向上，自中脉向外，达距叶边约 5 mm 处。

| **生境分布** | 生于海拔 200 ~ 1 700 m 的常绿阔叶林及灌木林下的土壤中或岩石上。分布于湖南郴州（临武、安仁）、怀化（通道）、常德（石门）等。

| **资源情况** | 野生资源稀少。药材来源于野生。

| **功能主治** | 清热凉血，利尿通淋。

蹄盖蕨科 Athyriaceae 双盖蕨属 Diplazium

双盖蕨 *Diplazium donianum* (Mett.) Trad.-Blot

| **药 材 名** | 梳篦叶（药用部位：全草）。

| **形态特征** | 植株高达 1 m。根茎横走，顶部密生黑色宽披针形鳞片。叶近生，厚纸质，无毛；叶柄长 25 ～ 32 cm，棕禾秆色，基部有鳞片；叶片矩圆形或卵状矩圆形，宽 15 ～ 20 cm，一回奇数羽状，顶生羽片和侧生羽片同大，侧生羽片矩圆状披针形，长 10 ～ 16 cm，宽 3 ～ 4 cm，基部楔形，全缘，向顶部略有疏细齿；侧脉羽状，每组 3 ～ 5。孢子囊群条形，每组侧脉有 1 ～ 2，双生，相距 1.5 ～ 3 mm，几达叶缘；囊群盖同形，膜质。

| **生境分布** | 生于海拔 350 ～ 1 600 m 的常绿阔叶林下、溪旁。分布于湖南衡阳（衡山）等。

| **资源情况** | 野生资源稀少。药材来源于野生。 |

| **采收加工** | 全年均可采收，洗净，鲜用或晒干。 |

| **功能主治** | 微苦，寒。清热利湿，凉血解毒。用于湿热黄疸，蛇咬伤，外伤出血，痛经。 |

| **用法用量** | 内服煎汤，15 ~ 30 g。外用适量，鲜品捣敷；或晒干研末调敷。 |

蹄盖蕨科 Athyriaceae 双盖蕨属 Diplazium

单叶双盖蕨
Diplazium subsinuatum (Wall. ex Hook. et Grev.) Tagawa

| 药 材 名 | 篦梳剑（药用部位：全草）。

| 形态特征 | 根茎细长，横走，被黑色或褐色披针形鳞片。叶远生；能育叶长达
40 cm；叶柄长 8 ~ 15 cm，淡灰色，基部被褐色鳞片；叶片披针形
或线状披针形，长 10 ~ 25 cm，宽 2 ~ 3 cm，两端渐狭，全缘或边
缘稍呈波状；中脉两面均明显，小脉斜展，每组 3 ~ 4，通直，平行，
直达叶边；叶干后纸质或近革质。孢子囊群线形，通常多分布于叶
片上半部，沿小脉斜展，在每组小脉上通常有 1，生于基部的上出
小脉，距主脉较远，单生或偶双生；囊群盖成熟时膜质，浅褐色。
孢子赤道面观圆肾形，周壁薄而透明，表面具不规则的粗刺状或棒
状突起，突起顶部具稀少而小的尖刺。

| **生境分布** | 生于海拔 200 ~ 1 600 m 的溪旁林下的酸性土壤中或岩石上。湖南各地均有分布。

| **资源情况** | 野生资源丰富。药材来源于野生。

| **功能主治** | 凉血，止血，利尿通淋。用于肺结核咳痰带血，热淋尿血，目赤肿痛。

蹄盖蕨科 Athyriaceae 介蕨属 Dryoathyrium

华中介蕨
Dryoathyrium okuboanum (Makino) Ching

| 药 材 名 | 小叶山鸡尾巴草（药用部位：全草）。

| 形态特征 | 多年生草本，高 60 ～ 120 cm。根茎短而横走。叶丛生；叶柄禾秆色，长 30 ～ 70 cm，叶柄与叶轴疏被褐色或淡褐色鳞片；叶片草质，狭卵形至长椭圆状卵形，长 35 ～ 60 cm，宽 25 ～ 35 cm，先端渐尖，基部最宽或稍缩短，一回羽状复叶 3 回羽状分裂，羽片 9 ～ 12 对，长椭圆状披针形或披针形，长 12 ～ 25 cm，宽 4 ～ 10 cm，先端长渐尖，基部有短柄或无柄，羽状深裂，裂片披针形，先端渐狭而钝，羽状半裂至深裂，叶脉羽状。孢子囊群卵形、圆形或钩形，沿轴两侧着生；囊群盖质薄，边缘不整齐。孢子期 7 ～ 9 月。

| 生境分布 | 生于海拔 500 ～ 1 800 m 的林下溪沟边或阴湿谷地。分布于湖南衡

阳（衡东）、株洲（渌口）等。

| **资源情况** | 野生资源稀少。药材来源于野生。

| **采收加工** | 全年或夏、秋季采收，洗净，鲜用或晒干。

| **功能主治** | 淡、涩，凉。归心经。清热消肿。用于疮疖，肿毒。

| **用法用量** | 内服煎汤，10 ～ 15 g。外用适量，鲜品捣敷。

蹄盖蕨科 Athyriaceae 介蕨属 Dryoathyrium

峨眉介蕨 Dryoathyrium unifurcatum (Baker) Ching

| 药 材 名 | 峨眉介蕨（药用部位：全草）。

| 形态特征 | 植株高 60 ～ 90 cm。根茎粗长，横走，和叶柄基部略有鳞片；鳞片披针形，长达 5 mm，宽达 1 mm，黑褐色。叶近生；叶柄长 30 ～ 40 cm，禾秆色；叶片草质，宽披针形或卵状矩圆形，长 35 ～ 50 cm，宽 20 ～ 25 cm，叶轴及羽轴下面多少有黑褐色小鳞片，其余光滑，一回羽状，2 回深羽裂或近二回羽状；基部 1 对羽片略短，中部羽片长 14 ～ 16 cm，宽 3 ～ 4 cm，羽裂几达羽轴，裂片接近，具圆钝头，全缘或边缘有钝齿；裂片叶脉羽状，小脉单一或分叉。孢子囊群圆形，生于小脉中部，多少近叶缘；囊群盖小，圆肾形。

| 生境分布 | 生于海拔 250 ～ 1 800 m 的山地林下、沟边阴湿处。分布于湖南湘

西州（永顺）等。

| **资源情况** | 野生资源稀少。药材来源于野生。

| **功能主治** | 清热利湿。

肿足蕨科 Hypodematiaceae 肿足蕨属 Hypodematium

肿足蕨
Hypodematium crenatum (Forssk.) Kuhn

| 药 材 名 | 肿足蕨（药用部位：全草或根茎）。

| 形态特征 | 多年生草本，植株高 20 ～ 50 cm。根茎粗壮，横走，连同叶柄基部密被鳞片；鳞片长 0.5 ～ 3 cm，狭披针形，先端渐狭成线形，全缘，膜质，亮红棕色。叶近生；叶片卵状五角形，三回羽状，羽片 8 ～ 12 对，末回小羽片长圆形，先端钝尖，基部多少与小羽轴合生，羽状深裂，裂片长圆形，先端圆钝，全缘或边缘略呈波状；叶脉两面明显，侧脉羽状，单一，每末回裂片有 2 ～ 3 对侧脉，斜上，伸达叶边；叶草质，干后黄绿色，两面连同叶轴和各回羽轴密被灰白色柔毛，羽轴下面偶有红棕色的线状披针形的狭鳞片。孢子囊群圆形，背生于侧脉中部，每裂片有 1 ～ 3 孢子囊群；囊群盖大，肾形，浅灰色，膜质，背面密被柔毛，宿存。孢子圆肾形，周壁具较密的折皱，形

成明显的弯曲条纹，表面光滑。

| **生境分布** | 生于海拔 50 ~ 1 800 m 的干旱的石灰岩缝中。分布于湖南邵阳（武冈）、郴州（临武）、永州（新田）、湘西州（花垣、古丈）等。

| **资源情况** | 野生资源稀少。药材来源于野生。

| **采收加工** | 夏、秋季采集，洗净，鲜用或晒干。

| **功能主治** | 微苦、涩，平。祛风利湿，止血，解毒。用于风湿关节痛；外用于疮毒，外伤出血。

| **用法用量** | 内服煎汤，9 ~ 15 g。外用适量，鲜全草捣敷或根茎上的绒毛捣敷。

肿足蕨科 Hypodematiaceae 肿足蕨属 Hypodematium

光轴肿足蕨 *Hypodematium hirsutum* (Don) Ching

| **药 材 名** | 小黄鼠狼（药用部位：全草或根茎）。

| **形态特征** | 多年生草本，高 35 ~ 60 cm。根茎横卧，直径约 1.2 mm，连同叶柄膨大的基部密被鳞片；鳞片长 1 ~ 1.5 mm，基部宽 1 ~ 1.3 mm，线状披针形，全缘，亮红棕色。叶近生；叶片阔卵形至五角状阔卵形，下部四回羽状，向上三回羽状或 3 回羽裂；末回小羽片 5 ~ 8 对，长圆形，先端圆钝，基部楔形并下延，彼此以狭翅相连，边缘具 3 ~ 5 长圆状裂片，裂片先端具 2 ~ 3 浅锯齿；叶脉两面明显，侧脉羽状分叉，斜向上，小脉伸达叶边。孢子囊群圆形，背生于侧脉中部，每末回小羽片有 1 ~ 3 孢子囊群；囊群盖大，圆肾形，灰棕色，背面隆起，密被细柔毛，宿存。孢子圆肾形，周壁具折皱，形成网胞状，表面具小刺状纹饰。

| **生境分布** | 生于海拔 400 ~ 2 000 m 的山坡或林下石灰岩缝中。分布于湖南湘西州（花垣）等。 |

| **资源情况** | 野生资源稀少。药材来源于野生。 |

| **采收加工** | 全年或夏、秋季采收，除去须根，洗净，鲜用或晒干。 |

| **功能主治** | 微苦，凉。消肿解毒，化瘀止血。用于水肿，疮毒，刀伤出血。 |

| **用法用量** | 内服煎汤，9 ~ 15 g。外用适量，捣敷；或研末敷。 |

金星蕨科 Thelypteridaceae 钩毛蕨属 Cyclogramma

峨眉钩毛蕨 *Cyclogramma omeiensis* (Bak.) Tagawa

| 药 材 名 | 峨眉钩毛蕨（药用部位：全草）。

| 形态特征 | 高 60 ~ 70 cm。根茎长而横走。叶远生；叶柄长 15 ~ 20 cm；叶片长 45 ~ 50 cm，中部宽约 20 cm，长圆状披针形，先端渐尖，羽裂，基部变狭，2 回羽状深裂；羽片 25 ~ 28 对，互生，斜展，彼此接近，无柄，下部的 2 ~ 3 对羽片明显缩短，中部羽片线状披针形，基部不变狭，圆截形，对称，羽状深裂几达羽轴；裂片 15 ~ 22 对，斜展，彼此接近，镰状披针形；叶厚纸质，上面沿羽轴的纵沟密被短针毛，并混生先端常呈钩状弯曲的粗长毛，主脉也有同样的长毛；叶轴被较密的粗长毛，在羽片着生处有褐色的瓣状气囊体。孢子囊群小，圆形，背生于侧脉中部以下，靠近主脉，每裂片有 10 ~ 11 对孢子囊群，无盖；孢子囊无毛。孢子周壁表面具不均匀的小刺。

| **生境分布** | 生于海拔 950 ~ 1 700 m 的草坡上或沟边林下。分布于湖南湘西州（古丈）等。

| **资源情况** | 野生资源稀少。药材来源于野生。

| **功能主治** | 清热利尿。

金星蕨科 Thelypteridaceae 毛蕨属 Cyclosorus

渐尖毛蕨 *Cyclosorus acuminatus* (Houtt.) Nakai

| 药 材 名 | 渐尖毛蕨（药用部位：根茎。别名：金星草、小叶凤凰尾巴草）。

| 形态特征 | 高 70 ~ 80 cm。根茎长而横走，深棕色，老变为褐棕色，先端密被棕色披针形鳞片。叶 2 列，远生，相距 4 ~ 8 cm；叶柄长 30 ~ 42 cm，基部褐色，无鳞片，向上渐变为深禾秆色；叶片长 40 ~ 45 cm，中部宽 14 ~ 17 cm，长圆状披针形，先端尾状渐尖，羽裂，基部不变狭，2 回羽裂；羽片 13 ~ 18 对，有极短的柄，斜展或斜向上，互生，或基部的羽片对生，中部以下的羽片长 7 ~ 11 cm，中部宽 8 ~ 12 mm，披针形，羽裂达 1/2 ~ 2/3；裂片 18 ~ 24 对，斜向上，彼此密接；叶坚纸质，干后灰绿色，羽轴下面疏被针状毛，羽片上面被极短的糙毛。孢子囊群圆形，生于侧脉中部以上，每裂片有 5 ~ 8 对孢子囊群；囊群盖大，深棕色或棕色，密生短柔毛，

宿存。

| 生境分布 |　生于疏林下。湖南各地均有分布。

| 资源情况 |　野生资源一般。药材来源于野生。

| 采收加工 |　夏、秋季采收，晒干。

| 功能主治 |　苦，平。归心、肝经。清热解毒，祛风除湿，健脾。用于泄泻，痢疾，热淋，咽喉肿痛，风湿痹痛，疳积，狂犬咬伤，烫火伤。

| 用法用量 |　内服煎汤，15 ~ 30 g，大剂量可用 150 ~ 180 g。

干旱毛蕨

Cyclosorus aridus (Don) Tagawa

药材名

干旱毛蕨（药用部位：全草。别名：凤尾草）。

形态特征

高达 1.4 m。根茎横走，黑褐色，连同叶柄基部疏被棕色的披针形鳞片。叶远生；叶柄长 35 cm；叶片长 60 ~ 80 cm 或更长，中部宽 20 ~ 25 cm（有时仅 12 cm），阔披针形，具渐尖头，基部渐变狭，2 回羽裂；羽片约 36 对，斜展，下部 6 ~ 10 对羽片逐渐缩小成小耳片，近对生，彼此远离，中部羽片互生，披针形，具渐尖头，羽裂达 1/3；裂片 25 ~ 30 对，斜展，有浅的倒三角形缺刻状分开，三角形，具骤尖头或尖头，全缘；叶近革质，干后淡褐色或褐绿色，上面近光滑，下面沿叶脉疏生短针毛，有柠檬色的长圆形或棒形腺体，脉间无毛。孢子囊群生于侧脉中部稍上处，每裂片有 6 ~ 8 对孢子囊群；囊群盖小，膜质，鳞片状，淡棕色，无毛，宿存。

生境分布

生于海拔 150 ~ 1 800 m 的沟边疏林、杂木林下或河边湿地。分布于湖南邵阳（邵阳）、永州（零陵）、怀化（芷江、靖州、洪江）、娄底（新化）、郴州（安仁）等。

| **资源情况** | 野生资源稀少。药材来源于野生。

| **采收加工** | 全年均可采收，晒干。

| **功能主治** | 苦，凉。归肺、肝、大肠经。清热解毒，止痢。用于痢疾，乳蛾，狂犬咬伤。

| **用法用量** | 内服煎汤，9 ~ 15 g。

金星蕨科 Thelypteridaceae 毛蕨属 Cyclosorus

齿牙毛蕨 *Cyclosorus dentatus* (Forssk.) Ching

| 药 材 名 | 篦子舒筋草（药用部位：根茎。别名：牛肋巴、舒筋草、凤尾草）。

| 形态特征 | 高 40 ～ 60 cm。根茎短而直立，先端及叶柄基部密被披针形鳞片及锈棕色短毛。叶簇生；叶柄长 10 ～ 35 cm，褐色，向上呈禾秆色，密生短毛；叶片长 25 ～ 30 cm，中部宽 12 ～ 14 cm，披针形，先端具一深羽裂的披针形长尾头，基部略变狭，2 回羽裂；羽片 11 ～ 13 对，近互生，基部 1 对羽片长约 5 cm，中部羽片长 6 ～ 8 cm，基部宽 1.2 ～ 1.5 cm，披针形，具渐尖头，基部圆截形，羽裂达 1/2；裂片 13 ～ 15 对，斜展，长方形，具圆钝头，全缘；叶干后草质或纸质，淡褐绿色，上面密生短刚毛，沿叶脉有一二针状毛，下面密被短柔毛。孢子囊群小，生于侧脉中部以上，每裂片有 2 ～ 5 对孢子囊群；囊群盖中等大小，厚膜质，深棕色，有短毛，宿存。

| 生境分布 | 生于海拔 250 ～ 2 000 m 的山谷疏林下或路旁水池边。分布于湖南衡阳（珠晖）、永州（蓝山）、湘西州（永顺）等。

| 资源情况 | 野生资源稀少。药材来源于野生。

| 采收加工 | 春、秋季采收，洗净，除去须根与叶柄，晒干。

| 功能主治 | 微苦，平。归脾经。舒筋，活络，消肿散结。用于风湿筋骨痛，手指麻木，跌打损伤，瘰疬，痞块。

| 用法用量 | 内服煎汤，10 ～ 30 g；或炖肉；或浸酒。

金星蕨科 Thelypteridaceae 毛蕨属 Cyclosorus

华南毛蕨

Cyclosorus parasiticus (L.) Farwell

| 药 材 名 | 华南毛蕨（药用部位：全草。别名：冷蕨棵、大风寒）。

| 形态特征 | 高达 70 cm。根茎横走，连同叶柄基部有深棕色披针形鳞片。叶近生；叶柄长达 40 cm，深禾秆色；叶片长 35 cm，长圆状披针形，先端羽裂，具尾状渐尖头，2 回羽裂；羽片 12 ~ 16 对，无柄，中部以下的羽片对生，向上的羽片互生，彼此接近，中部羽片长 10 ~ 11 cm，中部宽 1.2 ~ 1.4 cm，披针形，先端长渐尖，基部平截，羽裂达 1/2 或稍深；裂片 20 ~ 25 对，斜展，彼此接近，基部上侧 1 裂片特长，长圆形，全缘；叶草质，干后褐绿色，上面沿叶脉有一二伏生的针状毛，下面沿叶轴、羽轴及叶脉密生具一二分隔的针状毛，脉上有橙红色腺体。孢子囊群圆形，生于侧脉中部以上，每裂片有（1 ~ 2）4 ~ 6 对孢子囊群；囊群盖小，膜质棕色，上面密生柔毛，宿存。

| 生境分布 | 生于海拔 90 ～ 1 900 m 的山谷密林下或溪边湿地。分布于湖南长沙（芙蓉、天心、开福、长沙、望城）、株洲（攸县）、衡阳（雁峰）、益阳（资阳、南县）、郴州（嘉禾）、永州（冷水滩、江永）、怀化（新晃）、湘西州（吉首、永顺）、岳阳（平江）等。 |

| 资源情况 | 野生资源较少。药材来源于野生。 |

| 采收加工 | 夏、秋季采收，晒干。 |

| 功能主治 | 辛、微苦，平。归肺、肝、大肠经。祛风，除湿。用于风湿痹痛，感冒，痢疾。 |

| 用法用量 | 内服煎汤，9 ～ 15 g。 |

金星蕨科 Thelypteridaceae 圣蕨属 Dictyocline

圣蕨

Dictyocline griffithii Moore

| 药 材 名 | 圣蕨（药用部位：根茎）。

| 形态特征 | 高 40 ~ 70 cm。根茎短而斜升，连同叶柄基部略被鳞片，密被针状长刚毛；鳞片披针形，红棕色，质厚，边缘具刚毛。叶簇生；叶柄长 12 ~ 30 cm，深禾秆色，通体密被针状长刚毛；叶片长椭圆形，长 20 ~ 35 cm，宽 12 ~ 19 cm，先端尾尖，奇数羽状；侧生羽片常 2 ~ 3 对，分离，几无柄，基部 1 对羽片不缩短，长圆状披针形，向上弯弓，具渐尖头，基部圆楔形或圆形，对称，全缘；顶生羽片呈 3 叉状，基部楔形或圆楔形，有长约 2 cm 的柄，中央裂片较大，具渐尖头，全缘；叶粗纸质，干后褐色，遍体被毛，下面沿叶脉有针状粗毛，上面疏生短刚毛。孢子囊群沿网脉散生，无盖；孢子囊球状圆形，具短柄，近顶处有 3 ~ 4 直立的刚毛。孢子椭圆形，表面具

刺状纹饰。

| **生境分布** | 生于海拔 600 ～ 1 400 m 的密林下或阴湿的山沟。分布于湖南湘西州（永顺）、
怀化（通道）等。

| **资源情况** | 野生资源稀少。药材来源于野生。

| **功能主治** | 用于虚劳内伤，小儿惊风。

金星蕨科 Thelypteridaceae 圣蕨属 Dictyocline

戟叶圣蕨
Dictyocline sagittifolia Ching

| 药 材 名 | 戟叶圣蕨（药用部位：根茎）。

| 形态特征 | 植株高 30 ~ 40 cm。根茎短而斜升，疏被褐色的线状披针形鳞片；鳞片边缘有长睫毛。叶簇生；叶柄长 15 ~ 30 cm，直径约 1.5 mm，密被棕色短刚毛；叶片长达 17 cm，基部宽 11 ~ 13 cm，戟形，具短渐尖头，基部深心形，全缘或边缘有时为波状；主脉两面均隆起，侧脉明显，斜展，侧脉间有 5 ~ 7 明显的纵隔脉，分隔成长方形的大网眼，又再分隔成 2×4 近四方形的小网眼，网眼有单一或分叉的内藏小脉；叶粗纸质，干后褐色，上面沿主脉密生短柔毛，脉间有伏贴的短毛，下面沿主脉和侧脉密生短柔毛，沿网脉疏生柔毛。孢子囊沿网脉散生。

| 生境分布 | 生于海拔 400～650 m 的常绿林下及石缝中。分布于湖南邵阳（绥宁）、郴州（宜章、汝城、桂东）等。

| 资源情况 | 野生资源一般。药材来源于野生。

| 功能主治 | 用于小儿惊风。

金星蕨科 Thelypteridaceae 圣蕨属 *Dictyocline*

羽裂圣蕨
Dictyocline wilfordii (Hook.) J. Smith

| 药 材 名 | 羽裂圣蕨（药用部位：根茎）。

| 形态特征 | 高 30 ~ 50 cm。根茎短粗，斜升，密被黑褐色的披针形硬鳞片；鳞片边缘具针状短毛。叶簇生；叶柄长 17 ~ 30 cm，直径 2 ~ 2.5 mm，深禾秆色，坚硬，下部密被和根茎上相同的鳞片，密生短刚毛和针状长毛；叶片长约 20 cm，基部宽约 17 cm，三角形，具渐尖头，基部心形，下部羽状深裂，裂几达叶轴，向上为深羽裂，顶部呈波状；侧生裂片通常 3 对，基部 1 对裂片最大，阔披针形，略向上弯弓，具渐尖头，全缘或边缘呈波状，以阔翅和上 1 对裂片相连，其余的裂片同形，最上部的裂片呈三角形，裂片的主脉在两面均隆起，密生针状毛；侧脉明显，侧脉间的小脉网状，有 3 排近四方形或五角形的网眼，通常有单一或分叉的内藏小脉；叶粗纸质，干后褐色，

下面沿叶脉有针状毛，上面密生伏贴的刚毛。孢子囊沿网脉疏生，无盖。

| **生境分布** | 生于海拔 100 ~ 850 m 的山谷阴湿处或林下。分布于湖南长沙（浏阳）等。

| **资源情况** | 野生资源稀少。药材来源于野生。

| **功能主治** | 用于小儿惊风，虚劳内伤。

金星蕨科 Thelypteridaceae 针毛蕨属 Macrothelypteris

针毛蕨 *Macrothelypteris oligophlebia* (Baker) Ching

| 药 材 名 | 针毛蕨 (药用部位：根茎)。

| 形态特征 | 高 60 ~ 150 cm。根茎短而斜升，被深棕色、披针形、边缘具疏毛的鳞片。叶簇生；叶柄长 30 ~ 70 cm；叶片几与叶柄等长，下部宽 30 ~ 45 cm，三角状卵形，先端渐尖并羽裂，3 回羽裂；羽片约 14 对，互生，柄长，基部 1 对羽片较大，从第 2 对以上的各对羽片渐次缩小，向基部不变狭，2 回羽裂；小羽片 15 ~ 20 对，互生，深羽裂；裂片 10 ~ 15 对；叶草质，仅下面有橙黄色、透明的头状腺毛，上面沿羽轴及小羽轴被灰白色的短针毛，羽轴常具浅紫红色斑。孢子囊群小，圆形，每裂片有 3 ~ 6 对孢子囊群，生于侧脉的近顶部；囊群盖小，圆肾形，灰绿色，光滑，成熟时脱落或隐没于囊群中。孢子圆肾形，周壁表面形成不规则的块状小疣，有时连接成拟网状

或网状。

| 生境分布 | 生于海拔 400 ～ 800 m 的山谷水沟边或林缘湿地。分布于湖南长沙（芙蓉）、衡阳（衡阳、衡山）、邵阳（邵阳）、常德（汉寿）、郴州（汝城）、怀化（辰溪、新晃、沅陵）等。

| 资源情况 | 野生资源较少。药材来源于野生。

| 功能主治 | 苦，寒。清热解毒，止血，消肿，杀虫。用于烫火伤，外伤出血，疖肿，蛔虫病。

金星蕨科 Thelypteridaceae　针毛蕨属 Macrothelypteris

雅致针毛蕨

Macrothelypteris oligophlebia (Bak.) Ching var. *elegans* (Koidz.) Ching

| 药 材 名 | 金鸡尾巴草根（药用部位：根茎）。

| 形态特征 | 植株高60～150 cm。根茎短而斜升，连同叶柄基部被深棕色、披针形、边缘具疏毛的鳞片。叶簇生；叶柄长30～70 cm，直径4～6 mm，禾秆色，基部以上光滑；叶片几与叶柄等长，下部宽30～45 cm，三角状卵形，先端渐尖并羽裂，基部不变狭，3回羽裂；羽片约14对，斜向上，互生，或下部的对生，相距5～10 cm，柄长达2 cm或过之，基部1对较大，长达20 cm，宽达5 cm，长圆状披针形，先端渐尖并羽裂，具渐尖头，向基部略变狭，第2对以上各对羽片渐次缩小，2回羽裂；小羽片15～20对，互生，开展，深羽裂几达小羽轴；裂片10～15对，开展，长5～12 mm，

宽 2 ~ 3.5 mm，先端钝或钝尖，基部沿小羽轴彼此以狭翅相连，全缘或锐裂。叶脉在下面明显，侧脉单一或在具锐裂的裂片上 2 叉，斜上，每裂片 4 ~ 8 对。羽片下面沿羽轴、小羽轴均被有灰白色、单细胞、针状短毛。孢子囊群小，圆形，每裂片 3 ~ 6 对，生于侧脉的近顶部；囊群盖小，圆肾形，灰绿色，光滑，成熟时脱落或隐没于囊群中。孢子圆肾形，周壁表面形成不规则的小疣块状，有时联结成拟网状或网状。

| **生境分布** | 生于海拔较低的丘陵和平原。湖南各地均有分布。

| **资源情况** | 野生资源较少。药材来源于野生。

| **功能主治** | 用于水湿臌胀，疬毒。

金星蕨科 Thelypteridaceae 凸轴蕨属 Metathelypteris

疏羽凸轴蕨
Metathelypteris laxa (Franch. et Sav.) Ching

| 药 材 名 | 疏羽凸轴蕨（药用部位：根茎）。

| 形态特征 | 高 30 ~ 60 cm。根茎长，横走或斜升，连同叶柄基部疏被灰白色的短毛和红棕色的披针形鳞片。叶近生；叶柄长 10 ~ 35 cm，浅禾秆色；叶片长 15 ~ 35 cm，中部宽 10 ~ 18 cm，长圆形，先端渐尖，羽裂，2 回羽状深裂；羽片 8 ~ 18 对，近对生，彼此远离，线状披针形，羽状深裂达羽轴两侧的狭翅；裂片长圆状披针形，先端钝尖或急尖，全缘或边缘具粗圆的齿状缺刻，或裂成小裂片；叶草质，下面遍布灰白色的短柔毛，上面沿叶轴、羽轴和叶脉被针状毛。孢子囊群小，圆形，每裂片有 4 ~ 6 对孢子囊群，生于侧脉或分叉侧脉的上侧叶脉先端，较靠近叶边；囊群盖小，圆肾形，膜质，绿色，背面疏生柔毛。孢子圆肾形，周壁具较稀的折皱，有小穴状纹饰，

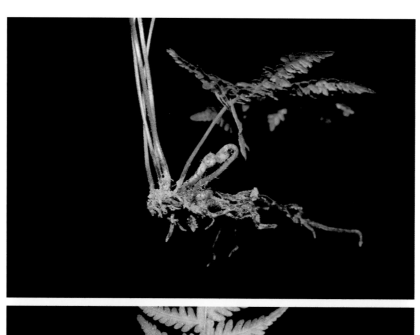

有时连成连珠状。

| **生境分布** | 生于海拔 100 ～ 750 m 的山麓林下和山谷密林下。分布于湖南株洲（茶陵）、常德（安乡）、永州（道县）、怀化（麻阳）、湘西州（永顺）等。

| **资源情况** | 野生资源稀少。药材来源于野生。

| **功能主治** | 清热解毒，止血消肿，杀虫。用于烫伤，外伤出血，疖肿，水湿膨胀，蛔虫病。

金星蕨科 Thelypteridaceae 金星蕨属 Parathelypteris

金星蕨 *Parathelypteris glanduligera* (Kunze) Ching

|药材名|

金星蕨（药用部位：全草。别名：水蕨菜、白毛蛇、毛毛蛇）。

|形态特征|

高 35 ~ 50（~ 60）cm。根茎长而横走，光滑，先端略被披针形鳞片。叶近生；叶柄长 15 ~ 20（~ 30）cm，禾秆色；叶片长 18 ~ 30 cm，宽 7 ~ 13 cm，披针形或阔披针形，先端渐尖，羽裂，向基部不变狭，2 回羽状深裂；羽片约 15 对，互生，无柄，披针形或线状披针形，羽裂几达羽轴；裂片 15 ~ 20 对或更多，彼此接近，长圆状披针形；叶草质，羽片下面密被橙黄色圆球形腺体，其余光滑或疏被短毛，上面沿羽轴的纵沟密被针状毛。孢子囊群小，圆形，每裂片有 4 ~ 5 对孢子囊群，背生于侧脉的近顶部，靠近叶边；囊群盖中等大小，圆肾形，棕色，厚膜质，背面疏被灰白色刚毛，宿存。孢子两面型，圆肾形，周壁具折皱，有明显而规则的细网状纹饰。

|生境分布|

生于海拔 50 ~ 1 500 m 的疏林下。湖南有广泛分布。

| **资源情况** | 野生资源丰富。药材来源于野生。

| **采收加工** | 夏季采收，鲜用或晒干。

| **功能主治** | 苦，寒。归肝经。清热解毒，利尿，止血。用于烫伤，吐血，痢疾，小便不利，外伤出血。

| **用法用量** | 内服煎汤，15 ~ 30 g。外用适量，捣敷。

金星蕨科 Thelypteridaceae 金星蕨属 Parathelypteris

光脚金星蕨 Parathelypteris japonica (Bak.) Ching

| 药 材 名 | 光脚金星蕨（药用部位：全草）。

| 形态特征 | 植株高 55 ~ 70 cm。根茎短，横卧或斜升。叶近生或近簇生；叶柄长 25 ~ 35 cm，直径约 3 mm，基部近黑色，略被红棕色的披针形鳞片，向上为栗褐色或栗棕色，无毛；叶片长 30 ~ 35 cm，下部宽 17 ~ 20 cm，卵状长圆形，先端渐尖并羽裂，基部不变狭，2 回羽状深裂；羽片 15 ~ 20 对，平展，下部 3 ~ 4 对羽片较长，对生或近对生，无柄，相距 2 ~ 2.5 cm；中部羽片长 8 ~ 10 cm，中部宽 1.3 ~ 1.6 cm，披针形，具渐尖头，基部近截形，对称，羽裂达羽轴两侧的狭翅，翅宽约 2.5 mm，裂片 25 ~ 30 对，长 5 ~ 7 mm，宽约 2.6 mm，披针形，略呈镰状，先端钝或急尖，全缘。叶脉明显，侧脉斜上，单一，每裂片 8 ~ 9（~ 10）对，基部 1 对出自主脉基

部附近。叶草质，干后褐绿色，下面沿羽轴、主脉（有时连同侧脉）和叶缘被灰白色的疏柔毛，并被有较多红棕色、圆球形的大腺体，上面沿羽轴纵沟密被针状短毛，沿叶轴被平伏的短针毛，叶轴与叶柄同色，仅向顶部为禾秆色，下面光滑。孢子囊群圆形，背生于侧脉中部稍上处，每裂片 3 ~ 4 对；囊群盖大，圆肾形，浅棕色，膜质，背面被较多的灰白色柔毛，宿存。

| **生境分布** | 生于林下阴处。湖南各地均有分布。

| **资源情况** | 野生资源稀少。药材来源于野生。

| **功能主治** | 消炎止血。用于外伤出血。

金星蕨科 Thelypteridaceae 金星蕨属 Parathelypteris

中日金星蕨
Parathelypteris nipponica (Franch. et Sav.) Ching

| 药 材 名 | 篦子草（药用部位：叶）。

| 形态特征 | 高 40 ~ 60 cm。根茎长而横走。叶近生；叶柄长 10 ~ 20 cm，基部褐棕色，向上呈亮禾秆色，光滑；叶片长 30 ~ 40 cm，中部宽 7 ~ 10 cm，倒披针形，先端渐尖，羽裂，向基部逐渐变狭，2 回羽状深裂；羽片 25 ~ 33 对，下部 5 ~ 7 对羽片近对生，向下逐渐缩小成小耳形，最下部的羽片呈瘤状，中部羽片互生，无柄，披针形，基部对称，截形，羽裂几达羽轴；裂片约 18 对，略斜展，接近，长圆形；叶草质。孢子囊群圆形，中等大小，每裂片有 3 ~ 4 对孢子囊群，背生于侧脉的中部以上，远离主脉；囊群盖中等大小，圆肾形，棕色，膜质，背面被少数灰白色的长针毛。孢子两面型，圆肾形，周壁具折皱，网状纹饰少而不明显，网眼大小相等，外壁表面具规

则的细网状纹饰。

| **生境分布** | 生于海拔 400 ～ 1 800 m 的丘陵地区的疏林下。分布于湖南株洲（茶陵）、邵阳（新邵）、永州（道县）、怀化（中方、会同）等。

| **资源情况** | 野生资源稀少。药材来源于野生。

| **功能主治** | 苦，寒。消炎止血。用于外伤出血。

延羽卵果蕨 *Phegopteris decursive-pinnata* (van Hall) Fée

药材名

小叶金鸡尾巴草（药用部位：根茎。别名：延羽针毛蕨、细凤尾草、金鸡蛋）。

形态特征

高 30 ~ 60 cm。根茎短而直立，连同叶柄基部被红棕色、具长缘毛的狭披针形鳞片。叶簇生；叶柄长 10 ~ 25 cm，淡禾秆色；叶片长 20 ~ 50 cm，中部宽 5 ~ 12 cm，披针形，先端羽裂，向基部渐变狭，2 回羽裂，或一回羽状而边缘具粗齿；羽片 20 ~ 30 对，互生，斜展，中部的羽片最大，狭披针形，在羽片间彼此以圆耳状或三角形的翅相连，羽裂达 1/3 ~ 1/2；裂片斜展，卵状三角形，向两端的羽片逐渐缩短，基部 1 对羽片常缩小成耳片；叶草质。孢子囊群近圆形，背生于侧脉的近先端，每裂片有 2 ~ 3 对孢子囊群，幼时中央有成束、具柄的分叉毛，无盖；孢子囊体顶部近环带处有时有一二短刚毛或具柄的头状毛。孢子外壁光滑，周壁表面具颗粒状纹饰。

生境分布

生于海拔 50 ~ 2 000 m 的冲积平原和丘陵低山区的河沟两岸或路边林下。湖南有广泛分布。

资源情况	野生资源较少。药材来源于野生。
采收加工	夏、秋季采收，洗净，鲜用或晒干。
功能主治	微苦，平。利水消肿，解毒敛疮。用于水肿，腹水，疮毒溃烂久不收口，外伤出血。
用法用量	内服煎汤，15 ~ 30 g。

金星蕨科 Thelypteridaceae 新月蕨属 Pronephrium

红色新月蕨

Pronephrium lakhimpurense (Rosenst.) Holtt.

| 药 材 名 | 红色新月蕨（药用部位：根茎）。

| 形态特征 | 植株高 1.5 m 以上。根茎长而横走，直径约 2 mm。叶远生；叶柄长 80 ~ 90 cm，直径 7 ~ 8 mm，基部偶有 1 ~ 2 鳞片，深禾秆色；叶片长 60 ~ 85 cm，长圆状披针形或卵状长圆形，具渐尖头，奇数一回羽状，侧生羽片 8 ~ 12 对，近斜展，互生，中部以下的有长约 2 mm 的柄，彼此远离，长 24 ~ 32 cm，中部宽 4 ~ 6 cm，阔披针形，短尾尖，基部近圆形，全缘或浅波状，顶生羽片与其下的羽片同形，柄长 1.5 ~ 2 cm。叶脉纤细，在下面较明显，侧脉近斜展，并行，小脉 13 ~ 17 对，近斜展，基部 1 对先端联结成 1 三角形网眼，其上各对小脉和相交点的外行小脉形成 2 列斜方形网眼，外行小脉达到或几达到上 1 对小脉联结点。叶干后薄纸质或草质，褐色，两面

无毛，偶在叶背有一二短刚毛，叶轴、羽轴和叶脉上有疏短毛。孢子囊群圆形，生于小脉中部或稍上处，在侧脉间排成 2 行，成熟时偶有汇合，无盖。

| 生境分布 | 生于海拔 300 ~ 1 550 m 的山谷或林沟边。分布于湖南永州（江永、宁远、道县）、郴州（宜章）等。

| 资源情况 | 野生资源稀少。药材来源于野生。

| 采收加工 | 夏、秋季采挖，晒干或鲜用。

| 功能主治 | 苦，寒。清热解毒，祛瘀止血。用于疔疮疖肿，跌打损伤，外伤出血。

| 用法用量 | 内服煎汤，9 ~ 15 g。外用适量，捣敷。

金星蕨科 Thelypteridaceae 新月蕨属 Pronephrium

披针新月蕨 *Pronephrium penangianum* (Hook.) Holtt.

| 药 材 名 | 地苏木（药用部位：全草。别名：过山龙、蕨其钻石黄、鸡血莲）。

| 形态特征 | 高 1 ~ 2 m。根茎长而横走，褐棕色，偶有一二棕色的披针形鳞片。叶远生；叶柄长可达 1 m，基部褐棕色，向上渐变为淡红棕色，光滑；叶片长圆状披针形，长 40 ~ 80 cm，宽 25 ~ 40 cm，一回奇数羽状；侧生羽片 10 ~ 15 对，斜展，互生，有短柄，阔线形，中部以下的羽片长 20 ~ 30 cm，宽 2 ~ 2.7 cm，具渐尖头，基部阔楔形，边缘有软骨质的尖锯齿，或深裂成牙齿状，上部的羽片略缩短，顶生羽片和中部的羽片同形等大；叶脉在下面明显，侧脉近平展，并行，小脉 9 ~ 10 对，斜向上，先端联结，在侧脉基部形成 1 三角形网眼；叶干后纸质，褐色或红褐色，遍体光滑。孢子囊群圆形，生于小脉中部或中部稍下处，在侧脉间排成 2 列，每列 6 ~ 7，无盖。

| 生境分布 | 生于海拔 900 ～ 1 800 m 的疏林下或阴湿水沟边。湖南有广泛分布。

| 资源情况 | 野生资源较丰富。药材来源于野生。

| 采收加工 | 秋季采收，鲜用或晒干。

| 功能主治 | 苦、涩，凉。散瘀血，除湿。用于跌打腰痛，血凝气滞。

| 用法用量 | 内服煎汤，9 ～ 18 g；或浸酒。

西南假毛蕨 *Pseudocyclosorus esquirolii* (Christ) Ching

| 药 材 名 | 西南假毛蕨（药用部位：全草）。

| 形态特征 | 高达 1.5 m。根茎横走。叶远生；深禾秆色，基部以上光滑，叶片长 1.3 m，中部宽约 30 cm，阔长圆状披针形，先端羽裂渐尖，基部渐变狭，2 回深羽裂；羽片多对，下部 9 ~ 11 对羽片互生，向下渐变成耳状三角形，向上各对互生，无柄，平展，披针形，长 15 ~ 20 cm，基部宽 2 ~ 2.3 cm，具长尾状渐尖头，基部圆截形，对称，羽裂至羽轴不远处；裂片 30 ~ 35 对，平展，略斜向上，披针形，全缘，彼此以狭的间隔分开，基部 1 对（尤其是上侧的 1）裂片明显伸长；叶干后厚纸质，褐绿色，下面沿叶轴和羽轴有针状毛，上面沿羽轴纵沟密被伏贴的刚毛。孢子囊群圆形，着生于侧脉中部，每裂片有 10 ~ 12 对孢子囊群；囊群盖圆肾形，厚膜质，棕色，无毛，

宿存。

| **生境分布** | 生于海拔 450 ~ 2 000 m 的山谷溪边的石上或箐沟边。分布于湖南株洲（茶陵）、衡阳（衡阳、珠晖、衡山）、邵阳（邵阳）、常德（临澧）等。

| **资源情况** | 野生资源稀少。药材来源于野生。

| **功能主治** | 清热解毒。

金星蕨科 Thelypteridaceae 假毛蕨属 Pseudocyclosorus

镰片假毛蕨

Pseudocyclosorus falcilobus (Hook.) Ching

| 药 材 名 | 镰片假毛蕨（药用部位：叶）。

| 形态特征 | 植株高 65 ~ 80 cm。根茎直立，直径约 1 cm，木质，先端及叶柄基部被棕色的披针形鳞片。叶簇生；叶柄长 6 ~ 10 cm，基部褐色，向上禾秆色，光滑无毛；叶片披针形，长 60 ~ 70 cm，中部宽 14 ~ 18 cm，具羽裂渐尖头，下部突然变狭，2 回深羽裂；下部 3 ~ 6 对羽片退化成小耳片，中部正常羽片 36 ~ 38 对，极斜向上，互生或近对生，无柄，线状披针形，长 12 ~ 13 cm，中部宽 1 ~ 1.2 cm，具长渐尖头，下部楔形，羽裂几达羽轴；裂片 22 ~ 25 对，镰状披针形，斜向上，以狭的间隔分开，长 5 ~ 7 mm，宽 2 ~ 2.5 mm，具急尖头，全缘，基部上侧 1 裂片特别伸长，长达 1 cm。叶脉在上

面可见，主脉在两面隆起，侧脉极斜向上，每裂片有 9 ~ 10 对，基部 1 对出自主脉基部，上侧 1 脉伸达缺刻底部，下侧 1 脉伸至缺刻以上的叶边。叶干后厚纸质，淡褐绿色；下面沿叶轴、羽轴及叶脉有针状刚毛，脉间光滑无毛，上面沿羽轴纵沟有伏贴的刚毛，叶脉及叶缘几光滑无毛。孢子囊群圆形，着生于小脉中部；囊群盖圆肾形，质厚，棕色，上面有腺体，宿存。

| **生境分布** | 生于海拔 300 ~ 1 100 m 的山谷水边石砾土中。分布于湖南邵阳（洞口、绥宁）等。

| **资源情况** | 野生资源稀少。药材来源于野生。

| **采收加工** | 夏、秋季采收，晒干。

| **功能主治** | 苦，凉。清热解毒，生肌敛疮。用于痢疾，肠炎，烫火伤。

| **用法用量** | 内服煎汤，10 ~ 20 g。外用适量，煎浓汁涂。

金星蕨科 Thelypteridaceae 假毛蕨属 Pseudocyclosorus

普通假毛蕨 *Pseudocyclosorus subochthodes* (Ching) Ching

| 药 材 名 | 普通假毛蕨（药用部位：全草）。

| 形态特征 | 高 90 ~ 110 cm。根茎短而横卧，黑褐色，疏被鳞片。叶近生或近簇生；叶柄长 20 ~ 25 cm，基部深棕色，疏被棕色鳞片，向上呈禾秆色，光滑无毛；叶片长圆状披针形，长 70 ~ 85 cm，中部宽约 20 cm，具羽裂渐尖头，基部突然变狭，2 回深羽裂；下部有 3 ~ 4 对羽片突然缩小成三角形耳片，中部正常羽片 26 ~ 28 对，近对生或互生，斜展，无柄，披针形，具羽裂长渐尖头，向基部不变狭或略变狭，圆楔形，深羽裂几达羽轴；裂片 28 ~ 30 对，斜向上或近斜展，以狭的间隔分开，披针形，基部 1 对裂片的上侧 1 裂片略伸长，全缘；叶干后纸质，灰绿色。孢子囊群圆形，着生于侧脉中上部，稍近叶边；囊群盖圆肾形，厚膜质，淡棕色，无毛，宿存。

| **生境分布** | 生于海拔 200 ~ 1 800 m 的杂木林下湿地或山谷石上。分布于湖南株洲（醴陵）、永州（双牌、新田）、怀化（洪江）、湘西州（古丈、永顺、保靖）、娄底（涟源）等。 |

| **资源情况** | 野生资源稀少。药材来源于野生。 |

| **功能主治** | 清热解毒。 |

铁角蕨科 Aspleniaceae 铁角蕨属 Asplenium

华南铁角蕨 *Asplenium austro-chinense* Ching

| 药 材 名 | 华南铁角蕨（药用部位：全草）。

| 形态特征 | 植株高 30 ～ 40 cm。根茎短粗，横走，先端密被鳞片；鳞片膜质，褐棕色，近全缘。叶近生；叶片阔披针形，二回羽状；羽片 10 ～ 14 对，下部的对生，向上互生，斜展，有长柄，一回羽状；小羽片 3 ～ 5 对，互生，上先出，斜向上，基部上侧 1 小羽片较大，匙形，顶部浅片裂为 2 ～ 3 裂片。叶脉在两面均明显。叶坚革质，干后棕色；叶轴及羽轴上面均有纵沟。孢子囊群短线形，褐色，极斜向上，生于小脉中部或中部以上；囊群盖线形，棕色，厚膜质，全缘，有的开向主脉，有的开向叶边，宿存。

| 生境分布 | 生于海拔 400 ～ 1 100 m 的山地林下、溪边的岩石上。分布于湖南

郴州（汝城）、湘西州（花垣、古丈、永顺）等。

| **资源情况** | 野生资源稀少。药材来源于野生。

| **采收加工** | 夏、秋季采收，洗净，晒干。

| **功能主治** | 甘、微苦，平。利湿化浊，止血。用于白浊，前列腺炎，肾炎，刀伤出血。

| **用法用量** | 内服煎汤，9 ~ 15 g。外用适量，研末撒。

铁角蕨科 Aspleniaceae 铁角蕨属 Asplenium

线裂铁角蕨
Asplenium coenobiale Hance

| 药 材 名 | 芒头铁角蕨（药用部位：全草）。

| 形态特征 | 植株高 10 ~ 25（~ 30）cm。根茎直立，先端密被黑色略有牙齿的厚膜质线形鳞片。叶簇生；叶柄圆形，长 6 ~ 18 cm，乌木色，有光泽，光滑；叶片长三角形，细裂，长 6 ~ 10 cm，宽 3 ~ 5 cm，三回羽状；羽片 12 ~ 16 对，下部的对生，向上的互生，有短柄或近无柄，基部 1 对长 2 ~ 4.3 cm，宽 0.7 ~ 1.5 cm，长三角形，二回羽状；小羽片 6 ~ 10 对，互生，上先出，基部 1 对（或上侧 1 小羽片）椭圆形，长 0.5 ~ 1 cm，宽 5 ~ 7 mm，羽状，有短柄，末回小羽片 2 ~ 4 对，互生，上侧的长、宽均为 2 ~ 4 mm，2 ~ 3 回深裂，分裂极细，不育裂片窄线形，宽约 0.6 mm，能育裂片较宽，长 1.5 ~ 2.5 mm，

全缘。叶脉隆起，每裂片有 1 小脉，不达叶缘。叶干后草绿色，薄草质；叶轴中部以下乌木色，有光泽，上面有纵沟，羽轴和小羽轴均与叶片同色，隆起。孢子囊群椭圆形，长 1 ~ 1.5 mm，每能育裂片 1，着生于小脉中部或下部上侧；囊群盖椭圆形，透明，全缘，开向叶缘，宿存。

| **生境分布** | 生于海拔 500 ~ 2 000 m 的山谷溪边林缘、密林下或山坡灌丛下。分布于湖南常德（石门）、湘西州（花垣、永顺）等。

| **资源情况** | 野生资源稀少。药材来源于野生。

| **功能主治** | 用于风湿痹痛，小儿麻痹，月经不调。

铁角蕨科 Aspleniaceae 铁角蕨属 Asplenium

毛轴铁角蕨 *Asplenium crinicaule* Hance

| 药 材 名 | 毛轴铁角蕨（药用部位：全草）。

| 形态特征 | 植株高 20 ~ 40 cm。根茎短而直立，密被黑褐色有虹色光泽、全缘或有少数纤毛的披针形鳞片。叶簇生；叶柄长 5 ~ 12 cm，灰褐色，与叶轴密被黑褐色或深褐色鳞片，老时鳞片渐脱落；叶片宽披针形或线状披针形，长 10 ~ 30 cm，中部宽 3.5 ~ 7 cm，一回羽状；羽片 18 ~ 28 对，互生或下部的对生，斜展，几无柄或柄极短，基部羽片略短，长卵形，中部羽片长 1.5 ~ 4 cm，基部宽 0.8 ~ 1.3 cm，菱状披针形，有不整齐粗大锯齿。叶脉明显，隆起成钩状脊；小脉多为 2 回 2 叉，亦有 2 叉、3 叉或单一，不达叶缘。叶干后褐棕色，纸质，两面（或仅上面）呈沟脊状；叶轴灰褐色，密被黑褐色鳞片，

上面有纵沟。孢子囊群宽线形，长 4 ~ 8 mm，着生于上侧小脉，自主脉（向外行）不达叶缘，沿主脉两侧排列，或成多行；囊群盖宽线形，开向主脉，或开向叶缘，宿存。

| 生境分布 | 生于海拔 120 ~ 2 000 m 的溪边林下潮湿岩石上。分布于湖南邵阳（城步、武冈）、永州（道县）、怀化（会同、通道、洪江）等。

| 资源情况 | 野生资源稀少。药材来源于野生。

| 功能主治 | 消肿止痛，化湿利尿。用于白浊，前列腺炎，肾炎，烦渴，刀伤出血。

铁角蕨科 Aspleniaceae 铁角蕨属 Asplenium

剑叶铁角蕨

Asplenium ensiforme Wall. ex Hook. et Grev.

| 药 材 名 | 石浮（药用部位：全草）。

| 形态特征 | 根茎短而直立，黑色，密被黑色全缘或疏被小牙齿的披针形鳞片。单叶簇生；叶柄长 5 ~ 8（~ 15）cm，禾秆色，基部密被与根茎同样鳞片，向上渐稀疏；叶片披针形，长 18 ~ 25（~ 50）cm，中部宽 1.5 ~ 2（~ 4）cm，两边近平行，基部有窄翅，全缘，干后略反卷。主脉明显，粗，禾秆色，下面圆形隆起，上面有浅纵沟；小脉在两面均不明显，极斜上，2 叉，不达叶缘。叶干后黄绿色或淡棕色，革质，上面光滑，下面疏被棕色星状小鳞片，老时鳞片渐脱落而光滑。孢子囊群线形，长 0.8 ~ 2（~ 4）cm，棕色，生于上侧小脉，自主脉向外行达叶片宽的 2/3 ~ 3/4，开向主脉，宿存。

| **生境分布** | 生于海拔 840 ~ 1 800 m 的密林下岩石上或树干上。分布于湖南邵阳（新宁、城步）、永州（道县）、怀化（会同、通道、洪江）、常德（石门）、张家界（慈利、桑植）等。 |

| **资源情况** | 野生资源稀少。药材来源于野生。 |

| **功能主治** | 用于胃痛。 |

铁角蕨科 Aspleniaceae 铁角蕨属 Asplenium

厚叶铁角蕨
Asplenium griffithianum Hook.

| 药 材 名 | 旋鸡尾（药用部位：根茎）。

| 形态特征 | 植株高 15 ～ 30 cm。根茎短而直立，直径约 4 mm，深褐色，先端密被鳞片；鳞片披针形或卵状披针形，长约 5 mm，基部宽 0.5 ～ 1 mm，膜质，黑褐色，有光泽，边缘有小牙齿。叶簇生，单叶；叶柄极短或近无，淡禾秆色；叶片披针形，长 15 ～ 25 cm，中部宽 1.4 ～ 2（～ 3.9）cm，先端渐尖或急尖，基部缓下延而呈狭翅状，下部全缘，向上部为不整齐的波状圆齿（有时仅有疏缺刻）。叶脉明显，粗壮，在下面不显著隆起，在上面圆而隆起，淡禾秆色，小脉两面均不明显或上面仅可见，斜展，2 叉，通直，不达叶边。叶肉质，干后淡绿色，两面均疏被深褐色或基部为褐棕色的星芒状小

鳞片，通常在下面较密，老时部分脱落。孢子囊群阔线形，长 5 ~ 8.5 mm，深棕色，略斜展，自主脉向外行，达叶片宽的 2/3 或稍过之，彼此相距 1.5 ~ 3 mm，生于上侧小脉的上侧边；囊群盖阔线形，灰白色，后变黄棕色，膜质，全缘，开向主脉，宿存。

| **生境分布** | 生于林下潮湿岩石上。分布于湖南怀化（通道）等。

| **资源情况** | 野生资源稀少。药材来源于野生。

| **采收加工** | 秋季采挖，去除须根，洗净，晒干。

| **功能主治** | 微苦，凉。清热利湿，解毒。用于黄疸，淋浊，高热，烫火伤。

| **用法用量** | 内服煎汤，9 ~ 15 g。外用适量，研末敷。

铁角蕨科 Aspleniaceae 铁角蕨属 Asplenium

虎尾铁角蕨 *Asplenium incisum* Thunb.

| 药 材 名 | 岩春草（药用部位：全草。别名：地柏枝、野柏树）。

| 形态特征 | 植株高 10 ~ 30 cm。根茎短而直立或横卧，先端密被鳞片；鳞片狭披针形，黑色。叶密集簇生，淡绿色，或通常为栗色或红棕色，而在上面两侧各有一淡绿色的狭边，有光泽；叶片阔披针形，两端渐狭，先端渐尖，二回羽状（有时为一回羽状）；羽片 12 ~ 22 对，下部的对生或近对生，向上互生，小羽片 4 ~ 6 对，互生。叶脉在两面均可见，纤细。叶薄草质，干后草绿色，光滑，顶部两侧有线状狭翅。孢子囊群椭圆形，棕色，斜向上，彼此密接，整齐；囊群盖椭圆形，灰黄色，后变淡灰色，薄膜质。

| 生境分布 | 生于海拔 70 ~ 1 600 m 的山地林下阴湿岩石上及路旁。分布于湖南

长沙（浏阳）、衡阳（南岳）、邵阳（新宁、武冈）、岳阳（平江）、张家界（慈利、桑植）、怀化（芷江、洪江）、娄底（涟源）、湘西州（吉首、永顺）等。

| **资源情况** | 野生资源较少。药材来源于野生。

| **采收加工** | 夏、秋季采收，洗净，鲜用或晒干。

| **功能主治** | 苦、甘，凉。清热解毒，平肝镇惊，止血利尿。用于急性黄疸性病毒性肝炎，肺热咳嗽，小儿惊风，小便不利，毒蛇咬伤等。

| **用法用量** | 内服煎汤，15 ～ 30 g。外用适量，捣敷。

铁角蕨科 Aspleniaceae 铁角蕨属 Asplenium

倒挂铁角蕨 *Asplenium normale* Don

| 药 材 名 | 倒挂草（药用部位：全草。别名：常氏倒挂草）。

| 形态特征 | 植株高 15 ~ 40 cm。根茎直立或斜升，粗壮，黑色，全部密被鳞片或仅先端及较嫩部分密被鳞片；鳞片披针形，黑褐色。叶簇生；叶柄长 5 ~ 15 cm，栗褐色至紫黑色，有光泽，略呈四棱形，基部疏被与根茎上同样的鳞片，向上渐变光滑；叶片披针形，长 12 ~ 24 cm，中部宽 2 ~ 3.2 cm，一回羽状；羽片 20 ~ 30 对，互生，中部羽片三角状椭圆形。叶草质至薄纸质，干后棕绿色或灰绿色。孢子囊群椭圆形，长 2 ~ 2.5 mm，棕色，极斜向上，远离主脉伸达叶边，彼此疏离，每羽片有 3 ~ 4 对；囊群盖椭圆形，淡棕色或灰棕色，有时沿叶脉着生处色较深，膜质，全缘，开向主脉。

| **生境分布** | 生于海拔 600 ~ 1 800 m 的密林下或溪旁石上。分布于湖南长沙 (浏阳) 、株洲 (茶陵) 、邵阳 (隆回、洞口、绥宁、武冈) 、岳阳 (平江) 、常德 (石门) 、张家界 (慈利、桑植) 、郴州 (宜章、汝城、桂东) 、永州 (东安、江华) 、怀化 (溆浦、会同、靖州、通道、洪江) 、湘西州 (永顺) 等。 |

| **资源情况** | 野生资源一般。药材来源于野生。 |

| **采收加工** | 全年均可采收，洗净，晒干或鲜用。 |

| **功能主治** | 微苦，平。清热解毒，止血。用于肝炎，痢疾，外伤出血，蜈蚣咬伤。 |

| **用法用量** | 内服煎汤，9 ~ 15 g。外用适量，研末敷；或捣敷。 |

铁角蕨科 Aspleniaceae 铁角蕨属 Asplenium

北京铁角蕨
Asplenium pekinense Hance

| **药 材 名** | 铁杆地柏枝（药用部位：全草。别名：地柏叶、小凤尾草）。

| **形态特征** | 植株高 8 ~ 20 cm。根茎短而直立，先端密被鳞片；鳞片披针形，膜质，黑褐色。叶簇生；叶柄长 2 ~ 4 cm，淡绿色；叶片披针形，长 6 ~ 12 cm，二回羽状或 3 回羽裂；羽片 9 ~ 11 对，一回羽状；小羽片 2 ~ 3 对。孢子囊群近椭圆形，斜向上，每小羽片有 1 ~ 2，位于小羽片中部，排列不甚整齐，成熟后为深棕色，往往满铺小羽片下面；囊群盖同形，灰白色，膜质，全缘，开向羽轴或主脉，宿存。

| **生境分布** | 生于海拔 380 ~ 1 800 m 的岩石上或石缝中。分布于湖南衡阳（南岳）、邵阳（新宁）、张家界（慈利）、郴州（汝城）、娄底（双峰）、湘西州（凤凰、龙山）等。

| **资源情况** | 野生资源一般。药材来源于野生。

| **采收加工** | 4 月采收，洗净，晒干或鲜用。

| **功能主治** | 甘、微辛，平。化痰止咳，清热解毒，止血。用于感冒咳嗽，肺结核，痢疾，腹泻，热痹，肿毒，疮痈，跌打损伤，外伤出血。

| **用法用量** | 内服煎汤，15 ~ 30 g。外用适量，捣敷；或研末敷。

铁角蕨科 Aspleniaceae 铁角蕨属 Asplenium

胎生铁角蕨 *Asplenium indicum* Sledge

| 药 材 名 | 胎生铁角蕨（药用部位：全草）。

| 形态特征 | 植株高 20 ~ 45 cm。根茎短而直立，密被红棕色有虹色光泽且全缘的披针形鳞片。叶簇生；叶柄长 10 ~ 20 cm，灰绿色或灰禾秆色，上面有纵沟，疏被红棕色窄披针形鳞片；叶片宽披针形，长 12 ~ 30 cm，宽 4 ~ 7 cm，一回羽状；羽片 8 ~ 20 对，互生或下部的对生，柄长 2 ~ 3 mm，中部的长 2 ~ 3.5 cm，基部宽 1 ~ 1.3 cm，菱形或菱状披针形，通直或略镰状，基部上侧平截，有耳状突起，下侧长楔形，有不规则片裂，裂片顶部有钝牙齿。叶脉明显，隆起，呈沟脊状，侧脉 2 回 2 叉，不达叶缘。叶干后草绿色，革质，两面呈沟脊状；叶轴禾秆色或下面灰栗色，疏被红棕色纤维状小鳞片，

在羽片腋间有一被鳞片的芽孢，在母株萌发。孢子囊群线形，长 4 ~ 8 mm，自主脉向外行，几达叶缘，在主脉两侧各成 1 行，在中部以下多列；囊群盖线形，开向主脉或开向叶缘，宿存。

| 生境分布 | 生于海拔 800 ~ 2 000 m 的密林下的岩石或树干上。分布于湖南邵阳（新宁、武冈）、永州（道县、东安、双牌）、郴州（宜章）、怀化（会同、通道、洪江）、常德（石门）、张家界（桑植）等。

| 资源情况 | 野生资源稀少。药材来源于野生。

| 功能主治 | 淡、涩，凉。舒筋活血。用于腰痛。

铁角蕨科 Aspleniaceae 铁角蕨属 Asplenium

长叶铁角蕨 *Asplenium prolongatum* Hook.

药材名

倒生莲（药用部位：全草。别名：花老鼠、尾生根）。

形态特征

植株高 20 ～ 40 cm。根茎短而直立，先端密被鳞片；鳞片披针形，长 5 ～ 8 mm，黑褐色，有棕色狭边，有光泽，厚膜质，全缘或有微齿牙。叶簇生；叶柄长 8 ～ 18 cm；叶片线状披针形；小羽片互生。叶脉明显，每小羽片或裂片有小脉 1，先端有明显的水囊，不达叶边。叶近肉质，干后草绿色，略显细纵纹。孢子囊群狭线形，深棕色，每小羽片或裂片有 1，位于小羽片的中部上侧边；囊群盖狭线形，灰绿色，膜质，全缘，开向叶边，宿存。

生境分布

生于海拔 150 ～ 1 800 m 的林中树干或潮湿岩石上。分布于湖南邵阳（绥宁、新宁、城步）、常德（石门）、张家界（桑植）、郴州（宜章、桂东）、永州（江永、宁远）、怀化（沅陵、通道、洪江）、湘西州（吉首、凤凰、花垣、保靖、古丈、永顺）等。

| **资源情况** | 野生资源较少。药材来源于野生。

| **采收加工** | 秋季采收，洗净，鲜用或晒干。

| **药材性状** | 本品根茎短，先端有披针形鳞片，并有多数须根。叶柄压扁；叶片条状披针形，2回深羽裂，羽片矩圆形，裂片狭条形，具钝头，全缘，有1小脉，表面皱缩；叶轴先端延伸成鞭状。孢子囊群沿叶脉上侧着生；囊群盖狭线形，膜质。质稍韧。气微，味微苦。

| **功能主治** | 辛、微苦，凉。归肝、肺、膀胱经。清热除湿，化瘀止血。用于咳嗽痰多，风湿痹痛，肠炎痢疾，尿路感染，乳腺炎，吐血，外伤出血，跌打损伤，烫火伤。

| **用法用量** | 内服煎汤，9～30 g；或浸酒。外用适量，捣敷；或研末撒。

铁角蕨科 Aspleniaceae 铁角蕨属 Asplenium

华中铁角蕨
Asplenium sarelii Hook.

| 药 材 名 | 孔雀尾（药用部位：全草或根茎。别名：见血生、青旗草、地柏叶）。

| 形态特征 | 植株高 10 ～ 23 cm。根茎短而直立，先端密被鳞片；鳞片狭披针形，长 3 ～ 3.5 mm，厚膜质，黑褐色，有光泽，边缘有微牙齿。叶簇生；叶柄长 5 ～ 10 cm，直径 0.5 ～ 1 mm，淡绿色，近光滑或略被一二褐色纤维状的小鳞片，上面有浅阔纵沟；叶片椭圆形，长 5 ～ 13 cm，宽 2.5 ～ 5 cm，3 回羽裂；羽片 8 ～ 10 对，相距 1 ～ 1.2 cm，基部的羽片较远离，对生，向上互生，斜展，有短柄，柄长 0.5 ～ 1.5 mm，基部 1 对最大或与第 2 对同大（偶有略缩短），长 1.5 ～ 3 cm，宽 1 ～ 2 cm，卵状三角形，具渐尖头或尖头，基部不对称，上侧截形并与叶轴平行或覆盖叶轴，下侧楔形，2 回羽裂；小羽片 4 ～ 5 对，互生，上先出，斜展，基部上侧 1 羽片较大，长 5 ～ 11 mm，宽

4 ~ 7 mm，卵形，具尖头，基部为对称的阔楔形，下延，羽状深裂达于小羽轴；裂片 5 ~ 6，斜向上，疏离，狭线形，长 1.5 ~ 5 mm，宽 0.5 ~ 2 mm，基部 1 对常 2 ~ 3 裂，小裂片先端有具 2 ~ 3 钝头或尖头的小牙齿，向上各裂片先端有尖牙齿；其余的小羽片较小，彼此疏离。叶脉在两面均明显，在上面隆起，小脉在裂片上为 2 ~ 3 叉，在小羽片基部的裂片为 2 回 2 叉，斜向上，不达叶边。叶坚草质，干后灰绿色；叶轴及各回羽轴均与叶柄同色，两侧均有线形狭翅，叶轴在两面显著隆起。孢子囊群近椭圆形，长 1 ~ 1.5 mm，棕色，每裂片有 1 ~ 2，斜向上，生于小脉上部，不达叶边；囊群盖同形，灰绿色，膜质，全缘，开向主脉，宿存。

| **生境分布** | 生于潮湿岩壁上或石缝中。分布于湖南湘西州（花垣、龙山）等。

| **资源情况** | 野生资源稀少。药材来源于野生。

| **采收加工** | 全年均可采收，去除须根，洗净，鲜用或晒干。

| **功能主治** | 苦、微甘，凉。清热解毒，利湿，止血，生肌。用于流行性感冒，目赤肿痛，扁桃体炎，咳嗽，黄疸，肠炎，痢疾，胃肠出血，跌打损伤，疮肿疔毒，烫火伤。

| **用法用量** | 内服煎汤，15 ~ 30 g。外用适量，煎汤洗；或捣敷。

铁角蕨科 Aspleniaceae 铁角蕨属 Asplenium

石生铁角蕨
Asplenium saxicola Rosent.

| 药 材 名 |　石上铁角蕨（药用部位：全草。别名：粤铁角蕨、鸡心草）。

| 形态特征 |　植株高 20 ～ 50 cm。根茎短而直立，密被鳞片；鳞片线状披针形，长 4 ～ 6 mm，基部宽约 0.5 mm，膜质，褐色，有虹色光泽，边缘有小牙齿。叶近簇生；叶柄长 10 ～ 22 cm，直径 1 ～ 2 mm，灰禾秆色，基部密被与根茎上同样的鳞片，向上鳞片逐渐稀疏，上面有浅纵沟；叶片阔披针形，长 12 ～ 28 cm，基部宽 5 ～ 11 cm，先端渐尖并为羽状，裂片少数，几分离，顶生 1 叶多少呈三叉状，向下为一回羽状；羽片 5 ～ 12 对，相距 3 ～ 4 cm，下部的对生，向上互生，斜展，有长柄（长 5 ～ 10 mm），基部羽片稍大，长 3 ～ 6 cm，基部宽 2 ～ 3 cm，菱形，具渐尖头，基部为略不对称的圆楔形，边缘有不规则的小圆牙齿或片裂，往往深达 2/3 或几达主脉，裂片

1 ~ 3，斜向上，椭圆形或倒卵形，长 0.6 ~ 2 cm，中部宽 3 ~ 12 mm，基部上侧 1 裂片最大，先端圆截形或具钝头，有细圆齿，两侧全缘；向上各对羽片均与基部的同形而略小，分裂度渐浅。叶脉在两面均隆起成沟脊状，主脉不显著，侧脉扇状分叉，斜向上，彼此密接，不达叶边。叶革质，干后上面暗棕色，下面棕色，两面均呈沟脊状；叶轴灰禾秆色，疏被与叶柄上同样的鳞片，以后鳞片脱落，上面有浅阔纵沟。孢子囊群狭线形，长 4 ~ 15 mm，深棕色，斜向上，彼此密接，单生于小脉上侧或下侧，偶有不完全的双生，自主脉向外行，几达叶边，每裂片有 3 ~ 6（基部 1 对裂片有 8 ~ 12），扇状排列，不甚整齐；囊群盖狭线形，棕色，厚膜质，全缘，有的开向主脉，有的开向叶边。

| **生境分布** | 生于海拔 300 ~ 1 300 m 的密林下潮湿岩石上。分布于湖南邵阳（绥宁）、郴州（宜章）、永州（江华）等。

| **资源情况** | 野生资源稀少。药材来源于野生。

| **采收加工** | 夏、秋季采收，洗净，晒干或鲜用。

| **药材性状** | 本品根茎短，有众多须根和棕黑色披针形鳞片。叶簇生；叶柄长 10 ~ 22 cm；叶片披针形，长 12 ~ 28 cm，宽 5 ~ 11 cm，一回羽状，羽片深绿色至绿棕色，多纵向反卷，侧脉 2 ~ 3 回分叉；叶轴暗绿色至紫褐色，被稀疏鳞片。孢子囊群狭线形，沿小脉着生，囊群盖深黄棕色。质稍脆，易折断。气微，味微苦。

| **功能主治** | 淡，平。清热润肺，解毒消肿。用于肺结核，疮疖痈肿，膀胱炎，跌打损伤。

| **用法用量** | 内服煎汤，10 ~ 20 g。外用适量，鲜品捣敷。

铁角蕨 *Asplenium trichomanes* L.

| 药 材 名 | 铁角凤尾草（药用部位：全草。别名：石林珠）。

| 形态特征 | 植株高 10 ～ 30 cm。根茎短而直立，密被鳞片；鳞片线状披针形，厚膜质，黑色。叶多数，密集簇生；叶柄长 2 ～ 8 cm，栗褐色；叶片长线形，长 10 ～ 25 cm，一回羽状；羽片 20 ～ 30 对，基部的对生，向上对生或互生，羽片基部为近对称或不对称的圆楔形，中部各对羽片彼此疏离，下部羽片形状多种，卵形、圆形、扇形、三角形或耳形。叶脉羽状，纤细。叶纸质。孢子囊群阔线形，黄棕色，极斜向上，通常生于上侧小脉，每羽片有 4 ～ 8，位于主脉与叶边之间，不达叶边；囊群盖阔线形，灰白色，后变棕色，膜质，全缘，开向主脉，宿存。

| 生境分布 | 生于海拔 400 ～ 1 800 m 的林下山谷中的岩石上或石缝中。分布于湖南长沙（浏阳）、衡阳（南岳、衡山）、邵阳（新邵、隆回、洞口、新宁、城步、武冈）、岳阳（平江）、郴州（安仁）、永州（道县、宁远）、怀化（会同、洪江）、娄底（涟源）、湘西州（凤凰）等。 |

| 资源情况 | 野生资源稀少。药材来源于野生。 |

| 采收加工 | 全年均可采收，鲜用或晒干。 |

| 功能主治 | 淡，凉。清热利湿，解毒消肿，调经止血。用于小儿高热惊风，肾炎性水肿，食积腹泻，痢疾，咳嗽，咯血，月经不调，带下，疮疖肿毒，毒蛇咬伤，烫火伤，外伤出血。 |

| 用法用量 | 内服煎汤，10 ～ 30 g。外用适量，鲜品捣敷。 |

铁角蕨科 Aspleniaceae 铁角蕨属 Asplenium

三翅铁角蕨 *Asplenium tripteropus* Nakai

| 药 材 名 | 三翅铁角蕨（药用部位：全草）。

| 形态特征 | 植株高 15 ~ 30 cm。根茎短而直立，先端密被鳞片；鳞片线状披针形，厚膜质，褐棕色或深褐色而有棕色狭边，全缘。叶簇生；叶柄长 3 ~ 5 cm，基部密被鳞片；叶片长线形，长 12 ~ 28 cm，两端渐狭，一回羽状；羽片 23 ~ 35 对。叶脉羽状。叶纸质，干后草绿色或褐绿色。孢子囊群椭圆形，生于上侧小脉，位于主脉与叶边之间，每羽片有 3 ~ 6；囊群盖椭圆形，膜质，灰绿色，全缘，开向主脉。

| 生境分布 | 生于海拔 400 ~ 1 350 m 的林下潮湿岩石上或酸性土中。分布于湖南湘西州（泸溪、古丈、龙山）、郴州（安仁）、怀化（溆浦）等。

| **资源情况** | 野生资源稀少。药材来源于野生。

| **采收加工** | 夏、秋季采收，洗净，晒干。

| **功能主治** | 微苦，平。舒筋活络，利水通淋。用于跌打损伤，腰痛，小便淋痛。

| **用法用量** | 内服煎汤，10 ~ 20 g；或浸酒。

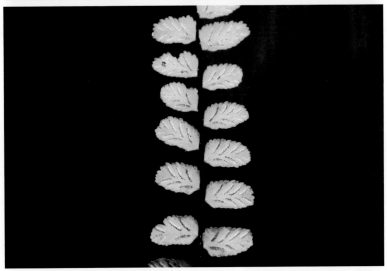

铁角蕨科 Aspleniaceae 铁角蕨属 *Asplenium*

半边铁角蕨 *Asplenium unilaterale* Lam.

| **药 材 名** | 半边铁角蕨（药用部位：全草）。

| **形态特征** | 植株高 25 ~ 40 cm。根茎长而横走，直径 2 ~ 3.5 mm，褐色，先端密被鳞片；鳞片披针形，长 2 ~ 3 mm，基部宽约 0.5 mm，膜质，褐色，全缘。叶疏生或远生；叶柄长 11 ~ 20 cm，直径 1 ~ 2 mm，栗褐色，有光泽，基部疏被与根茎上同样的鳞片，向上光滑，上面有浅阔纵沟；叶片披针形，长 15 ~ 23 cm，中部宽 3 ~ 6 cm，先端渐尖，基部几不变狭，一回羽状。叶草质或薄草质，干后灰绿色，两面均无毛；叶轴栗褐色，有光泽，上面有浅阔纵沟，纵沟边缘为灰绿色。孢子囊群线形，长 2.5 ~ 4 mm，棕色，生于小脉中部，位于主脉与叶边之间，每羽片有 10 ~ 16；囊群盖线形，淡棕色，膜质，全缘，

开向主脉，在羽片基部上侧的间或开向叶边，宿存。

| **生境分布** | 生于海拔 120～1 800 m 的林下或溪边石上。分布于湖南怀化（麻阳）、湘西州（花垣、古丈、永顺、凤凰）等。

| **资源情况** | 野生资源稀少。药材来源于野生。

| **功能主治** | 清热解毒，祛风除湿。用于止血，解毒。

铁角蕨科 Aspleniaceae 铁角蕨属 Asplenium

变异铁角蕨
Asplenium varians Wall. ex Hook. et Grev.

| 药 材 名 | 九倒生（药用部位：全草。别名：铁郎鸡、铁扫把、金鸡尾）。

| 形态特征 | 植株高 10 ~ 22 cm。根茎短而直立，先端密被鳞片；鳞片披针形，长 2 ~ 3 mm，基部宽 0.5 mm，膜质，黑褐色，有虹色光泽，近全缘。叶簇生；叶柄长 4 ~ 7（~ 10）cm，直径 1 ~ 1.2 mm，下部或全部为栗色，有光泽或向上为绿色，疏被黑褐色纤维状鳞片，以后脱落，上面有浅阔纵沟；叶片披针形，长 7 ~ 13 cm，宽 2.5 ~ 4 cm，先端渐尖，基部略变狭或几不变狭，二回羽状；羽片 10 ~ 11 对，相距 8 ~ 12 mm，下部的对生，向上互生，平展，有极短柄（长约 1 mm），中部羽片略长，长 8 ~ 17 mm，宽 7 ~ 11 mm，三角状卵形，钝头，基部不对称，上侧圆截形并与叶轴平行，下侧楔形，一回羽状；小羽片 2 ~ 3 对，互生，上先出，斜向上，基部上侧 1 羽

片较大，倒卵形，长 3.5 ~ 5.5 mm，宽 2.5 ~ 4（~ 6）mm，圆头，基部阔楔形，无柄，多少与羽轴合生，两侧全缘，先端有 6 ~ 8 小锯齿，其余的小羽片较小，基部合生或下部的小羽片分离。叶脉在上面明显，略隆起，在下面不可见，小脉在小羽片为 2 叉或二回 2 叉，在基部上侧小羽片为近羽状分枝，斜向上，不达叶边；叶薄草质，干后草绿色或上面为暗灰绿色；叶轴灰绿色，上面有浅阔纵沟，光滑。孢子囊群短线形，长 1.5 ~ 3 mm，生于小脉下部，斜向上，在羽片上部的紧靠羽轴两侧排列，在羽片下部小羽片上的则生于小羽片中央，每小羽片有 2 ~ 4，成熟后为棕色，满铺羽片下面。囊群盖短线形，淡棕色，膜质，全缘，开向羽轴或主脉，宿存。

| 生境分布 | 生于海拔约 1 800 m 的杂木林下潮湿岩石上或岩壁上。分布于湖南张家界（桑植）等。

| 资源情况 | 野生资源稀少。药材来源于野生。

| 采收加工 | 秋后采收，洗净，晒干。

| 功能主治 | 微涩，凉。活血消肿，止血生肌。用于骨折，刀伤，疮疡溃烂，烫火伤。

| 用法用量 | 内服煎汤，10 ~ 20 g。外用适量，捣敷。

铁角蕨科 Aspleniaceae 铁角蕨属 Asplenium

狭翅铁角蕨
Asplenium wrightii Eaton ex Hook.

| 药 材 名 | 狭翅铁角蕨（药用部位：根茎）。

| 形态特征 | 植株高达 1 m。根茎短而直立，粗壮，密被鳞片，鳞片披针形，长 5 ~ 7 mm，褐棕色。叶簇生；叶柄长 20 ~ 32 cm，淡绿色，基部有时为栗褐色；叶片椭圆形，长 30 ~ 80 cm，宽 16 ~ 25 cm，一回羽状；羽片 16 ~ 24 对，披针形或镰状披针形。叶纸质，干后草绿色或暗绿色；中部以上两侧有狭翅。孢子囊群线形，长约 1 cm，褐棕色，斜向上，略向外弯，生于上侧 1 脉，自主脉向外行几达叶边，沿主脉两侧排列整齐；囊群盖线形，灰棕色，后变褐棕色，膜质，全缘，开向主脉，宿存。

| 生境分布 | 生于海拔 230 ~ 1 100 m 的林下溪边岩石上。分布于湖南邵阳（洞

口、武冈）、怀化（中方、麻阳）、娄底（新化）、湘西州（古丈、永顺）等。

| **资源情况** | 野生资源稀少。药材来源于野生。

| **功能主治** | 用于疮疡肿毒。

球子蕨科 Onocleaceae 荚果蕨属 Matteuccia

东方荚果蕨
Matteuccia orientalis (Hook.) Trev.

| 药 材 名 | 东方荚果蕨（药用部位：根茎、茎叶。别名：大叶蕨、马来巴）。

| 形态特征 | 植株高达 1 m。根茎短而直立，木质，坚硬，先端及叶柄基部密被鳞片；鳞片披针形，长达 2 cm，先端纤维状，全缘，膜质，棕色，有光泽。叶柄上的鳞片脱落后往往留下褐色的新月形鳞痕；羽片 15 ~ 20 对，互生，斜展或有时下部羽片平展；能育叶与不育叶等高或较矮，叶片椭圆形或椭圆状倒披针形，长 12 ~ 38 cm，宽 5 ~ 11 cm，一回羽状，羽片多数，斜向上，彼此接近，线形，长达 10 cm，宽达 5 mm，两侧强度反卷成荚果状，深紫色，有光泽，平直而不呈念珠状，幼时完全包被孢子囊群，从羽轴伸出的侧脉 2 ~ 3 叉，在羽轴与叶边之间形成囊托。孢子囊群圆形，着生于囊托上，成熟时汇合成线

形；囊群盖膜质。

| **生境分布** | 生于海拔700～1 800 m的山坡阴湿灌丛中或山谷路旁。分布于湖南衡阳（南岳）、邵阳（新宁、武冈）、岳阳（平江）、常德（石门）、张家界（桑植）、郴州（宜章、桂东）、永州（东安）、怀化（芷江、通道、洪江）、湘西州（永顺）等。

| **资源情况** | 野生资源稀少。药材来源于野生。

| **采收加工** | 全年均可采收，洗净，晒干或鲜用。

| **功能主治** | 苦，凉。祛风，止血。用于风湿痹痛，外伤出血。

| **用法用量** | 内服煎汤，15～30 g。外用适量，捣敷。

岩蕨科 Woodsiaceae 膀胱蕨属 Protowoodsia

膀胱蕨 *Protowoodsia manchuriensis* (Hook.) Ching

| 药 材 名 | 膀胱蕨（药用部位：全草）。

| 形态特征 | 植株高（8 ~ ）15 ~ 20 cm。根茎短而直立，先端密被鳞片；鳞片卵状披针形或披针形，长约 2.5 cm，棕色，有光泽，厚膜质，全缘。叶多数簇生；叶柄长 2 ~ 2.5 cm，直径不及 1 mm，棕禾秆色，质脆易断，通体疏被短腺毛，下部被少数与根茎上同样的鳞片；叶片披针形或线状披针形，长 12 ~ 18 cm，宽 1.5 ~ 4 cm，先端渐尖，向基部变狭，2 回羽状深裂；羽片（12 ~ ）16 ~ 20 对，互生或下部的叶对生，斜展，偶有平展，下部羽片远离，缩小，基部 1 对常为卵形或扇形，长仅 1 ~ 2 mm，中部羽片较大，相距 5 ~ 10 mm，卵状披针形或长卵形，长 1 ~ 1.5 cm，基部宽不及 1 cm，钝头并有小牙齿，基部上侧截形，紧靠叶轴，下侧楔形，羽状深裂几达羽轴，

裂片约 4 对，彼此接近，基部 1 对较大，近椭圆形，截头并有 2 ~ 3 小牙齿，两侧为波状或有 1 ~ 2 小锯齿；顶部羽片向上逐渐变小，基部与叶轴合生并沿叶轴下延成狭翅。叶脉仅可见，在裂片上为简单的羽状，小脉斜向上，不达叶边。叶草质，干后草绿色，叶轴或有时叶两面疏被短腺毛。孢子囊群圆形，由 6 ~ 8 孢子囊组成，位于小脉的中部或近顶部，每裂片有 1 ~ 3；囊群盖大，球圆形，黄白色，薄膜质，从顶部开口。

| 生境分布 |　生于林下石上。分布于湖南常德（石门）等。

| 资源情况 |　野生资源稀少。药材来源于野生。

| 功能主治 |　利尿，消肿，通淋。用于淋浊，小便不利，跌打损伤。

乌毛蕨科 Blechnaceae　乌毛蕨属 Blechnum

乌毛蕨
Blechnum orientale L.

| 药 材 名 | 乌毛蕨贯众（药用部位：根茎及叶柄残基）。

| 形态特征 | 植株高 0.5 ~ 2 m。根茎直立，粗短，木质，黑褐色，先端及叶柄下部密被鳞片；鳞片狭披针形，长约 1 cm，先端纤维状，全缘，中部深棕色或褐棕色，边缘棕色，有光泽。叶簇生于根茎先端；叶片卵状披针形，一回羽状；羽片多数，二型，下部羽片不育，极度缩小为圆耳形，向上的羽片突然伸长，疏离，能育，中上部羽片最长，斜展，线形或线状披针形，基部与叶轴合生并沿叶轴下延；叶脉在上面明显，主脉两面均隆起，上面有纵沟，小脉分离，单一或 2 叉，斜展或近平展，平行，密接；叶近革质，无毛；叶轴粗壮，棕禾秆色，无毛。孢子囊群线形，连续，紧靠主脉两侧，与主脉平行，仅线形或线状披针形的羽片能育（通常羽片上部不育）；囊群盖线形，

开向主脉，宿存。

| **生境分布** | 生于海拔 300 ~ 800 m 的较阴湿的水沟旁及坑穴边缘、山坡灌丛中或疏林下。湖南各地均有分布。

| **资源情况** | 野生资源丰富。药材来源于野生。

| **采收加工** | 春、秋季采挖，削去叶柄、须根，除净泥土，鲜用或晒干。

| **药材性状** | 本品根茎呈圆柱形或棱柱形，上端稍大，长 10 ~ 20 cm，直径 5 ~ 6 cm；棕褐色或黑褐色。叶柄残基扁圆柱形，表面被黑褐色伏生的鳞片，脱落处呈小突起状，粗糙；质坚硬，横断面多呈空洞状，皮部薄，有 10 余点状维管束环列，内面 2 维管束稍大；叶柄基部较粗，外侧有 1 瘤状突起，簇生 10 余须根。气微弱而怪异，味微涩。

| **功能主治** | 苦，凉。归肺、肝、心、胃经。清热解毒，活血止血，驱虫。用于感冒，头痛，腮腺炎，痈肿，跌打损伤，鼻衄，吐血，血崩，带下，肠道寄生虫病。

| **用法用量** | 内服煎汤，6 ~ 15 g，大剂量可用至 60 g。外用适量，捣敷；或研末调涂。

乌毛蕨科 Blechnaceae 崇澍蕨属 Chieniopteris

崇澍蕨

Chieniopteris harlandii (Hook.) Ching

| 药 材 名 |

崇澍蕨（药用部位：根茎）。

| 形态特征 |

植株高达 1.2 m。根茎长而横走，直径 4 ~ 6 mm，黑褐色，密被鳞片；鳞片披针形，全缘或边缘有少数睫毛，膜质，棕色，有光泽。叶散生，厚纸质至近革质；叶柄基部黑褐色，被与根茎上同样的鳞片，向上为禾秆色或棕禾秆色，略被鳞片，后变光滑；叶片变异甚大，较多见者为羽状深裂，侧生羽片基部与叶轴合生，并沿叶轴下延，彼此以阔翅相连，顶生羽片较长较阔，边缘软骨质；叶脉可见，主脉两面均隆起，沿主脉两侧各具 1 行狭长的网眼，向外有 2 ~ 3 行斜长的六角形网眼，近叶边的小脉分离。孢子囊群粗线形，紧靠主脉，与主脉平行，成熟时棕色，沿主脉两侧汇合成一连续的线形；囊群盖粗线形，纸质，成熟时红棕色，开向主脉，宿存。

| 生境分布 |

生于海拔 420 ~ 1 250 m 的山谷湿地。分布于湖南娄底（新化）、常德（石门）、郴州（桂东）等。

| **资源情况** | 野生资源较少。药材来源于野生。

| **采收加工** | 秋、冬季采收，除去须根和叶柄，鲜用或晒干。

| **功能主治** | 微苦，凉。祛风除湿。用于风湿痹痛。

| **用法用量** | 内服煎汤，9 ~ 15 g；或浸酒。

乌毛蕨科 Blechnaceae 荚囊蕨属 *Struthiopteris*

荚囊蕨
Struthiopteris eburnea (Christ) Ching

| 药 材 名 | 荚囊蕨（药用部位：根茎。别名：篦子草、天鹅抱蛋、锯草）。

| 形态特征 | 植株高 18 ~ 60 cm。根茎直立，粗短，或长而斜生，密被鳞片；鳞片披针形，先端纤维状，全缘或边缘偶有少数小牙齿，有光泽，厚膜质。叶簇生，二型，禾秆色，基部密被与根茎上同样的鳞片，向上渐变光滑；叶片线状披针形，两端渐狭，一回羽状；羽片多数，呈篦齿状排列，下部羽片向基部逐渐缩小，基部 1 对羽片小耳形，向上的羽片镰状披针形，基部与叶轴合生，全缘，干后略内卷，平展，彼此接近或略疏离；叶脉不明显，在羽片上为羽状，小脉斜向上，2叉，不达叶边；能育叶与不育叶同形而较狭。孢子囊群线形，着生于主脉与叶缘之间，沿主脉两侧各有 1 行，几与羽片等长，但不达羽片基部及先端；囊群盖纸质，拱形，与孢子囊群同形并紧包孢子

囊群，开向主脉，宿存。

| **生境分布** | 生于海拔 500 ～ 1 800 m 的溪边岩石上。分布于湖南湘西州（吉首、古丈、永顺）、张家界（桑植）等。

| **资源情况** | 野生资源较少。药材来源于野生。

| **采收加工** | 秋季采收，洗净，鲜用或晒干。

| **功能主治** | 苦，凉。清热利湿，散瘀消肿。用于淋证，疮痈肿痛，跌打损伤。

| **用法用量** | 内服煎汤，6 ～ 15 g。外用适量，捣敷。

乌毛蕨科 Blechnaceae 狗脊属 *Woodwardia*

狗脊蕨
Woodwardia japonica (L. f.) Smith

| 药 材 名 | 狗脊贯众（药用部位：根茎。别名：狗脊、毛狗头）。

| 形态特征 | 植株高（50～）80～120 cm。根茎粗壮，横卧，暗褐色，直径3～5 cm，与叶柄基部密被鳞片；鳞片披针形或线状披针形，先端长渐尖，有时为纤维状，膜质，全缘，深棕色，略有光泽，老时逐渐脱落。叶近生；叶柄暗浅棕色，坚硬，基部往往宿存于根茎上；叶片长卵形，2回羽裂，羽片羽状半裂，裂片椭圆形或卵形，偶为卵状披针形，具尖头或急尖头，边缘有细密的锯齿，干后略反卷；叶近革质，两面无毛或下面疏被短柔毛。孢子囊群线形，挺直，着生于主脉或羽轴两侧的狭长网眼上，不连续，呈单行排列；囊群盖线形，质厚，棕褐色，成熟时开向主脉或羽轴，宿存。

| **生境分布** | 生于疏林下。湖南各地均有分布。

| **资源情况** | 野生资源丰富。药材来源于野生。

| **采收加工** | 春、秋季采挖，削去柄、须根，除净泥土，晒干。

| **药材性状** | 本品呈圆柱状或四方柱形，挺直或稍弯曲。上端较粗钝，下端较细。长 6 ~ 26 cm，直径 3 ~ 5 cm，红棕色或黑褐色。根茎粗壮，密被粗短的叶柄残基、棕红色鳞片和棕黑色细根。叶柄残基近半圆柱形，呈镰状弯曲，背面呈肋骨状排列，腹面呈短柱状密集排列。质坚硬，难折断，叶柄残基横切面可见 2 ~ 4 黄白色小点（分体中柱），内面的 1 对呈 "八" 字形排列。

| **功能主治** | 苦，凉。归肝、胃、肾、大肠经。清热解毒，杀虫，止血，祛风湿。用于风热感冒，时行瘟疫，恶疮痈肿，虫积腹痛，疳积，痢疾，便血，崩漏，外伤出血，风湿痹痛。

| **用法用量** | 内服煎汤，9 ~ 15 g，大剂量可用至 30 g；或浸酒；或入丸、散剂。外用适量，捣敷；或研末调涂。

乌毛蕨科 Blechnaceae 狗脊属 Woodwardia

东方狗脊 *Woodwardia orientalis* Sw.

| 药 材 名 | 东方狗脊（药用部位：根茎。别名：大叶狗脊、镰叶狗脊、贯众）。

| 形态特征 | 植株高 70 ~ 100 cm。根茎横卧，黑褐色，坚硬，木质，与叶柄下部密被鳞片；鳞片披针形，长约 1 cm，先端纤维状，全缘，薄膜质，深棕色。叶簇生；叶柄基部褐色，向上呈禾秆色，疏被与根茎上同形但较宽的鳞片，鳞片脱落后留下新月形的鳞痕；叶片卵形，2 回深羽裂达羽轴两侧的阔翅；羽片 6 ~ 8 对，深羽裂；裂片阔披针形，具尖头，边缘有细密的尖锯齿，叶脉明显，羽轴及主脉均隆起，棕禾秆色或禾秆色，在羽轴及主脉两侧各有 1 行整齐的狭长网眼及 1 ~ 2 行不连续的多角形小网眼；叶革质，无毛，在叶轴及羽轴的下面被少数褐色的阔披针形小鳞片。孢子囊群近新月形或长椭圆形，先端略向外弯，着生于羽轴两侧的狭长网眼上；囊群盖同形，厚膜质，

隆起，开向主脉，宿存。

| **生境分布** | 生于山坡或路旁。分布于湖南怀化（麻阳）、娄底（新化）、常德（石门）、郴州（桂东）等。

| **资源情况** | 野生资源较一般。药材来源于野生。

| **采收加工** | 夏、秋季采挖，削去须根及叶柄，鲜用或晒干。

| **药材性状** | 本品呈圆柱形，长 10 ～ 30 cm，直径 3 ～ 10 cm。表面密被棕色鳞片、叶柄残基和须状根。质坚硬，不易折断；断面红棕色或棕褐色，有 3 ～ 5 大小不等的黄白色维管束小点，维管束排列成环，其中 2 维管束较大，呈"八"字形排列。

| **功能主治** | 甘，微温。归肾经。祛风湿，补肝肾，强腰膝，解毒，杀虫。用于腰背酸疼，膝痛脚弱，痢疾，崩漏，带下，疳积，癥瘕，蛇咬伤。

| **用法用量** | 内服煎汤，4.5 ～ 9 g；或入丸、散剂。外用适量，磨汁或炒黑，研末涂敷。

乌毛蕨科 Blechnaceae 狗脊属 Woodwardia

珠芽狗脊
Woodwardia prolifera Hook. et Arn.

| 药 材 名 | 胎生狗脊蕨（药用部位：根茎）。

| 形态特征 | 植株高 70 ～ 230 cm。根茎横卧，黑褐色，与叶柄下部密被蓬松的大鳞片；鳞片狭披针形或线状披针形，长 2 ～ 4 cm，先端纤维状，红棕色，膜质，全缘或略具一二卷曲的缘毛。叶近生；叶柄粗壮，长 30 ～ 110 cm，下部直径 5 ～ 15 mm，褐色，向上为棕禾秆色，鳞片逐渐稀疏，鳞片脱落后常留下弯拱的短线形鳞痕，叶柄脱落时基部宿存于根茎上；叶片长卵形或椭圆形，长 35 ～ 120 cm，宽 30 ～ 40 cm，先端渐尖，2 回深羽裂达羽轴两侧的狭翅；羽片 5 ～ 9（～ 13）对，对生或上部的羽片互生，斜展，偶斜向上，彼此密接，有极短的柄，基部 1 对羽片略缩短，通常第 2 对羽片较长，披针形，

长 16 ~ 20（~ 36）cm，宽 4.5 ~ 6（~ 17）cm，先端长渐尖或尾尖，基部极不对称，1 回深羽裂；裂片 10 ~ 14（~ 24）对，略斜向上，疏离或接近，披针形或线状披针形，具渐尖头，基部以阔翅相连，边缘有细密的锯齿，干后反卷，上部侧裂片等长，中部上侧的裂片较长，下部上侧的裂片特长，长 3 ~ 6.5（~ 9）cm，中部宽 5 ~ 9 mm，基部上侧 1 羽片略缩短，基部沿羽轴下延，基部下侧斜切，缺失 1 ~ 4 裂片；叶脉明显，羽轴及主脉均隆起，与叶轴同为棕禾秆色或棕色，沿羽轴及主脉两侧各有 1 行整齐的狭长网眼及 1 ~ 2 行不整齐的多角形小网眼，向外的小脉分离，单一或分叉，直达叶边；叶革质，干后棕色或棕绿色，无毛，下面沿羽轴偶有少数纤维状棕色小鳞片，羽片上面通常有小珠芽。孢子囊群粗短，新月形，先端略向外弯，着生于主脉两侧的狭长网眼上，深陷叶肉内，在叶上面形成清晰的印痕；囊群盖同形，薄纸质，隆起，开向主脉，宿存。

| **生境分布** | 生于海拔 100 ~ 1 100 m 的坡地疏林下的阴湿处或溪边。分布于湖南怀化（辰溪）等。

| **资源情况** | 野生资源较少。药材来源于野生。

| **功能主治** | 补肝肾，强腰膝，除风湿。用于风寒湿痹，肾虚腰痛，腹中邪热。

乌毛蕨科 Blechnaceae 狗脊属 Woodwardia

顶芽狗脊
Woodwardia unigemmata (Makino) Nakai

| 药 材 名 | 狗脊贯众（药用部位：根茎及叶柄残基。别名：狗脊、虾公草、毛狗头）。

| 形态特征 | 植株高达 2 m。根茎横卧，直径达 3 cm，黑褐色，密被鳞片；鳞片披针形，先端纤维状，全缘，棕色，薄膜质。叶近生；叶柄基部褐色，密被与根茎上相同的鳞片，向上为棕禾秆色，略被少数较小的鳞片，鳞片脱落后留下弯线形的鳞痕，有时有小刺状突起；叶片长卵形或椭圆形，2 回深羽裂，羽状深裂达羽轴两侧的宽翅；裂片披针形，边缘具细密的尖锯齿；叶脉明显，羽轴两面及主脉上面隆起；叶革质，叶轴及羽轴下面疏被棕色纤维状小鳞片，尤以羽片着生处较密，叶轴近先端具一被棕色鳞片的腋生大芽胞。孢子囊群粗短，线形，挺直或略弯，着生于主脉两侧的狭长网眼上，彼此接近或略疏离，

下陷于叶肉；囊群盖同形，厚膜质，棕色或棕褐色，成熟时开向主脉。

| 生境分布 | 生于海拔 450 ~ 2 000 m 的疏林下或路边灌丛中。分布于湖南长沙（宁乡）、衡阳（衡南）、岳阳（汨罗）、常德（汉寿、津市）、张家界（武陵源）、郴州（汝城）、永州（冷水滩）等。

| 资源情况 | 野生资源一般。药材来源于野生。

| 采收加工 | 春、秋季采挖，削去叶柄、须根，除净泥土，晒干。

| 药材性状 | 本品呈长圆柱形或方柱状，红棕色至黑褐色。鳞片红棕色，披针形，叶柄残基横切面可见 5 ~ 8 黄白色小点（分体中柱），余同"狗脊蕨"。

| 功能主治 | 苦，凉。归肝、胃、肾、大肠经。清热解毒，杀虫，止血，祛风湿。用于风热感冒，时行瘟疫，恶疮痈肿，虫积腹痛，疳积，痢疾，便血，崩漏，外伤出血，风湿痹痛。

| 用法用量 | 内服煎汤，9 ~ 15 g，大剂量可用至 30 g；或浸酒；或入丸、散剂。外用适量，捣敷；或研末调涂。

球盖蕨科 Peranemaceae 鱼鳞蕨属 Acrophorus

鱼鳞蕨
Acrophorus stipellatus (Wall.) Moore

药材名

鱼鳞蕨（药用部位：根茎）。

形态特征

植株高 80 ～ 150 cm。根茎直立或斜向上，木质，粗短，直径约 2 cm，先端密被鳞片；鳞片卵状披针形，长约 1 cm，先端渐尖，全缘或呈微波状，偶有短纤毛，厚膜质，深棕色，有光泽。叶簇生；叶柄长 40 ～ 80 cm，基部直径 5 ～ 8 mm，深棕色，密被与根茎上同样的鳞片，向上禾秆色，渐变光滑，鳞片脱落后留下隆起的鳞痕；叶片大，卵形，长、宽各 50 ～ 80 cm，先端渐尖，4 回羽裂，偶 5 回羽裂；羽片约 10 对，对生，基部 1 对最大，与第 2 对相距 14 ～ 19 cm，柄直径 3 ～ 4 mm，平展，长卵形，长 36 ～ 43 cm，宽约 30 cm，先端渐尖，基部略变狭，平截，覆盖叶轴，3 回羽裂；小羽片约 15 对，基部 1 对对生并缩短，向上互生，有时第 2 对仅有上侧或下侧的小羽片，有极短的柄（柄长 1 ～ 2.5 mm），下部的相距 4 ～ 5 cm，呈直角开展，上部的略斜展，疏离，上下两侧的小羽片不等长，上侧的长约为下侧的 1/2 ～ 2/3，基部下侧第 2 小羽片较长，长 15 ～ 19 cm，基部宽 5 ～ 6 cm，椭圆状披针形，具渐尖头，上部略向上弯，基部平截，紧靠或略覆盖羽轴，2回羽裂；末回小羽片14 ~ 16对，基部1对对生，向上互生，近无柄，平展，略疏离，长椭圆形，中部的较长，长2 ~ 3.2 cm，基部宽1 ~ 1.4 cm，具尖头或渐尖头，基部平截，紧靠小羽轴，羽裂深达末回小羽轴；裂片6 ~ 8对，平展，彼此接近，长椭圆形，长4 ~ 7.5 mm，宽2 ~ 4 mm，具圆头，基部阔楔形，略不对称，两侧羽裂达1/4 ~ 1/2或为波状；向上的羽片渐狭，末回小羽片近全缘或浅羽裂；叶脉在下面明显，在裂片上为羽状，小脉单一，基部的偶有2叉，斜向上，不达叶边；叶近纸质，干后棕绿色，上面疏被深棕色的粗短节状毛，下面无毛或仅沿主脉有一二节状毛；叶轴及各回羽轴禾秆色，有光泽，上面有狭纵沟，除基部外均光滑，基部上面密被节状毛，下面有1心脏形棕色膜质鳞片。孢子囊群小，圆形，直径约0.5 mm，生于小脉先端，每裂片有3 ~ 5孢子囊群；囊群盖半球形或卵圆形，棕色，膜质，仅基部着生，宿存。

| **生境分布** | 生于海拔500 ~ 2 000 m的林下溪边。分布于湖南邵阳（新宁）、怀化（麻阳）、湘西州（保靖）等。

| **资源情况** | 野生资源一般。药材来源于野生。

| **功能主治** | 清热解毒。

鳞毛蕨科 Dryopteridaceae 复叶耳蕨属 Arachniodes

多羽复叶耳蕨 *Arachniodes amoena* (Ching) Ching

| 药 材 名 | 美丽复叶耳蕨（药用部位：根茎）。

| 形态特征 | 植株高 70 ~ 85 cm。叶柄长 20 ~ 45 cm，直径 4 ~ 8 mm，棕禾秆色，基部密被栗棕色、卵状披针形、具渐尖头的鳞片，向上略被同样的鳞片。叶片五角形，四回羽状；小羽片具钝尖头，基部不对称，上侧截形，下侧斜切，边缘浅裂、深裂或仅有粗锯齿，先端具芒刺；叶干后近纸质，暗棕色，光滑，叶轴和各回羽轴下面偶有一二棕色、线形的小鳞片。孢子囊群生于小脉先端，位于末回小羽片的上侧裂片基部，通常在上侧边缘排成 1 行，每行 4（5）；囊群盖棕色，膜质，边缘啮蚀状，脱落。

| 生境分布 | 生于海拔 400 ~ 1 400 m 的山地林下、溪边阴湿岩上或泥土上。分

布于湖南怀化（麻阳）、娄底（新化）等。

| **资源情况** | 野生资源较少。药材来源于野生。

| **功能主治** | 祛风散寒。用于关节疼痛。

鳞毛蕨科 Dryopteridaceae 复叶耳蕨属 Arachniodes

中华复叶耳蕨 *Arachniodes chinensis* (Rosenst.) Ching

| 药 材 名 | 中华复叶耳蕨（药用部位：全草）。

| 形态特征 | 植株高 40 ~ 65 cm。叶柄禾秆色，基部密被褐棕色、线状钻形、顶部毛髯状的鳞片，向上连同叶轴被黑褐色、线状钻形的小鳞片；叶片卵状三角形，二回羽状或三回羽状；末回小羽片长圆形，具急尖头，上部边缘具 2 ~ 4 有长芒刺的骤尖锯齿；叶干后纸质，暗棕色，光滑，羽轴下面被黑褐色、线状钻形、基部棕色、阔圆形的小鳞片。小羽片有 5 ~ 8 对孢子囊群（耳片 3 ~ 5），生于中脉与叶边缘之间；囊群盖棕色，近革质，脱落。

| 生境分布 | 生于海拔 450 ~ 1 600 m 的山地杂木林下。分布于湖南怀化（辰

溪）等。

| **资源情况** | 野生资源一般。药材来源于野生。

| **功能主治** | 清热解毒，消肿散瘀。

鳞毛蕨科 Dryopteridaceae 复叶耳蕨属 Arachniodes

刺头复叶耳蕨
Arachniodes exilis (Hance) Ching

| 药 材 名 | 复叶耳蕨（药用部位：根茎）。

| 形态特征 | 高 50 ~ 70 cm。叶柄禾秆色，基部密被红棕色、披针形、顶部毛髯状的鳞片，向上疏被同样的鳞片；叶片五角形或卵状五角形，三回羽状；末回小羽片斜长方形，具急尖头，基部不对称，上侧圆截形并凸出呈耳状；下侧斜切，边缘浅裂或有粗锯齿，先端具芒刺；叶干后纸质，棕色，略有光泽，叶轴和羽轴下面被褐棕色、线状钻形的小鳞片。小羽片有 5 ~ 8 对孢子囊群（耳片有 4 ~ 6 孢子囊群），位于中脉与叶边中间；囊群盖棕色，膜质，脱落。

| 生境分布 | 生于海拔 400 ~ 1 100 m 的山地林下或岩上。分布于湖南长沙（宁乡）、衡阳（衡南）、岳阳（汨罗）、常德（汉寿、津市）、张家界（武

陵源）、郴州（汝城）、永州（冷水滩）等。

| **资源情况** | 野生资源一般。药材来源于野生。

| **采收加工** | 全年均可采挖，除去叶，洗净泥土，鲜用或晒干。

| **功能主治** | 微苦、涩，凉。清热解毒，敛疮。用于痢疾，烫火伤。

| **用法用量** | 内服煎汤，15 ~ 30 g。外用适量，研末调敷。

鳞毛蕨科 Dryopteridaceae 复叶耳蕨属 Arachniodes

斜方复叶耳蕨
Arachniodes rhomboidea (Wall. ex Mett.) Ching

| 药 材 名 | 斜方复叶耳蕨（药用部位：根茎）。

| 形态特征 | 多年生草本，高 40 ~ 80 cm。叶柄基部密被棕色、阔披针形的鳞片，向上光滑或偶有鳞片。叶片长卵形，顶生羽状羽片长尾状，二回羽状；末回小羽片 7 ~ 12 对，菱状椭圆形，具急尖头，基部不对称，上侧近截形，下侧斜切，上侧边缘具有芒刺的尖锯齿；第 2 对羽片线状披针形，小羽片斜方形或菱状长圆形，具急尖头，基部不对称，上侧截形，呈耳状凸起，下侧斜切，上侧边缘具有芒刺的尖锯齿；叶干后薄纸质，褐绿色，光滑。孢子囊群生于近叶边的小脉先端，通常上侧边 1 行，下侧上部半行，耳片有时有 3 ~ 6 孢子囊群；囊群盖棕色，膜质，边缘有睫毛，脱落。

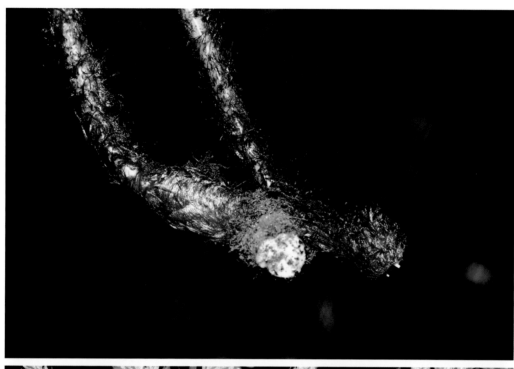

| **生境分布** | 生于海拔 260 ～ 1 200 m 的山林下的岩缝中或泥土上。湖南各地均有分布。

| **资源情况** | 野生资源一般。药材来源于野生。

| **采收加工** | 全年均可采挖，除去叶，洗净泥沙，鲜用或晒干。

| **功能主治** | 微苦，温。归肝、肺经。祛风止痛，益肺止咳。用于关节痛，肺痨，外感咳嗽。

| **用法用量** | 内服煎汤，10 ～ 15 g，鲜品 30 ～ 60 g。

鳞毛蕨科 Dryopteridaceae 复叶耳蕨属 Arachniodes

异羽复叶耳蕨
Arachniodes simplicior (Makino) Ohwi

| 药 材 名 | 长尾复叶耳蕨（药用部位：根茎。别名：稀羽复叶耳蕨）。

| 形态特征 | 多年生草本，高 60 ~ 80 cm。根茎横卧，密被棕色、狭披针形或条状钻形的鳞片。叶近生；叶柄长 30 ~ 40 cm，禾秆色，被狭披针形鳞片；叶片厚纸质，卵状长圆形，与叶柄近等长，宽 18 ~ 30 cm，顶部尾状，下面沿叶轴、羽轴及中脉偶有小鳞片，3 回羽裂或基部三回羽状；羽片 3 ~ 5 对，基部 1 对羽片最长；小羽片三角状长圆形，边缘浅裂，具芒刺状锯齿。孢子囊群生于小脉先端，在中脉两侧各1 行；囊群盖圆肾形。

| 生境分布 | 生于山坡林下或溪沟边。分布于湖南张家界（武陵源）、怀化（新晃）、湘西州（吉首、永顺）等。

| 资源情况 | 野生资源较少。药材来源于野生。

| 采收加工 | 全年均可采挖，除去须根，削去叶柄，鲜用或晒干。

| 药材性状 | 本品圆柱形，表面具棕色的叶柄残基及棕褐色鳞片。鳞片披针形或条状钻形，长 3 ~ 13 mm。质较硬。气微，味淡。

| 功能主治 | 苦，寒。归肝、大肠经。清热解毒。用于内热腹痛。

| 用法用量 | 内服煎汤，10 ~ 15 g。

鳞毛蕨科 Dryopteridaceae 复叶耳蕨属 Arachniodes

美丽复叶耳蕨 *Arachniodes speciosa* (D. Don) Ching

| 药 材 名 | 小狗脊（药用部位：根茎。别名：冷蕨萁、复叶耳蕨）。

| 形态特征 | 植株高达95 cm。叶柄基部密被褐棕色、卵状披针形的鳞片，向上近光滑。叶片阔卵状五角形，三回羽状；末回小羽片互生，长圆形，基部上侧1小羽片长3.2 cm，宽约9 mm，先端尖，基部圆楔形，边缘浅裂至半裂，基部上侧1裂片全裂，椭圆形，先端具3～4长尖的芒刺；叶干后薄纸质，棕色，上面有光泽，触之无粗糙感；叶轴和各回羽轴下面偶有一二棕色、披针形的小鳞片3～5对。孢子囊群生于末回小羽片的中脉与叶边中间；囊群盖棕色，膜质，脱落。

| 生境分布 | 生于常绿阔叶林下。分布于湖南衡阳（衡阳、衡山）、永州（新田）等。

| **资源情况** | 野生资源一般。药材来源于野生。

| **采收加工** | 全年均可采挖，除去叶柄及泥土，鲜用或晒干。

| **功能主治** | 清热解毒，祛风止痒，活血散瘀。用于热泻，风疹，跌打瘀肿。

| **用法用量** | 内服煎汤，5 ~ 10 g。外用适量，捣敷。

鳞毛蕨科 Dryopteridaceae 柳叶蕨属 *Cyrtogonellum*

柳叶蕨
Cyrtogonellum fraxinellum (Christ) Ching

| 药 材 名 | 柳叶蕨（药用部位：根茎）。

| 形态特征 | 高 28 ~ 45 cm。根茎短，直立，先端连同叶柄密被鳞片；鳞片棕色，卵形，先端渐尖，边缘疏生睫毛。叶簇生；叶柄长 12 ~ 20 cm，直径 2 ~ 3 mm，禾秆色；叶片长卵圆形，长 17 ~ 25 cm，宽 8 ~ 10 cm，一回羽状；顶生羽片全缘或羽裂，侧生羽片 5 ~ 10 对，互生（有时基部 1 对羽片对生），有柄，斜出，披针形，下部的羽片长 8 ~ 10 cm，宽约 1.5 cm，具渐尖头，基部近对称，楔形，近全缘或上部边缘呈波状；叶脉网结，在主脉两侧各有 1 行斜长方形的网眼，内藏小脉，向外小脉分离，两面可见；叶厚革质，干后暗绿色，上面光滑；叶轴和主脉下面疏被棕色、披针形的小鳞片。孢子囊群大，圆形，生于主脉与叶边中间的内藏小脉先端，在主脉两侧各排成 1 行；囊群盖

圆形，盾状着生，棕色，厚膜质，全缘，后脱落。

| 生境分布 | 生于海拔 500 ～ 1 500 m 的山坡灌木林、竹林或阔叶林下的岩缝中。分布于湖南张家界（永定）、湘西州（花垣、古丈）等。

| 资源情况 | 野生资源较少。药材来源于野生。

| 功能主治 | 清热解毒。

鳞毛蕨科 Dryopteridaceae 贯众属 *Cyrtomium*

镰羽贯众 *Cyrtomium balansae* (Christ) C. Chr.

| **药 材 名** | 镰羽贯众（药用部位：根茎）。

| **形态特征** | 高 25 ~ 60 cm。根茎直立，密被披针形棕色鳞片。叶簇生；叶柄长 12 ~ 35 cm，基部直径 2 ~ 4 mm，禾秆色，腹面有浅纵沟及狭卵形或披针形棕色鳞片，鳞片边缘有小齿，上部秃净；叶片披针形或宽披针形，长 16 ~ 42 cm，宽 6 ~ 15 cm，先端渐尖，基部略狭，一回羽状；羽片 12 ~ 18 对，互生，略斜向上，柄极短，镰状披针形，下部的羽片长 3.5 ~ 9 cm，宽 1.2 ~ 2 cm，先端渐尖或近尾状，基部偏斜，上侧截形，有尖的耳状突起，下侧楔形，边缘有前倾的钝齿或罕为尖齿；叶脉羽状，小脉联结成 2 行网眼，腹面不明显，背面微凸起；叶纸质，腹面光滑，背面疏生披针形棕色小鳞片或秃净；叶轴腹面有浅纵沟，疏生披针形或线形卷曲的棕色鳞片，羽柄着生

处常有鳞片。孢子囊位于中脉两侧，各 2 行；囊群盖圆形，盾状，全缘。

| 生境分布 | 生于海拔 80 ～ 1 600 m 的林下。分布于湖南邵阳（隆回）、郴州（嘉禾、临武）、永州（江华）、怀化（麻阳、新晃、洪江）、湘西州（永顺、保靖）、衡阳（常宁）等。

| 资源情况 | 野生资源一般。药材来源于野生。

| 采收加工 | 全年均可采挖，除去泥沙及叶，鲜用或晒干。

| 功能主治 | 微苦，寒。归肺、大肠经。清热解毒，驱虫。用于流行性感冒，肠道寄生虫病等。

| 用法用量 | 内服煎汤，15 ～ 30 g。

刺齿贯众

Cyrtomium caryotideum (Wall. ex Hook. et Grev.) Presl

药材名

大昏鸡头（药用部位：根茎）。

形态特征

植株高 30 ~ 60 cm。根茎直立，密被披针形黑棕色鳞片。叶簇生；叶柄禾秆色，下部密生卵形或披针形、黑棕色或棕色的鳞片，鳞片边缘有睫毛状齿，向上渐秃净；叶片矩圆形或矩圆状披针形，长 25 ~ 48 cm，宽 12 ~ 18 cm，先端钝，基部不变狭或略变狭，一回奇数羽状；侧生羽片 3 ~ 7 对，互生，斜向上，柄极短，卵状披针形，常向上弯成镰状，先端常渐尖成尾状，基部宽楔形或圆楔形，上侧有长而尖的三角形耳状突起，边缘有开张的小尖齿；叶脉羽状，小脉联结成多行网眼；顶生羽片卵形或菱状卵形，2 叉状或 3 叉状，长 10 ~ 16 cm，宽 8 ~ 11 cm；叶坚纸质，腹面光滑，背面疏生披针形棕色小鳞片；叶轴腹面有浅纵沟，疏生线形棕色鳞片。孢子囊群遍布羽片背面；囊群盖圆形，盾状，边缘有齿。

生境分布

生于海拔 600 ~ 1 800 m 的林下。分布于湖南邵阳（洞口）、怀化（中方）、湘西州（古丈、保靖、凤凰）等。

| **资源情况** | 野生资源一般。药材来源于野生。

| **采收加工** | 全年均可采挖，除去泥沙和叶，鲜用或晒干。

| **功能主治** | 苦，微寒；有毒。清热解毒，活血散瘀，利水消肿。用于疔疮痈肿，瘰疬，毒蛇咬伤，崩漏，带下，水肿，跌打损伤，蛔积，预防流行性感冒、麻疹。

| **用法用量** | 内服煎汤，10 ~ 30 g；或浸酒。外用适量，煎汤洗。

鳞毛蕨科 Dryopteridaceae 贯众属 Cyrtomium

披针贯众

Cyrtomium devexiscapulae (Koidz.) Ching

| 药 材 名 | 披针贯众（药用部位：根茎）。

| 形态特征 | 高 40 ~ 80 cm。根茎直立，密被披针形棕色鳞片。叶簇生；叶柄禾秆色，密生卵形及披针形、棕色或有时中间带黑棕色的鳞片，鳞片边缘流苏状，有时上部秃净；叶片卵状披针形，长 34 ~ 55 cm，宽 12 ~ 20 cm，先端渐尖，基部不变狭，有时略宽，一回奇数羽状；侧生羽片 7 ~ 10 对，互生，斜向上，有短柄，披针形，有时呈上弯的镰形，下部的羽片长 9 ~ 15 cm，宽 2 ~ 3.5 cm，先端渐尖成尾状，基部为略偏斜的宽楔形，全缘或边缘有时呈波状，基部 1 对羽片有时较宽；叶脉羽状，小脉联结成 3 ~ 7 行网眼，在腹面不明显，在背面微凸起；顶生羽片披针形，边缘波状，有时下部浅裂，长 9 ~ 10 cm，宽 2.5 ~ 3.5 cm；叶革质，两面光滑；叶轴腹面有浅

纵沟，有披针形或线形的棕色鳞片，鳞片常脱落。孢子囊群遍布羽片背面；囊群盖圆形，盾状，全缘。

| 生境分布 | 生于海拔 380 ～ 700 m 的林下、石灰岩上。分布于湖南衡阳（衡南）、张家界（武陵源）等。

| 资源情况 | 野生资源稀少。药材来源于野生。

| 功能主治 | 活血散瘀，利水通淋。用于流行性感冒，水肿，跌打损伤，血崩，蛔积。

鳞毛蕨科 Dryopteridaceae 贯众属 *Cyrtomium*

贯众

Cyrtomium fortunei J. Smith

| 药 材 名 | 小贯众（药用部位：根茎及叶柄残基。别名：贯众、鸡脑壳、鸡公头）。

| 形态特征 | 高 25 ～ 50 cm。根茎直立，密被棕色鳞片。叶簇生；叶柄禾秆色，密生卵形或披针形、棕色或有时中间为深棕色的鳞片，鳞片边缘有齿，有时上部秃净；叶片矩圆状披针形，长 20 ～ 42 cm，宽 8 ～ 14 cm，先端钝，基部不变狭或略变狭，一回奇数羽状；侧生羽片 7 ～ 16 对，互生，近平伸，柄极短，披针形，多少上弯成镰状，中部的羽片长 5 ～ 8 cm，宽 1.2 ～ 2 cm，先端渐尖，少数呈尾状，基部偏斜，上侧近截形，有时略有钝的耳状突起，下侧楔形，全缘或边缘有时有前倾的小齿；叶脉羽状，小脉联结成 2 ～ 3 行网眼，在腹面不明显，在背面微凸起；顶生羽片狭卵形，下部有时有 1 或 2 浅裂片，长 3 ～ 6 cm，宽 1.5 ～ 3 cm；叶纸质，两面光滑；叶轴腹

面有浅纵沟，疏生披针形或线形棕色鳞片。孢子囊群遍布羽片背面；囊群盖圆形，盾状，全缘。

| **生境分布** | 生于空旷地的石灰岩缝中或林下。湖南各地均有分布。

| **资源情况** | 野生资源丰富。药材来源于野生。

| **采收加工** | 全年均可采收，清除地上部分及须根，晒干。

| **药材性状** | 本品呈块状圆柱形或一端略细，微弯曲，长 10 ~ 30 cm，直径 2 ~ 5 cm。表面棕褐色，密集多数叶柄残基，倾斜的残基呈覆瓦状围绕根茎，被红棕色膜质半透明的鳞片；下部着生黑色较硬的须根。叶柄残基长 2 ~ 4 cm，直径 3 ~ 5 mm，棕黑色，有不规则的纵棱。根茎质较硬，折断面鲜品绿棕色，干品红棕色，有 4 ~ 8 类白色小点（分体中柱）排列成环；叶柄残基断面略呈马蹄形，红棕色，有 3 ~ 4 类白色小点呈三角形或四方形角隅排列。气微，味涩、微甘，易引起恶心。

| **功能主治** | 苦、涩，寒。归肝、肺、大肠经。清热解毒，凉血祛瘀，驱虫。用于感冒，热病斑疹，白喉，乳痈，瘰疬，痢疾，黄疸，吐血，便血，崩漏，痔血，带下，跌打损伤，肠道寄生虫病。

| **用法用量** | 内服煎汤，9 ~ 15 g。外用适量，捣敷；或研末调敷。

鳞毛蕨科 Dryopteridaceae 贯众属 Cyrtomium

大叶贯众 Cyrtomium macrophyllum (Makino) Tagawa

| 药 材 名 |

大叶贯众（药用部位：根茎及叶柄残基）。

| 形态特征 |

植株高 30 ~ 60 cm。根茎直立，密被披针形黑棕色鳞片。叶簇生；叶柄禾秆色，下部密生卵形及披针形黑棕色鳞片，鳞片边缘有齿，常扭曲，向上部渐秃净；叶片矩圆状卵形或狭矩圆形，长 28 ~ 54 cm，先端钝，基部不变狭或略宽，一回奇数羽状；侧生羽片 3 ~ 8 对，互生，略斜向上，有短柄，基部 1 或 2 对羽片卵形，常较大，其他羽片矩圆状卵形，先端渐尖或急尖，呈短尾状，基部宽楔形或圆楔形，全缘或边缘近顶处有小齿；叶脉羽状，小脉联结成多行网眼，在腹面不明显，在背面微凸起；顶生羽片卵形或菱状卵形，2 叉或 3 叉状，长 10 ~ 16 cm，宽 10 ~ 12 cm；叶坚纸质，腹面光滑，背面有时疏生披针形棕色小鳞片；叶轴腹面有浅纵沟，有披针形或线形黑棕色鳞片。孢子囊群遍布羽片背面；囊群盖圆形，盾状，全缘。

| 生境分布 |

生于海拔 750 ~ 2 000 m 的林下。分布于湖南

张家界（永定、武陵源）、湘西州（花垣）等。

| **资源情况** | 野生资源较少。药材来源于野生。

| **功能主治** | 清热解毒，杀虫，止血。

鳞毛蕨科 Dryopteridaceae 贯众属 Cyrtomium

线羽贯众

Cyrtomium urophyllum Ching

| 药 材 名 | 线羽贯众（药用部位：根茎及叶柄残基）。

| 形态特征 | 高 50 ~ 100 cm。根茎直立，密被披针形棕色鳞片。叶簇生；叶柄长 24 ~ 48 cm，基部直径 3 ~ 5 mm，禾秆色，腹面有浅纵沟，下部密被卵形或披针形棕色鳞片，鳞片边缘有齿，上部渐秃净；叶片矩圆状披针形，长 34 ~ 70 cm，先端钝，基部略变狭，一回奇数羽状；侧生羽片 8 ~ 13 对，互生，斜向上，有短柄，线状披针形，中部的羽片长 9 ~ 20 cm，宽 1.5 ~ 2.5 cm，先端渐尖，呈尾状，基部楔形，全缘或边缘上部有小齿；叶脉羽状，小脉联结成多行网眼，在腹、背两面均不明显或微凸起；顶生羽片倒卵形或菱状卵形，2 叉或 3 叉状，长 6 ~ 10 cm，宽 4 ~ 9 cm；叶纸质，两面光滑，囊群着生处的叶腹面常凸出，背面下凹成小穴；叶轴腹面有纵沟，疏生披针

形或线形棕色鳞片。孢子囊群遍布羽片背面；囊群盖圆形，盾状，近全缘或边缘有小齿。

| **生境分布** | 生于海拔 600 ~ 1 650 m 的常绿阔叶林下、溪边。分布于湖南永州（道县）等。

| **资源情况** | 野生资源较少。药材来源于野生。

| **功能主治** | 清热解毒，散热。

▓鳞毛蕨科▓ Dryopteridaceae ▓鳞毛蕨属▓ Dryopteris

两色鳞毛蕨 *Dryopteris bissetiana* (Baker) C. Chr.

| 药 材 名 | 两色鳞毛蕨（药用部位：根茎。别名：两色耳蕨）。

| 形态特征 | 高 40 ~ 60 cm。根茎横卧或斜升，先端密被黑色或黑褐色狭披针形鳞片。叶簇生；叶柄禾秆色，基部密被黑色狭披针形鳞片，鳞片长 1 ~ 2 cm，先端呈毛状卷曲；叶片卵状披针形，长 20 ~ 40 cm，宽 15 ~ 25 cm，三回羽状，先端渐尖；羽片 10 ~ 15 对，互生；小羽片 10 ~ 13 对，披针形，下侧小羽片较大，基部 1 对小羽片最大，长约 6 cm，宽约 1.5 cm，羽状全裂；末回小羽片 5 ~ 8 对，披针形，长 1 ~ 1.5 cm，宽 3 ~ 5 mm，先端短渐尖，边缘具粗齿至全缘；叶脉两面不明显；叶近革质，干后黄绿色，叶轴和羽轴密被基部棕色泡状、中上部黑色狭披针形的鳞片，小羽轴和末回裂片中脉下面密被棕色泡状鳞片。孢子囊群大，着生于靠近小羽片中脉或末回裂片

中脉；囊群盖大，棕色，圆肾形，全缘或边缘有短睫毛。

| **生境分布** | 生于山谷林下或沟边。分布于湖南永州（祁阳）、娄底（冷水江）、湘西州（凤凰）等。

| **资源情况** | 野生资源一般。药材来源于野生。

| **采收加工** | 全年均可采收，除去叶及杂质，鲜用或晒干。

| **功能主治** | 苦，寒。清热解毒。用于预防流行性感冒。

| **用法用量** | 内服煎汤，5 ～ 15 g。

鳞毛蕨科 Dryopteridaceae 鳞毛蕨属 Dryopteris

阔鳞鳞毛蕨
Dryopteris championii (Benth.) C. Chr.

| 药 材 名 |

毛贯众（药用部位：根茎。别名：小龙骨、蕨难脑、贯众）。

| 形态特征 |

多年生草本，高 50 ～ 80 cm。根茎横卧或斜升，先端及叶柄基部密被披针形、棕色、全缘的鳞片。叶簇生；叶柄密被鳞片，鳞片阔披针形，先端渐尖，边缘有尖齿；叶片卵状披针形，二回羽状；小羽片羽状浅裂或深裂，末回小羽片 10 ～ 13 对，披针形，长 2 ～ 3 cm，基部浅心形至阔楔形，具短柄，先端钝圆，具细尖齿，边缘羽状浅裂至羽状深裂，基部 1 对裂片最大而使小羽片基部最宽，裂片圆钝头，先端具尖齿；侧脉羽状，在叶片下面明显可见；叶轴密被基部阔披针形、先端毛状渐尖、边缘有细齿的棕色鳞片，羽轴具有较密的泡状鳞片；叶草质，干后褐绿色。孢子囊群大，在小羽片中脉两侧或裂片两侧各 1 行，位于中脉与边缘之间或略靠近边缘处；囊群盖圆肾形，全缘。

| 生境分布 |

生于海拔 300 ～ 1 500 m 的山坡疏林下或灌丛中。湖南各地均有分布。

资源情况	野生资源丰富。药材来源于野生。

采收加工	夏、秋季采收，洗净，除去须根和叶柄，晒干。

功能主治	苦，寒。归肺、大肠经。清热解毒，平喘，止血敛疮，驱虫。用于感冒，目赤肿痛，气喘，便血，疮毒溃烂，烫伤，钩虫病。

用法用量	内服煎汤，15 ~ 30 g。外用适量，捣敷。

鳞毛蕨科 Dryopteridaceae 鳞毛蕨属 Dryopteris

中华鳞毛蕨 *Dryopteris chinensis* (Bak.) Koidz.

| 药 材 名 | 中华鳞毛蕨（药用部位：根茎）。

| 形态特征 | 植株高 25 ～ 35 cm。根茎粗短，直立，连同叶柄基部密生棕色或有时中央褐棕色的披针形鳞片。叶簇生；叶柄长 10 ～ 20 cm，直径约 2 mm，禾秆色，基部以上疏生鳞片或近光滑；叶片与叶柄等长或略长于叶柄，宽 8 ～ 18 cm，具五角形渐尖头，基部 4 回羽裂，中部三回羽状；羽片 5 ～ 8 对，斜展，基部 1 对羽片最大，长 6 ～ 12 cm，基部宽 3 ～ 8 cm，三角状披针形，具渐尖头，基部不对称，上侧靠近叶轴，下侧斜出，柄长 5 ～ 10 mm，3 回羽裂；一回小羽片斜展，下侧的小羽片较上侧的小羽片大，基部 1 羽片更大，长 2.5 ～ 5 cm，基部宽 1.5 ～ 2.5 cm，三角状披针形，具短渐尖头，基部近截形，柄长 1.5 ～ 3 mm，2 回羽裂，末回小羽片或裂片三角状卵形或披针

形，具钝头，基部与小羽轴合生，边缘羽裂或有粗齿；叶脉在下面可见，在末回小羽片或裂片上呈羽状，侧脉分叉或单一；叶纸质，干后褐绿色，上面光滑，下面沿叶轴及羽轴有褐棕色披针形小鳞片，叶脉疏生棕色短毛。孢子囊群生于小脉顶部，靠近叶边；囊群盖圆肾形，近全缘，宿存。

| **生境分布** | 生于海拔 200 ~ 1 200 m 的林下。分布于湖南郴州（嘉禾）等。

| **资源情况** | 野生资源较少。药材来源于野生。

| **功能主治** | 清热解毒，杀虫。

鳞毛蕨科 Dryopteridaceae 鳞毛蕨属 *Dryopteris*

迷人鳞毛蕨 *Dryopteris decipiens* (Hook.) O. Ktze.

| 药 材 名 | 迷人鳞毛蕨（药用部位：根茎）。

| 形态特征 | 土生植物。植株高达 60 cm。根茎斜升或直立，连同残存的叶柄基部直径约 3 cm。叶簇生；叶柄长 15 ~ 25 cm，最长可达 30 cm，除最基部为黑色外，其余部分为禾秆色，基部密被鳞片，向上鳞片逐渐稀疏；鳞片狭披针形，长约 10 mm，宽约 1 mm，栗棕色，全缘；叶片披针形，一回羽状，长 20 ~ 30 cm，宽 8 ~ 15 cm，先端渐尖并为羽裂，基部不收缩或略收缩；羽片约 10 ~ 15 对，互生或对生，有短柄（长约 2 mm），基部通常心形，先端渐尖，边缘波状浅裂或具浅锯齿，中部的羽片较大，长 6 ~ 8 cm，宽 1 ~ 1.5 cm，羽片的中脉在上面具浅沟，在下面凸起，侧脉羽状，小脉单一，在上面不显，

在下面略可见，除基部上侧 1 小脉仅达羽片中部外，其余小脉均几达羽片边缘；叶纸质，干后灰绿色，叶轴疏被基部呈泡状的狭披针形鳞片，羽片上面无鳞片，下面具有淡棕色的泡状鳞片及稀疏的刺状毛。孢子囊群圆形，在羽片中脉两侧通常各 1 行，少有不规则 2 行，较靠近中脉着生；囊群盖圆肾形，全缘。

| 生境分布 |　生于林下。分布于湖南张家界（桑植）等。

| 资源情况 |　野生资源稀少。药材来源于野生。

| 功能主治 |　杀虫驱蛔。

鳞毛蕨科 Dryopteridaceae 鳞毛蕨属 Dryopteris

红盖鳞毛蕨
Dryopteris erythrosora (Eaton) O. Ktze.

药材名

红盖鳞毛蕨（药用部位：根茎）。

形态特征

高 40 ~ 80 cm。根茎横卧或斜升，连同残存的叶柄基部直径 3 ~ 4 cm。叶簇生；叶柄长 20 ~ 30 cm，直径 3 ~ 4 mm，禾秆色或略呈淡紫色，基部密被栗黑色披针形鳞片，鳞片长 1 ~ 1.5 cm，宽 1 ~ 2 mm，全缘，边缘和先端色较淡，中上部的鳞片较小，较稀疏；叶片长圆状披针形，长 40 ~ 60 cm，宽 15 ~ 25 cm，二回羽状；羽片 10 ~ 15 对，对生或近对生，披针形，长 15 ~ 20 cm，宽 4 ~ 6 cm，羽片之间相距 6 ~ 8 cm，彼此不接近；小羽片 10 ~ 15 对，披针形，长 2 ~ 3 cm，宽 0.8 ~ 1.2 cm，斜向羽片先端，边缘具较细的圆齿或羽状浅裂，基部羽片的基部下侧第 1 对小羽片明显缩小，长不及相近小羽片的一半；裂片明显地斜向小羽片先端，前方具 1 ~ 2 尖齿；叶轴疏被狭披针形、暗棕色的小鳞片，或鳞片脱落后近光滑，羽轴和小羽片中脉密被棕色泡状鳞片，羽轴和小羽片中脉上面具浅沟，侧脉在上面不明显，下面可见，羽状；叶片上面无毛，下面疏被淡棕色毛状小鳞片。孢子囊群较小，在

小羽片中脉两侧排成1行至不规则的多行；囊群盖圆肾形，全缘，中央红色，边缘灰白色，干后常向上反卷而不脱落。

| **生境分布** | 生于林下。分布于湖南长沙（岳麓）、株洲（石峰）、岳阳（云溪）、郴州（北湖、嘉禾）、永州（江永）、湘西州（吉首、古丈、保靖）等。

| **资源情况** | 野生资源较少。药材来源于野生。

| **功能主治** | 杀虫止蛔。

鳞毛蕨科 Dryopteridaceae 鳞毛蕨属 *Dryopteris*

黑足鳞毛蕨 *Dryopteris fuscipes* C. Chr.

| 药 材 名 | 黑色鳞毛蕨根（药用部位：根茎）。

| 形态特征 | 常绿植物，高 50 ～ 80 cm。根茎横卧或斜升。叶簇生；叶柄基部黑色，密被披针形、棕色、有光泽的鳞片，先端渐尖或毛状，全缘；叶片卵状披针形或三角状卵形，二回羽状；末回小羽片 10 ～ 12 对，三角状卵形，基部最宽，有柄或无柄，先端钝圆，边缘有浅齿，通常长 1.5 ～ 2 cm，宽 8 ～ 10 mm，基部羽片的基部小羽片通常缩小，基部羽片的中部下侧的小羽片通常较长，先端较尖；叶轴、羽轴和小羽片中脉的上面具浅沟；侧脉羽状，在上面不明显，在下面略可见；叶纸质，干后褐绿色；叶轴具较密的、披针形、线状披针形或少量泡状鳞片，羽轴具有较密的泡状鳞片和稀疏的小鳞片。孢子囊群

大，在小羽片中脉两侧各有 1 行；囊群盖圆肾形，全缘。

| 生境分布 | 生于疏林下或灌丛中。湖南各地均有分布。

| 资源情况 | 野生资源丰富。药材来源于野生。

| 采收加工 | 全年均可采挖，除去叶及杂质，洗净，鲜用或晒干。

| 功能主治 | 清热解毒，生肌敛疮。用于目赤肿痛，疮疡溃烂久不收口。

| 用法用量 | 内服煎汤，3 ~ 9 g。外用适量，捣敷。

鳞毛蕨科 Dryopteridaceae 鳞毛蕨属 *Dryopteris*

假异鳞毛蕨 *Dryopteris immixta* Ching

| 药材名 | 假变异鳞毛蕨（药用部位：根茎）。

| 形态特征 | 植株高 25 ～ 35 cm。根茎横卧或斜升，先端密被黑棕色或褐色的线形鳞片。叶簇生；叶柄长 15 ～ 20 cm，禾秆色，基部直径 2 ～ 2.5 mm，密被与根茎先端相同的鳞片，向上鳞片稀疏；叶片卵状披针形，长 15 ～ 25 cm，基部宽 15 ～ 18 cm，二回羽状，基部下侧小羽片羽状深裂，叶片先端羽裂渐尖；羽片 8 ～ 10 对，基部 1 对最大，长约 10 cm，宽约 7 cm，卵状披针形，叶片中上部的羽片披针形，基部有短柄，先端短渐尖或长渐尖头；小羽片 5 ～ 8 对，基部下侧的小羽片最大，长 5 ～ 6 cm，宽 1 ～ 1.5 cm，羽状深裂，叶片中上部的小羽片边缘羽状半裂或具浅齿；裂片短渐尖头，边缘有锯齿；

裂片的叶脉羽状，小脉 2 叉或单一；叶近革质，干后黄绿色，叶轴具有棕色披针形鳞片，羽轴和小羽片中脉下面具有棕色泡状鳞片。孢子囊群大，靠近小羽片或裂片的边缘着生；囊群盖圆肾形，棕色，边缘啮蚀状。

| **生境分布** | 生于林下。分布于湖南张家界（桑植）等。

| **资源情况** | 野生资源稀少。药材来源于野生。

| **功能主治** | 杀虫驱蛔。

鳞毛蕨科 Dryopteridaceae 鳞毛蕨属 *Dryopteris*

齿头鳞毛蕨 *Dryopteris labordei* (Christ) C. Chr.

| 药 材 名 | 青溪鳞毛蕨（药用部位：根茎）。

| 形态特征 | 高 50 ~ 60 cm。根茎横卧或斜升，先端及叶柄基部密被鳞片；
鳞片披针形，黑色或黑棕色。叶簇生；叶柄深禾秆色或淡紫

色，基部黑色，被黑色或黑棕色披针形鳞片，向上近光滑；叶片卵圆形或卵状披针形，长约 30 cm，宽约 25 cm，基部 1 ~ 2 对羽片最大，弯向叶尖而使叶片基部近圆形，二回羽状；末回小羽片披针形，基部羽片下侧的 1 ~ 2 对小羽片最大，基部截形，近无柄，先端钝圆或短渐尖，边缘羽状深裂或偶为全裂；裂片先端圆，在前方具 1 ~ 2 齿；小羽片的侧脉羽状，不达叶边；叶纸质，干后褐绿色，两面近光滑，羽轴和小羽片中脉的下面具稀疏的棕色泡状鳞片，叶轴和羽轴禾秆色。孢子囊群大，位于小羽片中脉与边缘之间或裂片的中脉两侧；囊群盖圆肾形，深棕色，全缘。

| **生境分布** | 生于林下。分布于湖南株洲（茶陵）、邵阳（隆回）、郴州（嘉禾）、长沙（浏阳）等。

| **资源情况** | 野生资源一般。药材来源于野生。

| **功能主治** | 用于痢疾，痛经，外伤出血。

鳞毛蕨科 Dryopteridaceae 鳞毛蕨属 Dryopteris

半岛鳞毛蕨 *Dryopteris peninsulae* Kitag.

| 药 材 名 | 辽东鳞毛蕨（药用部位：根茎）。

| 形态特征 | 植株高 50 cm 左右。根茎粗短，近直立。叶簇生；叶柄长达 24 cm，淡棕褐色，有 1 纵沟，基部密被棕褐色、膜质、线状披针形至卵状长圆形且具长尖头的鳞片，向上连同叶轴散生栗色或基部栗色、上部棕褐色、边缘疏生细尖齿、披针形至长圆形的鳞片；叶片厚纸质，长圆形或狭卵状长圆形，长 13 ~ 38 cm，宽 8 ~ 20 cm，基部多少呈心形，先端短渐尖，二回羽状；羽片 12 ~ 20 对，对生或互生，具短柄，卵状披针形至披针形，基部不对称，先端长渐尖且微镰状上弯，下部羽片较大，长达 11 cm，宽达 4.5 cm，向上渐次变小，羽轴禾秆色，疏生线形易脱落的鳞片；小羽片或裂片达 15 对，长圆

形，先端钝圆且具短尖齿，基部几对小羽片的基部多少耳形，边缘具浅波状齿，上部裂片的基部近全缘，上部具浅尖齿；裂片或小羽片上的叶脉羽状，明显。孢子囊群圆形，较大，通常仅叶片上半部生有孢子囊群，沿裂片中肋排成 2 行；囊群盖圆肾形至马蹄形，近全缘，成熟时不完全覆盖孢子囊群；孢子近椭圆形，外壁具瘤状突起。

| 生境分布 | 生于阴湿地杂草丛中。分布于湖南张家界（武陵源）等。

| 资源情况 | 野生资源稀少。药材来源于野生。

| 采收加工 | 全年均可采挖，挖出后除去叶柄及须根，洗净，鲜用或晒干。

| 功能主治 | 苦，凉。清热解毒，凉血止血，驱虫。用于流行性感冒，流行性乙型脑炎，吐血，衄血，崩漏，产后便血，肠道寄生虫病。

| 用法用量 | 内服煎汤，10 ~ 15 g。

鳞毛蕨科 Dryopteridaceae 鳞毛蕨属 Dryopteris

密鳞鳞毛蕨

Dryopteris pycnopteroides (Christ) C. Chr.

| 药材名 | 密鳞鳞毛蕨（药用部位：根茎）。

| 形态特征 | 高 60 ~ 100 cm。根茎直立，密被亮棕色、卵状披针形鳞片。叶簇生；叶柄密被鳞片，鳞片亮棕色，披针形或卵圆状披针形，全缘，常贴生，向上渐变窄，开展；叶片长 40 ~ 70 cm，宽 15 ~ 25 cm，披针形，先端羽裂，渐尖，基部略变狭，一回羽状；羽片 18 ~ 30 对，彼此以阔间隔分开，下部数对羽片相距 3 ~ 4 cm，披针形，长 10 ~ 13 cm，宽 10 ~ 13 cm，先端渐尖或尾状渐尖，基部平截，具短柄，羽状浅裂；裂片先端有一二鸟喙状齿。叶干后草质或纸质，绿棕色，两面光滑，沿叶轴和羽轴背面被棕色披针形或线形鳞片，尤以羽轴基部最密；叶脉羽状，每裂片 3 ~ 4 对，单一，不分叉，

在背面凸起，在腹面略凹陷，明显可见。孢子囊群圆形，生于叶脉背部靠近中肋处，每裂片有 2 ~ 3 对孢子囊群；囊群盖圆肾形，膜质，全缘，成熟时易脱落。

| **生境分布** | 生于海拔 1 800 ~ 2 000 m 的沟边林下。分布于湖南永州（零陵）、湘西州（古丈、保靖）等。

| **资源情况** | 野生资源一般。药材来源于野生。

| **功能主治** | 清热解毒，杀虫。

鳞毛蕨科 Dryopteridaceae 鳞毛蕨属 Dryopteris

无盖鳞毛蕨

Dryopteris scottii (Bedd.) Ching ex C. Chr.

| 药 材 名 | 无盖鳞毛蕨（药用部位：根茎）。

| 形态特征 | 植株高 50 ~ 80 cm。根茎粗短，直立，连同叶柄下部密生褐黑色、披针形、具疏齿的鳞片。叶簇生；叶柄长 18 ~ 35 cm，禾秆色，中部向上至叶轴疏生褐黑色、钻状披针形、下部边缘有刺状齿的小鳞片；叶片长 25 ~ 45 cm，宽 15 ~ 25 cm，长圆形或三角状卵形，先端羽裂，渐尖，基部不变狭或略变狭，一回羽状；羽片 10 ~ 16 对，长 10 ~ 12 cm，宽 1.5 ~ 3 cm，披针形或长圆状披针形，具渐尖头，基部圆截形，有短柄或近无柄，边缘有前伸的波状圆齿；叶脉略可见，侧脉羽状分枝，每组有小脉 3 ~ 7；叶薄草质，干后褐绿色，上面光滑，下面沿羽轴及侧脉有一二纤维状小鳞片，沿叶轴下面疏

生边缘有刺的齿、黑褐色或褐棕色的线形鳞片。孢子囊群圆形，生于小脉中部稍下处，在羽轴两侧排列成不整齐的 2 ~ 3（~ 4）行，无盖。

| **生境分布** | 生于海拔 500 ~ 2 000 m 的林下。分布于湖南湘潭（湘潭）、湘西州（永顺）等。

| **资源情况** | 野生资源一般。药材来源于野生。

| **功能主治** | 消炎止痛。

鳞毛蕨科 Dryopteridaceae 鳞毛蕨属 *Dryopteris*

奇羽鳞毛蕨

Dryopteris sieboldii (van Houtte ex Mett.) O. Ktze.

药 材 名

奇羽鳞毛蕨（药用部位：根茎）。

形态特征

植株高 0.5 ~ 1 m。根茎粗短，直立，连同叶柄下部密生淡棕色的披针形鳞片。叶簇生；叶柄长 20 ~ 60 cm，直径 2 ~ 5 mm，深禾秆色，中部以上近光滑；叶片长 25 ~ 40 cm，宽约 20 cm，长圆形或三角状卵形，一回奇数羽状，侧生羽片 1 ~ 4 对，长 15 ~ 20 cm，宽 2.5 ~ 3.5（~ 6）cm，阔披针形或长圆状披针形，具渐尖头，基部为略不等的圆形或圆楔形，有短柄，顶生羽片和其下的羽片同形，稍大，有较长的柄，或有时与其下 1 羽片合生，羽片全缘或边缘有缺刻状浅锯齿；叶脉不明显，侧脉羽状分叉，每组有小脉 4 ~ 6，除基部上侧 1 小脉较短外，其余均直达叶边；叶厚革质，干后褐绿色，上面无毛，下面偶有纤维状小鳞片。孢子囊群圆形，生于小脉的中部稍下处，沿羽轴两侧各排列成不整齐的 3 ~ 4 行，近叶边处不育；囊群盖圆肾形，全缘。

生境分布

生于海拔 400 ~ 900 m 的林下。分布于湖南

邵阳（邵东、邵阳、武冈）、永州（双牌、道县）、湘西州（花垣、古丈）等。

| **资源情况** | 野生资源一般。药材来源于野生。

| **功能主治** | 驱虫。

鳞毛蕨科 Dryopteridaceae 鳞毛蕨属 Dryopteris

稀羽鳞毛蕨 *Dryopteris sparsa* (Buch.-Ham. ex D. Don) O. Ktze.

| 药 材 名 | 稀羽鳞毛蕨（药用部位：根茎。别名：毛蕨）。

| 形态特征 | 植株高 50 ~ 70 cm。根茎短，直立或斜升，连同叶柄基部密被棕色、全缘的披针形鳞片。叶簇生；叶轴、羽轴均无鳞片；叶片卵状长圆形至三角状卵形，长 30 ~ 45 cm，宽 15 ~ 25 cm，先端长渐尖，羽裂，基部不缩狭，二回羽状至 3 回羽裂；小羽片 13 ~ 15 对，互生，披针形或卵状披针形，基部阔楔形，通常不对称，基部 1 对羽片下侧的 1 小羽片较长，长 6 ~ 8 cm，基部宽约 2 cm，一回羽状，向上的各对小羽片逐渐缩短；裂片长圆形，先端钝圆，有尖齿，边缘有疏细齿；叶近纸质，两面光滑。孢子囊群圆形，着生于小脉中部；囊群盖圆肾形，全缘。

| **生境分布** | 生于海拔 500 ～ 2 000 m 的林下溪边。分布于湖南邵阳（武冈）、常德（鼎城、汉寿）、永州（零陵、道县）、怀化（麻阳）、湘西州（吉首、永顺、保靖、龙山）、郴州（桂东、安仁）、长沙（浏阳）等。 |

| **资源情况** | 野生资源一般。药材来源于野生。 |

| **功能主治** | 微涩，凉。归肝、胃经。清热止痛。用于内热腹痛，肺结核。 |

鳞毛蕨科 Dryopteridaceae 鳞毛蕨属 Dryopteris

变异鳞毛蕨 *Dryopteris varia* (L.) O. Ktze.

| 药 材 名 | 变异鳞毛蕨（药用部位：根茎。别名：小叶金鸡尾巴草、小狗脊子）。

| 形态特征 | 高 50 ~ 70 cm。根茎横卧或斜升，先端密被褐棕色狭披针形鳞片；鳞片长 1.5 ~ 2 cm，先端毛状卷曲。叶簇生；叶柄基部密被与根茎先端相同的鳞片，向上密被棕色小鳞片或鳞片脱落后近光滑；叶片五角状卵形，二回羽状或三回羽状；叶片中上部的小羽片羽状半裂或边缘具锯齿，基部小羽片的末回裂片或末回小羽片披针形，先端短渐尖，边缘羽状浅裂或有齿；叶脉在下面明显，裂片的叶脉羽状，小脉分叉或单一；叶近革质，干后绿色，叶轴和羽轴疏被黑色毛状小鳞片，小羽轴和裂片中脉背面疏被棕色泡状鳞片。孢子囊群较大，靠近小羽片或裂片边缘着生；囊群盖圆肾形，棕色，全缘。

| 生境分布 | 生于林下湿地或岩缝中。分布于湖南株洲（攸县）、邵阳（大祥）、岳阳（汨罗）、怀化（麻阳）等。 |

| 资源情况 | 野生资源一般。药材来源于野生。 |

| 采收加工 | 全年均可采收，除去叶柄及须根，洗净，鲜用或晒干。 |

| 功能主治 | 微涩，凉。清热止痛。用于内热腹痛，肺结核。 |

| 用法用量 | 内服煎汤，10 ~ 15 g。 |

鳞毛蕨科 Dryopteridaceae 舌蕨属 Elaphoglossum

华南舌蕨

Elaphoglossum yoshinagae (Yatabe) Makino

| 药 材 名 |

华南舌蕨（药用部位：根。别名：小儿群）。

| 形态特征 |

植株高 15 ～ 30 cm。根茎短，横卧或斜升，与叶柄下部密被鳞片；鳞片大，卵形或卵状披针形，长约 5 mm，具渐尖头或急尖头，边缘有睫毛，棕色，膜质。叶簇生或近生，二型；不育叶近无柄或具短柄，披针形，长 15 ～ 30 cm，中部宽 3 ～ 4.5 cm，先端短渐尖，基部楔形，长而下延，几达叶柄基部，全缘，有软骨质狭边，平展或略内卷，叶脉仅可见，主脉宽而平坦，上面的纵沟不明显，侧脉单一或 1 ～ 2 回分叉，几达叶边，叶质肥厚，革质，干后棕色，两面均疏被褐色的星芒状小鳞片，通常主脉下面小鳞片较多；能育叶与不育叶等高或略低于不育叶，叶柄长 7 ～ 10 cm，叶片略短而狭，孢子囊沿侧脉着生，成熟时满布能育叶下面。

| 生境分布 |

生于海拔 370 ～ 1 700 m 的山谷岩石上或潮湿树干上。分布于湖南郴州（桂东）等。

| **资源情况** | 野生资源较少。药材来源于野生。 |

| **采收加工** | 夏、秋季采收，去须根，洗净，鲜用或晒干。 |

| **功能主治** | 微苦、辛，凉。清热利湿。用于小便淋涩疼痛。 |

| **用法用量** | 内服煎汤，6 ~ 15 g。 |

■鳞毛蕨科■ Dryopteridaceae ■黔蕨属■ *Phanerophlebiopsis*

粗齿黔蕨
Phanerophlebiopsis blinii (Lévl.) Ching

| 药 材 名 | 粗齿黔蕨（药用部位：根茎）。

| 形态特征 | 高 30 ~ 65 cm。根茎长，横走，连同叶轴密被褐色线形鳞片。叶近生；叶柄长 13 ~ 30 cm，直径 2 ~ 3 mm，禾秆色；叶片阔披针形，长 16 ~ 35 cm，宽 9 ~ 14 cm，一回羽状；顶生羽片长卵形，先端尖，基部羽裂深达 1/2，侧生羽片 9 对，基部 1 对羽片对生，向上的羽片互生，有柄，斜展，远离，披针形，中部的羽片长 6 ~ 12 cm，宽 1.5 ~ 2 cm，具渐尖头并略呈尾状，基部不对称，楔形，边缘疏浅裂，裂片先端有 1 ~ 2 短尖齿；叶脉羽状，侧脉分枝，小脉伸达叶边以内，可见；叶近革质，干后绿色，两面光滑；叶轴和主脉下面疏被棕色、线形小鳞片。孢子群圆形，生于小脉先端，在主脉两侧各

排成2行；囊群盖圆肾形，在缺刻处着生，棕色，膜质，脱落。

| **生境分布** | 生于海拔500～800 m的山谷常绿林下的阴湿处。分布于湖南娄底（新化）等。

| **资源情况** | 野生资源较少。药材来源于野生。

| **功能主治** | 用于腰痛，瘰疬。

尖齿耳蕨 *Polystichum acutidens* Christ

| 药 材 名 | 尖齿耳蕨（药用部位：全草或根茎。别名：岩山鸡）。

| 形态特征 | 高 25 ~ 100 cm。根茎直立，先端及叶柄基部密被棕色或深棕色、卵形或卵状披针形、全缘的厚膜质鳞片。叶簇生；叶柄向上疏被少数鳞片，鳞片与基部的相同或渐缩小，披针形或长钻形，大多伏贴，边缘有疏长齿，棕色或深棕色，膜质；叶片披针形，一回羽状；羽片镰状披针形，先端渐尖，常有短芒刺，两侧显著不对称，基部上侧有三角形耳状突起，基部以上的两侧边缘有锯齿，齿端有芒刺；叶脉羽状，羽片上面光滑，下面疏被浅棕色或棕色、狭披针形的细小鳞片及短节毛。孢子囊群较小，生于较短的小脉先端，在羽片主脉两侧各有 1 行，中生或仅中生，通常主脉下侧的下部小脉不育；

囊群盖小，圆盾形，深棕色，近全缘，早落。

| **生境分布** | 生于海拔 600 ~ 2 000 m 的山地常绿阔叶林下或阴湿的石灰岩山谷中。分布于湖南湘西州（永定、古丈）等。

| **资源情况** | 野生资源较少。药材来源于野生。

| **采收加工** | 全年均可采收，全草洗净，鲜用或晒干，根茎晒干。

| **药材性状** | 本品长 45 ~ 60 cm。根茎密生披针形鳞片。叶柄长 18 ~ 28 cm，深禾秆色，基部密生披针形鳞片，上部近光滑，叶片披针形，长 30 ~ 34 cm，中部宽 4.5 ~ 5 cm，基部不变狭，一回羽状；羽片长 2.5 ~ 3 cm，宽 6 ~ 8 mm，镰状披针形，基部上侧呈尖三角形凸起，下侧平切，边缘有前伸、具芒刺的尖齿；叶脉羽状分叉。孢子囊群生于分叉的上侧小脉先端，囊群盖圆盾形，近全缘。

| **功能主治** | 平肝，和胃，止痛。用于头晕，胃痛，复合性胃和十二指肠溃疡。

| **用法用量** | 内服煎汤，5 ~ 10 g。

鳞毛蕨科 Dryopteridaceae 耳蕨属 Polystichum

宝兴耳蕨 Polystichum baoxingense Ching et H. S. Kung

| **药 材 名** | 宝兴耳蕨（药用部位：全草）。

| **形态特征** | 植株高 30 ~ 60 cm。根茎粗壮，直立，密被宽披针形深棕色鳞片。叶簇生，叶柄长 16 ~ 26 cm，基部直径 4 ~ 6 mm，禾秆色，腹面有纵沟，密生卵形及宽披针形棕色鳞片；叶片狭卵形或狭椭圆形，长 28 ~ 50 cm，宽 9 ~ 12 cm，先端渐尖，基部圆楔形，二回羽状；羽片 24 ~ 34 对，互生，略斜向上，密接，线状宽披针形，有时呈镰状，中部的长 5.5 ~ 8 cm，宽 1.5 ~ 2.5 cm，先端渐尖，基部偏斜的宽楔形或近截形，柄极短，羽状；小羽片 10 ~ 12 对，互生，斜向上，密接，斜的卵形或狭卵形，先端急尖成刺状，基部为偏斜的宽楔形，其上侧有三角形耳状突起，基部上侧第 1 片最大，长

1.2 ~ 2 cm，宽 6 ~ 8 mm，两侧羽状浅裂，边缘有前倾的小齿；小羽片具羽状脉，腹面不明显，背面略凹下；叶为革质，背面有纤毛状分枝的鳞片；叶轴腹面有纵沟，两面密生边缘具睫毛的披针形及线形的棕色鳞片。孢子囊群位于主脉两侧，每小羽片 3 ~ 7 对；囊群盖圆形，盾状，全缘。

| 生境分布 | 生于海拔 1 250 ~ 1 800 m 的林下。分布于湖南张家界（桑植）等。

| 资源情况 | 野生资源稀少。药材来源于野生。

| 功能主治 | 用于胃病，食物中毒。

鳞毛蕨科 Dryopteridaceae 耳蕨属 Polystichum

鞭叶耳蕨
Polystichum craspedosorum (Maxim.) Diels

| 药 材 名 | 鞭叶耳蕨（药用部位：全草）。

| 形态特征 | 高 10 ~ 20 cm。根茎直立，密生披针形棕色鳞片。叶簇生；叶柄密生披针形棕色鳞片，鳞片边缘有齿，下部边缘为卷曲的纤毛状；叶片线状披针形或狭倒披针形，长 10 ~ 20 cm，宽 2 ~ 4 cm，先端渐狭，基部略狭，一回羽状；羽片 14 ~ 26 对，下部的羽片对生，向上的羽片互生，平展或略斜向下，柄极短，矩圆形或狭矩圆形，先端钝或圆形，基部偏斜，上侧截形，耳状突起明显或不明显，下侧楔形，边缘有内弯的尖牙齿；叶纸质，背面脉上有疏或密的毛状线形黄棕色鳞片，鳞片下部边缘为卷曲的纤毛状；叶轴腹面有纵沟，背面密生狭披针形、基部边缘呈纤毛状的鳞片，先端延伸成鞭状，先端的芽胞能萌发成新植株。孢子囊群通常位于羽片上侧边缘或下侧，排

成 1 行；囊群盖大，圆形，全缘，盾状。

| **生境分布** | 生于海拔 2 000 m 以下的背阴干燥的石灰岩上。分布于湖南湘西州（保靖）等。

| **资源情况** | 野生资源较少。药材来源于野生。

| **采收加工** | 全年均可采收，洗净，鲜用或晒干。

| **功能主治** | 苦，寒。清热解毒。用于乳痈，疖肿，肠炎。

| **用法用量** | 内服煎汤，10 ~ 15 g。外用适量，鲜品捣敷。

对生耳蕨 Polystichum deltodon (Bak.) Diels

| 药 材 名 |

灰耳蕨（药用部位：全草。别名：灰贯众、蜈蚣草、胃痛药）。

| 形态特征 |

植株高 13 ~ 42 cm。根茎短，斜升至直立，先端及叶柄基部密被鳞片；鳞片棕色至深棕色，卵形或卵状披针形，厚膜质。叶簇生；叶柄疏被鳞片，鳞片棕色至暗棕色，大小不等，边缘有疏长齿，易脱落的薄膜质鳞片；叶片披针形或狭长椭圆状披针形，一回羽状；羽片 18 ~ 40 对，矩圆形或镰状矩圆形，边缘具粗锯齿，锯齿先端常有短刺头；叶轴禾秆色，上面有沟槽，两面疏被膜质鳞片及长钻形、全缘的小鳞片；羽片上面光滑，下面疏被浅棕色、狭披针形的细小鳞片、鳞毛及短节毛。孢子囊群小，生于羽片边缘的小脉先端，通常多在主脉上面自顶部至基部排成 1 行，多达 10，下面仅在顶部有 1 ~ 3 孢子囊群或不育；囊群盖圆盾形，棕色，边缘啮蚀状，早落。孢子赤道面观呈豆形，周壁有少数肌状折皱。

| 生境分布 |

生于海拔 1 000 ~ 2 000 m 的山地常绿阔叶

林下的石灰岩隙中。分布于湖南娄底（新化）、湘西州（古丈、凤凰）、株洲、怀化（溆浦）等。

| **资源情况** | 野生资源一般。药材来源于野生。

| **采收加工** | 全年均可采收，洗净，鲜用或晒干。

| **功能主治** | 酸、涩，微寒。清热解毒，活血止血。用于感冒，跌打损伤，外伤出血，蛇咬伤，预防感冒。

| **用法用量** | 内服煎汤，15～30 g。外用适量，捣敷；或研末撒。

鳞毛蕨科 Dryopteridaceae 耳蕨属 Polystichum

宜昌耳蕨 *Polystichum ichangense* Christ

| 药 材 名 | 宜昌耳蕨（药用部位：根茎）。

| 形态特征 | 高 14 ~ 48 cm。根茎短，斜升或近直立，先端密被棕色、深棕色或栗色的披针形鳞片。叶簇生；叶柄浅禾秆色，长 3 ~ 10 cm，疏被卵形或卵状宽披针形鳞片或栗色伏贴的薄鳞片；叶片长椭圆状披针形，长 10 ~ 34 cm，中部宽 1.5 ~ 3.5 cm，一回羽状；羽片 17 ~ 35 对，基部的羽片具短柄或无柄，近长圆形，基部上侧有耳状角形突起，具不整齐的尖锯齿，齿端具短尖头，下侧上半部具尖锯齿；叶脉羽状，侧脉先端增粗，呈棒状，2 叉或单一；叶薄纸质，干后浅绿色或灰绿色；叶轴深禾秆色，两面疏被与叶柄上同形、较小的鳞片；羽轴上面光滑，下面疏被小鳞片。孢子囊群着生于中部或近边缘的小脉先端；囊群盖圆盾形，边缘波状，早落。

生境分布	生于海拔 1 000 ～ 1 600 m 的山地阔叶林下的阴湿岩隙中。分布于湖南郴州（宜章）等。
资源情况	野生资源稀少。药材来源于野生。
功能主治	杀虫。

鳞毛蕨科 Dryopteridaceae 耳蕨属 Polystichum

长鳞耳蕨 Polystichum longipaleatum Christ

| 药 材 名 | 长鳞耳蕨（药用部位：根茎）。

| 形态特征 | 植株高 50 ～ 120 cm。根茎短而直立或斜升，密生线形棕色鳞片。叶簇生；叶柄长 16 ～ 48 cm，基部直径 4 ～ 7 mm，黄棕色，腹面有纵沟，密生棕色线形、披针形和较大鳞片，大鳞片卵形和卵状披针形，具光泽，密生，长达 13 mm，宽达 6 mm，先端尾状，边缘近全缘或具细齿；叶片矩圆状披针形或矩圆形，长 32 ～ 87 cm，近基部宽 11 ～ 25 cm，先端尾状，能育，向基部不变狭或略变狭，基部不育，二回羽状；羽片 25 ～ 40 对，互生，斜向上，具短柄，披针形，先端尾状，基部不变狭，不对称，近基部羽片长 7 ～ 14 cm，宽 1.7 ～ 2 cm，一回羽状；小羽片 16 ～ 38 对，互生，近无柄，矩

圆形，长 0.5 ~ 1 cm，宽 0.3 ~ 0.5 cm，先端急尖，具短尖头，基部楔形，上侧全缘无芒，不具耳状突起（极少数大型个体例外），下侧具短芒，羽片基部上侧 1 最大，具缺刻；小羽片具羽状脉，侧脉 5 ~ 7 对，二叉分枝，明显；叶纸质，两面密被长纤毛状小鳞片；叶轴腹面有纵沟，背面密生棕色线形、披针形和较大鳞片，大鳞片卵状披针形和宽披针形，疏生，长达 10 mm，宽达 4 mm，先端长渐尖，边缘密生小齿；羽轴腹面有纵沟，背面具棕色线形鳞片。孢子囊群圆形，小而不明显，早落，每小羽片（1 ~ ）2 ~ 5 对，主脉两侧各 1 行，靠近主脉，生于小脉末端，无囊群盖。

| **生境分布** | 生于海拔 1 100 ~ 2 000 m 的针、阔叶林或竹林、灌丛下。分布于湖南邵阳（新宁）、张家界（慈利、桑植）、永州（东安）等。

| **资源情况** | 野生资源稀少。药材来源于野生。

| **功能主治** | 清热解毒，驱虫。

鳞毛蕨科 Dryopteridaceae 耳蕨属 Polystichum

黑鳞耳蕨
Polystichum makinoi (Tagawa) Tagawa

| 药 材 名 | 黑鳞大耳蕨（药用部位：嫩叶、根茎。别名：大叶山鸡尾巴草、冷蕨萁）。

| 形态特征 | 高 40 ~ 60 cm。根茎短，直立或斜升，密生线形棕色鳞片。叶簇生；叶柄密生较大鳞片，大鳞片卵形或卵状披针形，2 色，中间黑棕色，有光泽；叶片三角状卵形或三角状披针形，长 28 ~ 52 cm，二回羽状；末回小羽片镰状三角形至狭矩圆形，先端急尖，基部楔形，上侧具耳状弧形突起，全缘或近全缘，常具短芒，羽片基部上侧的 1 小羽片最大，具深缺刻或羽状浅裂；小羽片具羽状脉，侧脉 2 歧分叉，较明显；叶草质，上面近光滑，下面疏生短纤毛状小鳞片；叶轴腹面有纵沟，背面生线形和披针形鳞片；羽轴腹面有纵沟，生线形淡棕色或棕色鳞片。每小羽片有 5 ~ 6 对孢子囊群，主脉两侧各 1 行，

孢子囊群生于靠近主脉的小脉末端；囊群盖圆形，盾状，边缘浅齿裂。

| **生境分布** | 生于林下湿地、岩石上。分布于湖南张家界（桑植）、郴州（临武）等。

| **资源情况** | 野生资源一般。药材来源于野生。

| **采收加工** | 春季采收嫩叶，全年均可采挖根茎，鲜用或晒干。

| **功能主治** | 苦，凉。清热解毒。用于痈肿疮疖，泄泻，痢疾。

| **用法用量** | 内服煎汤，10 ～ 15 g。外用适量，捣敷。

革叶耳蕨
Polystichum neolobatum Nakai

| 药 材 名 | 革叶耳蕨（药用部位：根茎。别名：凤凰尾巴草）。

| 形态特征 | 植株高 30 ～ 60 cm。根茎直立，密生披针形棕色鳞片。叶簇生，叶柄长 12 ～ 30 cm，基部直径 4 ～ 6 mm，禾秆色，腹面有纵沟，密生卵形及披针形鳞片，鳞片棕色至褐棕色，先端扭曲；叶片狭卵形或宽披针形，长 32 ～ 55 cm，宽 6 ～ 11 cm，先端渐尖，基部圆楔形或近截形，略变狭，二回羽状；羽片 26 ～ 32 对，互生，略斜向上，密接，线状披针形，有时呈镰状，中部的长 3.5 ～ 10 cm，宽 1.2 ～ 2 cm，先端渐尖，基部偏斜的宽楔形或浅心形，柄极短，羽状；小羽片 5 ～ 10 对，互生，略斜向上，密接，斜卵形或宽披针形，先端渐尖成刺状，基部斜楔形，全缘或有少数前倾的小尖齿，基部上侧

第 1 羽片最大，长 1 ～ 2 cm，宽 4 ～ 6 mm；小羽片具羽状脉，腹面平或略凹下，背面凹下。叶革质或硬革质，背面有纤维状分枝的鳞片；叶轴腹面有纵沟，背面密生披针形和狭披针形鳞片，鳞片棕色至黑棕色，强烈扭曲。孢子囊群位于主脉两侧；囊群盖圆形，盾状，全缘。

| **生境分布** | 生于海拔 1 260 ～ 2 000 m 的阔叶林下。分布于湖南邵阳（新宁）、常德（石门）、张家界（桑植）等。

| **资源情况** | 野生资源稀少。药材来源于野生。

| **功能主治** | 活血调经，补肾。

鳞毛蕨科 Dryopteridaceae 耳蕨属 Polystichum

戟叶耳蕨
Polystichum tripteron (Kunze) Presl

| 药 材 名 | 尖齿耳蕨（药用部位：全草或根茎。别名：岩山鸡）。

| 形态特征 | 高 30 ~ 65 cm。根茎短，直立，先端连同叶柄基部密被深棕色、有缘毛的披针形鳞片。叶簇生；叶柄连同叶轴和羽轴疏生披针形小鳞片；叶片戟状披针形，长 30 ~ 45 cm，基部宽 10 ~ 16 cm，具 3 椭圆状披针形的羽片；末回小羽片均互生，近平展，下部的小羽片有短柄，向上的小羽片近无柄，中部的小羽片长 3 ~ 4 cm，宽 0.8 ~ 1.2 cm，镰形，具渐尖头，基部下侧斜切，上侧截形，具耳状三角形突起，边缘有粗锯齿或浅羽裂，锯齿及裂片先端有芒状小刺尖；叶脉在裂片上呈羽状，小脉单一，罕 2 分叉；叶草质，干后绿色，上面色较深，沿叶脉疏生卵状披针形或披针形的浅棕色小鳞片。孢子囊群圆形，生于小脉先端；囊群盖圆盾形，边缘略呈啮蚀状，早落。

孢子极面观椭圆形，赤道面观半圆形，周壁具折皱，常联结成网状，薄而透明。

| **生境分布** | 生于海拔 400 ~ 2 000 m 的林下石隙中或石上。分布于湖南永州（东安）等。

| **资源情况** | 野生资源稀少。药材来源于野生。

| **功能主治** | 平肝，和胃，止痛。用于头晕，胃痛，复合性胃和十二指肠溃疡。

鳞毛蕨科 Dryopteridaceae 耳蕨属 Polystichum

对马耳蕨
Polystichum tsus-simense (Hook.) J. Smith

药材名

对马耳蕨（药用部位：根茎、嫩叶。别名：毛脚鸡、蕨萁、线鸡尾）。

形态特征

高 30 ~ 60 cm。根茎直立，密被狭卵形深棕色鳞片。叶簇生；叶柄密生披针形及线形黑棕色鳞片；叶片宽披针形或狭卵形，二回羽状；末回小羽片 7 ~ 13 对，互生，略斜向上，密接，柄极短，斜矩圆形、斜卵形或三角状卵形，下部的小羽片长 5 ~ 10 mm，宽 4 ~ 6 mm，先端急尖或钝，有小刺头，基部呈斜的宽楔形，上侧有耳状三角形突起，边缘有长或短的小尖齿；基部上侧的第 1 小羽片增大，卵形或三角状卵形，长 7 ~ 15 mm，宽 4 ~ 6 mm，有时羽状分裂；小羽片具羽状脉，侧脉常为 2 叉状，腹面隐没，背面微凹下或微凸起；叶薄革质，背面疏生纤毛状基部扩大的黄棕色鳞片；叶轴腹面有纵沟，背面密生鳞片，鳞片线形，基部扩大，边缘睫毛状，黑棕色或棕色。孢子囊群位于小羽片主脉两侧，每小羽片有 3 ~ 9 孢子囊群；囊群盖圆形，盾状，全缘。

| 生境分布 |

生于海拔 250 ～ 2 000 m 的常绿阔叶林下或灌丛中。湖南各地均有分布。

| 资源情况 |

野生资源较丰富。药材来源于野生。

| 采收加工 |

根茎，全年均可采收，以秋季采收较好，除去叶，洗净，鲜用或晒干。嫩叶，春季采收，鲜用。

| 功能主治 |

苦，凉。清热解毒，凉血散瘀。用于痢疾，目赤肿痛，乳痈，疮疖肿毒，痔疮出血，烫火伤。

| 用法用量 |

内服煎汤，10 ～ 15 g。外用适量，捣敷。

叉蕨科 Aspidiaceae 肋毛蕨属 Ctenitis

虹鳞肋毛蕨

Ctenitis rhodolepis (Clarke) Ching

| 药 材 名 | 小金毛狗脊（药用部位：根茎）。

| 形态特征 | 高 80 ~ 140 cm。根茎粗壮，直立或斜升，顶部及叶柄基部密被鳞片，鳞片狭披针形。叶簇生；叶柄向上呈禾秆色，上面有 2 纵沟，基部以上密被鳞片，鳞片阔披针形；叶片三角状卵形，长 45 ~ 90 cm，基部宽 40 ~ 60 cm，先端渐尖，基部心形，4 回羽裂；羽片 8 ~ 10 对，下部几对羽片近对生，向上的羽片互生，彼此接近，稍斜向上，基部 1 对羽片最大，三角形，从第 2 对起羽片椭圆状披针形，稍呈镰状，先端渐尖，基部圆截形，2 回羽裂；基部羽片的一回小羽片 8 ~ 10 对，间隔 6 ~ 10 mm，互生，近平展，叶厚纸质，干后暗绿色，下面疏被贴生的灰白色短腺毛，边缘疏被有关节的棕色睫毛。孢子囊群圆形，每末回小羽片有 3 ~ 5 对孢子囊群，生于

主脉与叶边之间的小脉中部；囊群盖未见。

| **生境分布** | 生于海拔 500 m 以上的常绿阔叶林下的潮湿的岩石上。分布于湖南邵阳（武冈）。

| **资源情况** | 野生资源稀少。药材来源于野生。

| **功能主治** | 用于风湿骨痛。

实蕨科 Bolbitidaceae 实蕨属 Bolbitis

长叶实蕨
Bolbitis heteroclita (Presl) Ching

| 药 材 名 |　长叶实蕨（药用部位：全草。别名：三叉剑、单刀石韦、鸭公尾）。

| 形态特征 |　根茎粗而横走，密被鳞片；鳞片卵状披针形，灰棕色，盾状着生，近全缘。叶近生，相距约1cm；叶柄长15cm或更长，禾秆色，疏被鳞片，上面有沟；叶二型；不育叶变化大，或为披针形的单叶，或为3出，或为一回羽状；顶生羽片特别长大，披针形，先端常有一延长能生根的鞭状长尾；侧生羽片1～5对，近无柄，阔披针形，长10～15cm，宽3～4cm，先端渐尖，基部圆楔形，边缘近全缘或呈浅波状而具少数疏刚毛状齿。侧脉明显；小脉联结成整齐的四边形或六角形网眼，网眼在侧脉之间排列成3行，无内藏小脉，近叶缘的小脉分离；叶薄草质，干后黑色；能育叶叶柄较长，叶片与不育叶同形而较小。孢子囊群初沿网脉分布，后满布能育叶下面。

| 生境分布 | 生于海拔 50 ～ 1 500 m 的密林下树干基部或岩石上。分布于湖南永州（江华）等。

| 资源情况 | 野生资源稀少。药材来源于野生。

| 采收加工 | 秋、冬季采收，去除须根，洗净，晒干。

| 药材性状 | 本品根茎扁平长条状，长 6 ～ 15 cm，直径 0.5 ～ 1 cm；表面有密生的棕褐色小鳞片，两侧及上面有凸起的叶柄痕，下面有残留的短须根；质脆，断面有多数筋脉小点。叶常皱缩，两型；营养叶叶柄长 10 ～ 35 cm，表面浅棕黄色，叶片长 30 ～ 40 cm，表面褐色，形状多样，单叶、3 出或羽状，先端具长尾，有的可见不定根，叶脉网状；孢子叶叶柄长 25 ～ 38 cm，叶片与营养叶同形但狭小：孢子囊群布满叶背。气微，味淡。

| 功能主治 | 淡，凉。清热止咳，凉血止血。用于肺热咳嗽，咯血，痢疾，烫火伤，毒蛇咬伤。

| 用法用量 | 内服煎汤，9 ～ 15 g。

实蕨科 Bolbitidaceae 实蕨属 Bolbitis

华南实蕨
Bolbitis subcordata (Cop.) Ching

| 药 材 名 | 华南实蕨（药用部位：全草。别名：凤尾蕨）。

| 形态特征 | 根茎粗而横走，密被鳞片；鳞片卵状披针形，灰棕色，先端渐尖，盾状着生，粗筛孔状，近全缘。叶簇生；叶柄长 30 ~ 60 cm，上面有沟，疏被鳞片；叶二型；不育叶椭圆形，长 20 ~ 50 cm，宽 15 ~ 28 cm，一回羽状；羽片 4 ~ 10 对，下部的对生，近平展，有短柄；顶生羽片基部 3 裂，羽片先端常延长入土生根；侧生羽片阔披针形，长 9 ~ 20 cm，宽 2.5 ~ 5 cm，先端渐尖，基部圆形或圆楔形，叶缘有深波状裂片，半圆的裂片有微锯齿，缺刻内有一明显的尖刺；侧脉明显，开展，小脉在侧脉之间联结成 3 行网眼，内藏小脉有或无，近叶缘的小脉分离；叶草质，干后变黑色，两面光滑；叶轴上面有沟；能育叶与不育叶同形而较小，宽 7 ~ 10 cm；羽片长 6 ~ 8 cm，

宽约 1 cm。孢子囊群初沿网脉分布，后满布能育羽片下面。

| **生境分布** | 生于海拔 300 ~ 1 000 m 的山谷水边密林下石上。分布于湖南永州（江华）、怀化（通道）等。

| **资源情况** | 野生资源稀少。药材来源于野生。

| **采收加工** | 夏、秋季采收，鲜用或晒干。

| **药材性状** | 本品根茎较粗短，直径 1.5 ~ 2.5 cm，表面密生黑褐色鳞片。叶簇生于根茎上，两型，叶柄略扭曲，长 30 ~ 60 cm，被有稀疏鳞片；营养叶叶片长圆形，长 18 ~ 45 cm，宽 15 ~ 28 cm，表面黑色，奇数羽状复叶，羽片 4 ~ 10 对，顶片 3 叉状分裂，侧羽片广披针形，长 9 ~ 20 cm，宽 2.5 ~ 5 cm，有短柄，叶缘深波状，弯曲处常可见肉刺 1；孢子叶较狭小，羽片长 6 ~ 8 cm，宽 0.5 ~ 1 cm。孢子囊群沿叶脉着生。气微，味淡、微涩。

| **功能主治** | 微涩，凉。清热解毒，凉血止血。用于毒蛇咬伤，痢疾，吐血，衄血及外伤出血。

| **用法用量** | 内服煎汤，9 ~ 15 g。外用适量，鲜品捣敷。

肾蕨
Nephrolepis auriculata (L.) Trimen.

药材名

肾蕨（药用部位：全草或根茎、叶）。

形态特征

附生或土生。根茎直立，下部有粗铁丝状的匍匐茎。茎向四方横展，不分枝，疏被鳞片，有纤细的褐棕色须根；匍匐茎上生有近圆形的块茎，密被与根茎上同样的鳞片。叶簇生；叶柄长 6 ~ 11 cm；叶片线状披针形或狭披针形，先端短尖，叶轴两侧被纤维状鳞片，一回羽状；羽片多数，45 ~ 120 对，互生，常密集而呈覆瓦状排列，披针形；叶脉明显，侧脉纤细，自主脉向上斜出，在下部分叉，小脉直达叶边附近，先端具纺锤形水囊；叶坚草质或草质，干后棕绿色或褐棕色，光滑。孢子囊群呈 1 行，位于主脉两侧，肾形，少有圆肾形或近圆形，生于每组侧脉的上侧小脉先端，位于叶边至主脉的1/3处；囊群盖肾形，褐棕色，边缘色较淡，无毛。

生境分布

生于海拔 30 ~ 1 500 m 的溪边林下。分布于湖南株洲（石峰）。

| **资源情况** | 野生资源稀少。药材来源于野生。 |

| **采收加工** | 全年均可采挖块茎，刮去鳞片，洗净，鲜用或晒干；秋季采收全草或叶，洗净，鲜用或晒干。 |

| **功能主治** | 甘、淡、微涩，凉。清热利湿，通淋止咳，消肿解毒。用于感冒发热，肺热咳嗽，黄疸，淋浊，小便涩痛，泄泻，痢疾，带下，疝气，乳痈，瘰疬，烫伤，刀伤，淋巴结炎，体癣，睾丸炎。 |

| **用法用量** | 内服煎汤，6 ～ 15 g，鲜品 30 ～ 60 g。外用适量，鲜全草或根茎捣敷。 |

| **附 注** | 本种接受名为肾蕨 *Nephrolepis cordifolia* (L.) C. Presl。 |

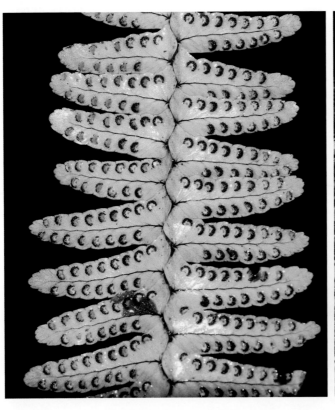

杪椤

Alsophila spinulosa (Wall. ex Hook.) R. M. Tryon

| 药 材 名 | 杪椤（药用部位：根茎）、龙骨风（药用部位：茎）。

| 形态特征 | 茎干高达 6 m 或更高，直径 10 ~ 20 cm，上部有残存的叶柄，向下密被交织的不定根。叶螺旋状排列于茎先端；茎段端和拳卷叶以及叶柄的基部密被鳞片和糠秕状鳞毛；鳞片暗棕色，有光泽，狭披针形，先端褐棕色，刚毛状，两侧有窄而色淡的啮齿状薄边；叶柄长 30 ~ 50 cm，通常棕色或上面色较淡，连同叶轴和羽轴有刺状突起，背面两侧各有一不连续的皮孔线，向上延至叶轴；叶片大，长矩圆形，长 1 ~ 2 m，3 回羽状深裂。叶纸质，干后绿色；羽轴、小羽轴和中脉上面被糙硬毛，下面被灰白色小鳞片。孢子囊群生于侧脉分叉处，靠近中脉，有隔丝，囊托凸起；囊群盖球形，薄膜质，外侧开裂，易

破，成熟时反折覆盖于主脉上面。

| **生境分布** | 生于海拔 100 ~ 1 000 m 的溪边林下草丛或阔叶林下。分布于湖南常德（津市）等。

| **资源情况** | 野生资源稀少。药材来源于野生。

| **采收加工** | 全年均可采收，削去坚硬的外皮，晒干。

| **功能主治** | 苦、涩，平；有小毒。祛风除湿，强筋骨，活血散瘀，清热解毒，驱虫。用于肾虚腰酸，跌打损伤，风湿骨痛，咳嗽痰喘，崩漏，蛔虫病，蛲虫病。

| **用法用量** | 内服煎汤，15 ~ 30 g；或炖肉。外用适量，煎汤洗，或取鲜汁涂搽。

骨碎补科 Davalliaceae 阴石蕨属 Humata

杯盖阴石蕨
Humata griffithiana (Hook.) C. Chr.

| 药 材 名 | 白毛蛇（药用部位：根茎）。

| 形态特征 | 植株高达 40 cm。根茎长而横走，直径约 6 mm，密被蓬松的鳞片；鳞片线状披针形，长 7 ~ 8 mm，基部宽约 1 mm，先端长渐尖，以红棕色的圆形基部盾状着生，黄棕色或棕色，老时渐变为浅灰褐色。叶远生；柄长 10 ~ 15 cm，直径约 1 mm，浅棕色，上面有浅纵沟，光滑；叶片三角状卵形，长 16 ~ 25 cm，宽 14 ~ 18 cm，先端渐尖，基部为 4 回羽裂，中部为 3 回羽裂，向顶部为 2 回羽裂；羽片10 ~ 15 对，互生，基部 1 对近对生，斜向上，彼此接近，基部 1对最大，长 8. 5 ~ 11 cm，宽 4 ~ 8 cm，长三角形，渐尖头，基部不对称，柄长 3 ~ 5 mm，3 回深羽裂；一回小羽片约 10 对，互生，

上先出，有短柄，柄长 2 ~ 3 mm，羽轴上侧的略较短，基部 1 羽片与羽轴平行或覆盖羽轴，基部下侧 1 羽片最大，长 4 ~ 5.5 cm，宽 2 ~ 2.5 cm，椭圆形或长卵形，先端短渐尖，斜展，2 回羽裂；二回小羽片 5 ~ 7 对，互生，上先出，上侧的有时略短，下侧的长 8 ~ 15 mm，宽 5 ~ 6 mm，椭圆形，钝头，基部为不对称的楔形，下延，深羽裂；裂片全缘，先端尖或有小缺刻；从第 2 对羽片起为椭圆状披针形，羽轴基部上侧 1 羽片为深羽裂，其余的下侧为全缘，上侧有 2 ~ 3 裂片；叶脉不甚明显，侧脉单一或分叉，几达叶边；叶革质，干后上面浅褐色，下面棕色，无毛。孢子囊群生于裂片上侧小脉先端，每裂片 1 ~ 3；囊群盖宽杯形，高稍过于宽，两侧边大部着生叶面，棕色，有光泽。

| 生境分布 | 生于树干、岩石上。分布于湖南永州（江永）等。

| 资源情况 | 野生资源稀少。药材来源于野生。

| 功能主治 | 祛风除湿，止血，利尿。用于风湿性关节炎，慢性腰腿痛，腰肌劳损，跌打损伤，骨折，黄疸性肝炎，吐血，便血，血尿。外用于疮疖。

| 附　注 | 本种在 FOC 中被修订为骨碎补科 Davalliaceae 阴石蕨属 *Davallia* 杯盖阴石蕨 *Davallia griffithiana* Hook.。

水龙骨科 Polypodiaceae 节肢蕨属 Arthromeris

节肢蕨
Arthromeris lehmannii (Mett.) Ching

| 药 材 名 | 节肢蕨（药用部位：全草）。

| 形态特征 | 多年生草本，高 20 ~ 50 cm。根茎长而横走，直径 4 ~ 5 mm，被白粉及鳞片；鳞片披针形，长 4 ~ 6 mm，淡黄色、灰白色或白色，基部宽，卵圆形，盾状着生处色较深，窄披针形，有钻状尖头，边缘具睫毛。叶远生，纸质，无毛；叶柄长 10 ~ 20 cm，以关节着生；叶片宽 15 ~ 25 cm，羽状，有一分离的顶生羽片，侧生羽片 3 ~ 8 对，以关节着生于叶轴，顶部具尾头，基部多少呈心形，下侧耳片孢茎，全缘，有膜质阔边；叶脉网状。孢子囊群小，主脉两侧各有 3 行，侧脉间各有 2 行，无盖。

| 生境分布 | 生于海拔 1 500 m 以下的阔叶林中。分布于湖南郴州（宜章、桂东）、永州（双牌）等。

| **资源情况** | 野生资源稀少。药材来源于野生。

| **采收加工** | 全年均可采收，洗净，鲜用或晒干。

| **功能主治** | 活血散瘀，解毒。用于狂犬咬伤。

水龙骨科 Polypodiaceae 节肢蕨属 *Arthromeris*

多羽节肢蕨 *Arthromeris mairei* (Brause) Ching

| 药 材 名 | 凤尾搜山虎（药用部位：根茎）。

| 形态特征 | 多年生草本，高50～70 cm。根茎长而横走，密被淡棕色、具渐尖头、狭披针形鳞片，全缘。叶远生；叶柄长约18 cm，禾秆色，光滑无毛；叶片一回羽状，侧生羽片6～12对或更多，长达14 cm，宽2～2.5 cm，先端长渐尖，基部圆楔形，边缘波状，有狭的软骨质边，顶生羽片常与其下侧羽片相连，无柄，末端1对羽片最大，基部外侧有1长耳状裂片，羽片线状披针形，先端尾尖，基部微狭，无柄，叶片两面光滑；侧脉羽状，在背部隆起。孢子囊群小，圆形，棕色，在侧脉之间有2行，常彼此成对汇合。

| 生境分布 | 生于海拔1000～1600 m的山坡林下。分布于湖南邵阳（绥宁）等。

| **资源情况** | 野生资源稀少。药材主要来源于野生。

| **采收加工** | 秋、冬季采挖，除去泥沙及须根，燎去茸毛，刮去外皮，晒干，或切片晒干。

| **药材性状** | 本品呈长圆柱形，一端钻形，稍弯曲，长 6 ~ 11 cm，宽 1 ~ 1.5 cm。表面暗棕褐色，具凹陷的叶痕、残留鳞片及点状根痕。质坚。味苦、涩。

| **功能主治** | 苦、微涩，微寒；有小毒。祛风活络，泻火通便，利尿。用于风湿筋骨痛，坐骨神经痛，骨折，食积腹胀，便秘，目赤，牙痛，头痛，小便不利，淋浊。

| **用法用量** | 内服煎汤，3 ~ 6 g。

水龙骨科 Polypodiaceae 线蕨属 Colysis

线蕨

Colysis elliptica (Thunb.) Ching

| 药 材 名 |

羊七莲（药用部位：全草）。

| 形 态 特 征 |

高 20 ～ 60 cm。根茎长而横走，密生鳞片；鳞片褐棕色，卵状披针形，先端渐尖，基部圆形，边缘有疏锯齿。叶远生，近二型；营养叶和孢子叶近同形；营养叶的叶柄稍短，裂片较宽，禾秆色，基部密生鳞片，向上光滑，叶片长圆状卵形或卵状披针形，先端圆钝，羽裂深达叶轴，羽片基部狭楔形而下延，在叶轴两侧形成狭翅；孢子叶纸质，较厚，干后稍呈褐棕色，两面无毛。孢子囊群线形，斜向上，在每对侧脉间各排列成 1 行，伸达叶边；囊群盖无。

| 生 境 分 布 |

生于海拔 100 ～ 1 300 m 的林下阴湿处。分布于湖南衡阳（衡山、常宁）、邵阳（新邵）、张家界（永定）、郴州（汝城）、永州（冷水滩）、湘西州（吉首、永顺、保靖）、怀化（沅陵、通道）等。

| 资 源 情 况 |

野生资源较丰富。药材来源于野生。

| **采收加工** | 全年均可采收，洗净，鲜用或晒干。

| **功能主治** | 微苦，凉。活血散瘀，清热利尿。用于跌打损伤，尿路感染，肺结核。

| **用法用量** | 内服煎汤，9 ~ 15 g。外用适量，捣敷。

| **附　　注** | 本种接受名为水线蕨 *Leptochilus ellipticus* (Thunb.) Noot.

水龙骨科 Polypodiaceae 线蕨属 Colysis

胃叶线蕨
Colysis hemitoma (Hance) Ching

| **药 材 名** | 三枝枪（药用部位：全草）。

| **形态特征** | 高 40 ~ 65 cm。根茎长而横生，密被褐黑色、卵状披针形鳞片，先端长渐尖，边缘有小齿。叶远生；叶柄长 15 ~ 40 cm，淡棕色，上部有狭翅，疏被鳞片；叶片草质，阔披针形或戟形，长 13 ~ 25 cm，基部宽 5 ~ 15 cm，先端长渐尖，有 1 对平展的披针形裂片或边缘条裂为 2 ~ 6 对不规则的裂片，少为单叶，上面无毛，下面幼时沿叶脉和叶轴疏被鳞片，基部常下延；裂片线状披针形至线形，长 4.5 ~ 9 cm，宽 8 ~ 18 mm，有时基部不裂，呈阔楔形，全缘或呈浅波状；羽状侧脉明显，略斜展，小脉网状，在每对侧脉之间有 2 行网眼，内藏小脉单一或分叉。孢子囊群线形，着生于网脉上，在每对侧脉之间排成 1 行，连续或偶有中断；囊群盖无。

生境分布	生于海拔 300 ～ 600 m 的山坡林下的阴湿地。分布于湖南郴州（汝城）等。
资源情况	野生资源稀少。药材来源于野生。
采收加工	全年均可采收，洗净，鲜用或晒干。
功能主治	微苦，凉。清热解毒。用于外伤感染。
用法用量	内服煎汤，15 ～ 30 g。外用适量，捣敷。

水龙骨科 Polypodiaceae 线蕨属 Colysis

矩圆线蕨 *Colysis henryi* (Baker) Ching

| **药 材 名** | 矩圆线蕨（药用部位：全草）。

| **形态特征** | 多年生草本，高 30 ~ 70 cm。根茎横生，密被褐色、卵状披针形鳞片，先端渐尖，边缘有细锯齿。叶远生，草质或薄草质；叶柄长 15 ~ 35 cm，禾秆色，以关节着生于根茎；叶片光滑，长圆状披针形或卵状披针形，中部宽 5 ~ 8 cm，先端渐尖或钝圆，向基部急变狭，全缘或略呈微波状；叶脉在斜上的侧脉间呈网状，内藏小脉 1 ~ 2 次分叉或单一。孢子囊群线形，着生于网脉上，在每对侧脉间排列成 1 行，从中脉斜出，多数伸达叶边，无囊群盖。

| **生境分布** | 成片聚生于海拔 600 ~ 1 260 m 的林下或阴湿处。分布于湖南湘西州（吉首、花垣、古丈、永顺、龙山、凤凰）、张家界（慈利、桑植）、

怀化（中方）等。

| **资源情况** | 野生资源一般。药材来源于野生。

| **采收加工** | 全年均可采收，洗净，鲜用或晒干。

| **功能主治** | 甘，微寒。归肺、膀胱经。凉血止血，利湿解毒。用于肺热咯血，尿血，小便淋浊，痈疮肿毒，毒蛇咬伤，风湿痹痛。

| **用法用量** | 内服煎汤，15 ~ 30 g，鲜品 30 ~ 120 g。外用适量，捣敷。

水龙骨科 Polypodiaceae 线蕨属 Colysis

绿叶线蕨 Colysis leveillei (H. Christ) Ching

| 药 材 名 | 狭绿叶线蕨（药用部位：全草）。

| 形态特征 | 多年生草本，高 25 ~ 40 cm。根茎长而横走，黑褐色，密被鳞片；鳞片褐棕色，卵状披针形，先端渐尖，基部圆形，边缘有细齿。叶远生；叶柄长 1 ~ 3 cm，或近无柄，无翅；叶片纸质，狭线形，长 20 ~ 40 cm，宽约 8 mm，先端长渐尖或呈长尾状，中部以下逐渐变狭而下延，几达基部，边缘浅波状；侧脉斜展，小脉网状，每对侧脉之间有 2 行网眼，内藏小脉单一或分叉。孢子囊群线形，着生于网眼上，在每对侧脉之间排成 1 行，从中脉斜出；无囊群盖。

| 生境分布 | 生于海拔 450 ~ 1 250 m 的阴湿的林下。分布于湖南邵阳（邵东）、衡阳（衡东）、怀化（沅陵）等。

| **资源情况** | 野生资源一般。药材主要来源于野生。 |

| **采收加工** | 全年均可采收，洗净，鲜用或晒干。 |

| **功能主治** | 淡、微涩，凉。活血通络，清热利湿。用于跌打损伤，风湿骨痛，热淋，血淋。 |

| **用法用量** | 内服煎汤，6～15 g。外用适量，捣敷。 |

水龙骨科 Polypodiaceae 伏石蕨属 Lemmaphyllum

伏石蕨 Lemmaphyllum microphyllum C. Presl

| **药 材 名** | 螺厣草（药用部位：全草）。

| **形态特征** | 一年生小型附生草本。根茎极细弱，长而横走，平铺于树干或石上，淡绿色，疏被鳞片；鳞片具粗筛孔，先端钻状，下部略近圆形，两侧不规则分叉。叶二型；营养叶有短柄或近无柄，叶片稍肉质，近圆形、卵形或倒卵形，长 1.5 ~ 2 cm，宽 1 ~ 1.5 mm，先端圆或钝，基部近心形或宽楔形，叶面无毛或疏被棕色卵圆形的鳞片，叶脉网状，不明显；孢子叶有柄，叶片窄带状，长 3 ~ 4 cm，宽 3 ~ 4 mm。孢子囊群带状，着生于中肋及叶边之间，有盾状隔丝。

| **生境分布** | 附生于海拔 95 ~ 1 500 m 的林中树干上或岩石上。分布于湖南邵阳（新宁）、益阳（安化）、怀化（沅陵）等。

| **资源情况** | 野生资源稀少。药材主要来源于野生。

| **采收加工** | 全年均可采收，洗净，鲜用或晒干。

| **药材性状** | 本品根茎长而细弱，淡绿色，疏被鳞片；鳞片具粗筛孔，先端钻状，下部略近圆形，两侧不规则分叉。叶二型；营养叶有短柄或近无柄，叶片稍肉质，近圆形、卵形或倒卵形；孢子叶有柄，叶片窄带状。孢子囊群带状，着生于中肋及叶边之间，有盾状隔丝。

| **功能主治** | 辛、微苦，凉。归肺、肝、胃经。清肺止咳，凉血止血，清热解毒。用于肺热咳嗽，肺痈，咯血，吐血，衄血，尿血，便血，崩漏，咽喉肿痛，腮腺炎，痢疾，瘰疬，痈疮肿毒，皮肤湿痒，风火牙痛，风湿骨痛。

| **用法用量** | 内服煎汤，9 ~ 18 g，鲜品 60 ~ 120 g。外用适量，捣汁敷；或研末调敷；或煎汤洗。

水龙骨科 Polypodiaceae 骨牌蕨属 *Lepidogrammitis*

披针骨牌蕨

Lepidogrammitis diversa (Ros.) Ching

| 药 材 名 | 披针骨牌蕨（药用部位：全草）。

| 形态特征 | 植株高 6 ~ 10 cm。根茎细长，横生，绿色，被略褐色、钻状披针形鳞片，鳞片基部圆形，边缘具疏齿。叶远生，近二型；营养叶的叶柄短，长 0.5 ~ 2 cm，叶片阔披针形至椭圆状披针形，长 4.5 ~ 9 cm，中部宽 2 ~ 3 cm，先端尖锐，基部渐狭，下延于叶柄，全缘；孢子叶的叶柄长 3 ~ 4.5 cm，基部有鳞片，叶片披针形或狭披针形，长 8 ~ 9 cm，宽约 1 cm，先端渐尖，基部长楔形，有长柄；中脉在两侧稍隆起，小脉羽状，不明显。孢子囊群圆形，着生于叶背的中部以上，在中脉两侧各排成 1 行，幼时被盾状隔丝覆盖。

| 生境分布 | 附生于海拔 250 ~ 1 700 m 的林缘树干或石上。分布于湖南邵阳（邵

阳、洞口）、怀化（麻阳）、湘西州（花垣、凤凰、龙山）等。

| **资源情况** | 野生资源较少。药材来源于野生。

| **采收加工** | 全年均可采收，洗净，鲜用或晒干。

| **功能主治** | 微苦，凉。清热止咳，祛风除湿，止血。用于小儿高热，肺热咳嗽，风湿性关节炎，外伤出血。

| **用法用量** | 内服煎汤，6 ~ 15 g。外用适量，捣敷。

水龙骨科 Polypodiaceae 骨牌蕨属 Lepidogrammitis

抱石莲

Lepidogrammitis drymoglossoides (Baker) Ching

| 药 材 名 | 抱石莲（药用部位：全草）。

| 形态特征 | 多年生草本。根茎细长横走，直径约 3 mm，淡绿色，疏生顶部长钻形、下部近圆形并呈星芒状的鳞片，具须根。叶远生，相距 1.5 ~ 5 cm，二型，肉质；营养叶卵圆形、倒卵形或矩圆形，长 1 ~ 2 cm，宽 1 ~ 1.5 cm，下面疏被鳞片；孢子叶舌状或倒披针形，长 3 ~ 6 cm，宽不及 1 cm，基部狭缩，几无柄或具短柄，有时与营养叶同形，肉质，上面光滑，下面疏被鳞片。孢子囊群圆形，沿主脉两侧各排列成 1 行，位于主脉与叶边之间，幼时被盾状隔丝覆盖。

| 生境分布 | 附生于海拔 200 ~ 1 400 m 的阴湿树干和岩石上。湖南有广泛分布。

| 资源情况 | 野生资源较少。药材来源于野生。

| **采收加工** | 全年均可采收，除去杂质，鲜用或晒干。

| **药材性状** | 本品被有齿、棕色、钻状披针形鳞片，淡绿色。叶二型；营养叶卵圆形或长椭圆状卵圆形，长 1 ~ 2 cm；孢子叶倒卵形或倒卵状披针形，革质，宽约 1 cm。孢子囊群圆形，黄褐色，沿主脉两侧各排列成 1 行，位于主脉与叶边之间。气微，味淡。

| **功能主治** | 苦，凉。归肺、肝、膀胱经。清热解毒，利湿祛浊，凉血止血。用于咽喉肿痛，肺热咳喘，瘰疬结核，泄泻，咯血，尿血；外用于疗疮肿毒。

| **用法用量** | 内服煎汤，9 ~ 15 g。外用适量，捣敷。

水龙骨科 Polypodiaceae 骨牌蕨属 *Lepidogrammitis*

中间骨牌蕨 *Lepidogrammitis intermedia* Ching

药材名

中间骨牌蕨（药用部位：全草）。

形态特征

多年生草本，高 3 ~ 7 cm。根茎纤细，长而横生，疏被鳞片；鳞片棕色，基部圆卵形，向上急缩成钻形，有粗筛孔，边缘有粗牙印。叶二型；叶柄短；营养叶长圆形至长圆状披针形，长 3 ~ 8 cm，中部宽 1.2 ~ 1.5 cm，向上渐狭，具钝头，向下楔形并下延，全缘；孢子叶狭披针形至线状披针形，与营养叶等长或比营养叶长，宽不及 8 mm，全缘；中脉明显，在两端隆起，两侧各有 3 行网眼，不显著；叶背疏生鳞片。孢子囊群大，近圆形，中脉两侧各有 1 行，成熟时几布满叶背。

生境分布

生于海拔 800 ~ 1 200 m 的山坡林下的岩石上。分布于湖南湘西州（吉首、花垣、永顺、凤凰）等。

资源情况

野生资源较少。药材来源于野生。

| **采收加工** | 全年均可采收，洗净，晒干。

| **功能主治** | 甘、苦，平。归脾经。健脾益气。用于脾虚积食，消化不良，疳积。

| **用法用量** | 内服煎汤，15 ~ 30 g。

水龙骨科 Polypodiaceae 骨牌蕨属 Lepidogrammitis

骨牌蕨 Lepidogrammitis pyriformis (Ching) Ching

| 药 材 名 | 上树咳（药用部位：全草）。

| 形态特征 | 多年生草本，高 4 ~ 10 cm。根茎横生，细长如铁丝，淡绿色，自基部向上疏被钻状披针形鳞片；鳞片边缘有粗齿。叶一型或近二型，远生；叶柄极短或几无；叶片肉质，卵状披针形，长 6 ~ 10 cm，中部宽 1.5 ~ 2.5 cm，先端短尖，基部短楔形；叶脉网状，内藏 1 小脉，少有分叉。孢子囊群背生于叶片中部以上，在中脉两侧各排列成 1 行，接近主脉，通常分离，幼时被盾状隔丝覆盖。

| 生境分布 | 生于海拔 1 900 m 以下的林下石上。分布于湖南衡阳（衡山、常宁）等。

| 资源情况 | 野生资源稀少。药材来源于野生。

| **采收加工** | 全年均可采收，洗净，晒干。

| **药材性状** | 本品根茎细长如铁丝，淡绿色，自基部向上疏被钻状披针形鳞片；鳞片边缘有粗齿。叶柄极短或几无；叶片卵状披针形，先端短尖，基部短楔形。孢子囊群背生于叶片中部以上，在中脉两侧各排列成 1 行，接近主脉，通常分离。

| **功能主治** | 甘、微苦，平。归肺、小肠经。清热利尿，止咳，除烦，解毒消肿。用于癃闭，小便淋沥涩痛，热咳，心烦，疮疡肿痛，跌打损伤。

| **用法用量** | 内服煎汤，15 ~ 24 g。

水龙骨科 Polypodiaceae 鳞果星蕨属 Lepidomicrosorum

鳞果星蕨
Lepidomicrosorum buergerianum (Miq.) Ching

药材名

鳞果星蕨（药用部位：全草）。

形态特征

植株高达 20 cm。根茎细长攀缘，密被深棕色披针形鳞片。叶疏生，近二型，相距 1.5 ~ 3 cm；叶柄长 6 ~ 9 cm，粗壮；能育叶披针形或三角状披针形，长 8 ~ 12 cm，中部宽约 2 cm，向下渐变宽，两侧通常扩大成戟形，基部圆截形，略下延形成狭翅，全缘；不育叶较短，卵状三角形，长约 4 cm，干后纸质，褐绿色，沿主脉下面两侧有一二小鳞片，全缘；主脉在两面隆起，小脉不明显。孢子囊群小，星散分布于主脉下面两侧，幼时被盾状隔丝覆盖。

生境分布

附生于海拔 700 m 的林下树干和岩石上。分布于湖南邵阳（绥宁）、怀化（麻阳）、湘西州（花垣、古丈、凤凰）、张家界（桑植）等。

资源情况

野生资源一般。药材来源于野生。

| 功能主治 | 清热利湿，凉血解毒。

水龙骨科 Polypodiaceae 瓦韦属 Lepisorus

狭叶瓦韦
Lepisorus angustus Ching

| 药 材 名 | 狭叶瓦韦（药用部位：全草）。

| 形态特征 | 植株高 12 ~ 25 cm。根茎横走，密被披针形鳞片；鳞片中部不透明，棕色，边缘有 1 ~ 2 行狭长透明的网眼。叶近生；叶柄长 1.5 ~ 3 cm，禾秆色；叶片狭长披针形，长 10 ~ 22 cm，中部宽 3 ~ 5 mm，具长渐尖头，向基部渐狭并长下延，干后淡绿色或淡黄绿色至灰绿色，革质；主脉在上、下面隆起，小脉不见。孢子囊群椭圆形、圆形或短棒状，聚生于叶片上半部的主脉和叶边之间，幼时被深棕色近圆形的隔丝覆盖。

| 生境分布 | 附生于海拔 900 ~ 2 000 m 的林下树干或岩石上。分布于怀化（洪江）等。

| 资源情况 | 野生资源稀少。药材来源于野生。

| 采收加工 | 夏、秋季采收，洗净，鲜用或晒干。

| 药材性状 | 本品根茎细长，密被黑褐色、筛孔细密、边缘有细齿的卵状钻形鳞片。叶近生或疏生，叶片软革质，上面光滑，下面少被鳞片，狭线形，常向下面稍反卷。孢子囊群椭圆形。

| 功能主治 | 苦，凉。利尿通淋，活血调经，消肿止痛。用于热淋，石淋，月经不调，跌打损伤。

| 用法用量 | 内服煎汤，9 ~ 15 g。外用适量，捣敷。

水龙骨科 Polypodiaceae 瓦韦属 Lepisorus

黄瓦韦
Lepisorus asterolepis (Baker) Ching

| 药 材 名 | 骨牌草（药用部位：全草或根。别名：金鸡尾、大石韦、七星剑）。

| 形态特征 | 植株高 12 ~ 28 cm。根茎长而横走，褐色，密被披针形鳞片；鳞片基部卵状，网眼细密，透明，棕色，老时易从根茎脱落。叶远生或近生；叶柄长 3 ~ 7 cm，禾秆色；叶片阔披针形，长 10 ~ 25 cm，具短圆钝头，下部 1/3 处为最宽，宽 1.2 ~ 3 cm，向基部突然狭缩成楔形并下延，干后两面通常呈黄色或淡黄色，光滑，或下面偶有稀疏贴生鳞片，边缘通常平直，或略呈波状，革质。主脉上下均隆起，小脉隐约可见；孢子囊群圆形或椭圆形，聚生在叶片的上半部，位于主脉与叶边之间，在叶片下面隆起，在叶片背面成穴状凹陷，相距较近，孢子囊群成熟后扩展而彼此密接或接触，幼时被圆形棕色透明的隔丝覆盖。

生境分布	生于海拔1 000 ~ 2 000 m的林下树干或岩石上。分布于湖南怀化（洪江、安江）、湘西州（龙山）、邵阳（新宁、武冈）等。
资源情况	野生资源稀少。药材来源于野生。
采收加工	全年均可采收，洗净，晒干或鲜用。
功能主治	苦，微寒。清热解毒，利尿，止血。用于发热咳嗽，咽喉肿痛，小便淋痛，便秘，疮痈肿毒，外伤出血。
用法用量	内服煎汤，9 ~ 15 g；或捣汁。外用适量，研末撒。

水龙骨科 Polypodiaceae 瓦韦属 Lepisorus

扭瓦韦 *Lepisorus contortus* (Christ) Ching

| **药 材 名** | 一皮草（药用部位：全草）。

| **形态特征** | 高 10 ~ 30 cm。根茎长而横走，密生鳞片；鳞片卵状披针形，中间有不透明、深褐色的狭带，有光泽，边缘具锯齿。叶近生；叶柄长 1 ~ 2 cm，以关节着生于根茎上；叶片革质，线状披针形或披针形，长 9 ~ 23 cm，中部最宽，宽 4 ~ 13 cm，具短尾状渐尖头，基部渐变狭并下延，自然干后常反卷扭曲，上面淡绿色，下面淡灰黄绿色；主脉在两面均隆起，小脉不见。孢子囊群圆形或卵圆形，聚生于叶片中上部的主脉与叶缘之间，幼时被中部褐色、圆形的隔丝覆盖。

| **生境分布** | 附生于海拔 700 ~ 1 800 m 的林下树干或岩石上。分布于湖南湘西州（龙山）等。

| **资源情况** | 野生资源稀少。药材来源于野生。

| **采收加工** | 夏、秋季采收，洗净，晒干。

| **药材性状** | 本品根茎长，密生鳞片；鳞片卵状披针形，边缘具锯齿。叶片革质，线状披针形或披针形，具短尾状渐尖头，基部渐变狭并下延。孢子囊群圆形或卵圆形，聚生于叶片中上部，位于主脉与叶缘之间。

| **功能主治** | 微苦，微寒。清热解毒，活血止痛。用于烫火伤，化脓性炎症，热淋涩痛，咽喉肿痛，跌打损伤，外伤出血。

| **用法用量** | 内服煎汤，9 ~ 15 g。外用适量，捣敷。

水龙骨科 Polypodiaceae 瓦韦属 Lepisorus

庐山瓦韦 Lepisorus lewisii (Baker) Ching

| **药 材 名** | 庐山瓦韦（药用部位：全草）。

| **形态特征** | 植株高 10 ~ 15 cm。根茎长而横生，连同叶柄基部被黑褐色、披针状钻形鳞片；鳞片基部卵圆形，边缘具微齿。叶近生；叶柄长 1 ~ 2 cm，无毛；叶片革质，线形，长 6 ~ 12 cm，宽 2 ~ 3 mm，具钝头，基部两侧下延几达叶柄基部，下面沿中脉两侧偶有小鳞片，边缘反卷成念珠状；中脉在两面稍隆起，侧脉不明显，小脉网状，内藏小脉分叉。孢子囊群卵圆形或长圆形，背生于中脉与叶边中央，常被反卷的叶缘覆盖一半，使叶片的能育部分呈念珠状；幼时被盾状隔丝覆盖。

| **生境分布** | 附生于海拔 280 ~ 1 100 m 的林下或溪边岩石缝中。分布于湖南邵

阳（武冈）、衡阳（常宁）等。

| **资源情况** | 野生资源稀少。药材来源于野生。

| **采收加工** | 全年均可采收，洗净，晒干。

| **功能主治** | 苦，平。清热利湿，消肿止痛。用于感冒咳嗽，腹泻，小便淋痛，跌打损伤。

| **用法用量** | 内服煎汤，9 ～ 15 g。外用适量，捣敷。

水龙骨科 Polypodiaceae 瓦韦属 Lepisorus

大瓦韦

Lepisorus macrosphaerus (Baker) Ching

| 药 材 名 | 大瓦韦（药用部位：全草。别名：金尾凤尾草、凤尾金星、岩巫散）。

| 形态特征 | 植株高 20 ~ 40 cm。根茎横走，密生鳞片；鳞片棕色，卵圆形，先端钝圆，中部网眼近长方形，其壁略加厚，颜色较深，边缘的网眼近多边形，色淡，老时易脱落。叶近生；叶柄长一般 4 ~ 15 cm，多为禾秆色；叶片呈披针形或狭长披针形，长 15 ~ 35 cm，中部最宽处 1.5 ~ 4 cm，短尾状渐尖头，基部渐变狭并下延，全缘或略呈波状，干后上面黄绿色或褐色，下面灰绿色或淡棕色，厚革质，下面常覆盖少量鳞片；主脉上下均隆起，小脉通常不显。孢子囊群圆形或椭圆形，在叶片下面高高隆起，而在叶片背面成穴状凹陷，紧靠叶边着生，彼此间相距变化很大，远的距离约 1 cm，近的彼此相接，甚至二者扩展为一，幼时被圆形棕色全缘的隔丝覆盖。

| **生境分布** | 生于海拔 1 340 ~ 1 800 m 的林下树干或岩石上。分布于湖南邵阳（新宁）、常德（石门）、张家界（桑植）、湘西州（永顺）等。 |

| **资源情况** | 野生资源稀少。药材来源于野生。 |

| **采收加工** | 全年均可采收，洗净，晒干。 |

| **功能主治** | 苦，凉。清热解毒，利尿祛湿，止血。用于暴赤火眼，翳膜遮睛，热淋，水肿，血崩，月经不调，疔疮痈毒，外伤出血。 |

| **用法用量** | 内服煎汤，9 ~ 15 g。外用适量，捣敷；或煎汤洗。 |

水龙骨科 Polypodiaceae　瓦韦属 Lepisorus

粤瓦韦
Lepisorus obscure-venulosus (Hayata) Ching

| 药 材 名 | 粤瓦韦（药用部位：全草。别名：剑丹、七星草、骨牌草）。

| 形态特征 | 高 25 ~ 40 cm。根茎横生，被黑色、卵状披针形鳞片；鳞片先端长渐尖，边缘具微齿，最后脱落。叶远生；叶柄长 3 ~ 6 cm，基部被鳞片，黑褐色，向上无毛；叶片革质，狭披针形，长 25 ~ 35 cm，宽 2 ~ 3 cm，中部以下最宽，两端渐狭，先端长渐尖或呈尾状，基部楔形，全缘，深绿色，上面有斑点状水囊，下面沿中脉附近疏生鳞片，干后略反卷；中脉在两侧稍隆起，侧脉不明显。孢子囊群圆形，橙黄色，在中脉两侧各排成 1 行，位于中脉与叶边中央。

| 生境分布 | 附生于海拔 400 ~ 1 700 m 的林下树干或岩石上。分布于湖南张家界（武陵源）、郴州（宜章、临武）、永州（双牌）、怀化（芷江、

洪江、沅陵）、株洲（渌口）等。

| 资源情况 | 野生资源一般。药材来源于野生。

| 采收加工 | 6～10月采收，洗净，晒干。

| 功能主治 | 苦，凉。归肝、脾、膀胱经。清热解毒，通淋，止血。用于咽喉肿痛，痈肿疮疡，烫火伤，蛇咬伤，小儿惊风，呕吐腹泻，热淋，吐血。

| 用法用量 | 内服煎汤，10～60 g。外用适量，捣敷。

水龙骨科 Polypodiaceae 瓦韦属 Lepisorus

鳞瓦韦 *Lepisorus oligolepidus* (Baker) Ching

| 药 材 名 | 鳞瓦韦（药用部位：全草。别名：剑刀草、镰刀草、两面刀）。

| 形态特征 | 植株高 10 ~ 20 cm。根茎横走，密被披针形鳞片；鳞片中部褐色，不透明，边缘 1 ~ 2 行网眼淡棕色，透明，具锯齿。叶略近生；叶柄长 2 ~ 3 cm，禾秆色，粗壮；叶片披针形至卵状披针形，中部或近下部 1/3 处为最宽，宽 1.5 ~ 3.5 cm，长 8 ~ 18 cm，渐尖头，向基部渐变狭并下延，下面被有深棕色透明的披针形鳞片，上面光滑，干后淡黄绿色，软革质。叶脉粗壮，上下均隆起，小脉不见。孢子囊群圆形或椭圆形，其直径达 5 mm，彼此密接，聚生于叶片上半部狭缩区域，最先端不育，位于主脉与叶边之间，幼时被圆形深棕色隔丝覆盖。

| **生境分布** | 生于海拔 170 ~ 2 000 m 的山坡阴处或林下树干上或岩石缝中。分布于湖南怀化（洪江）等。

| **资源情况** | 野生资源稀少。药材来源于野生。

| **采收加工** | 夏、秋季采收，洗净，晒干。

| **功能主治** | 苦、涩，平。清肺止咳，健脾消疳，止痛，止血。用于肺热咳嗽，头痛，腹痛，风湿痛，疳积，外伤出血。

| **用法用量** | 内服煎汤，9 ~ 15 g。外用适量，捣敷。

水龙骨科 Polypodiaceae 瓦韦属 Lepisorus

瓦韦

Lepisorus thunbergianus (Kaulf.) Ching

| 药 材 名 | 瓦韦（药用部位：全草）。

| 形态特征 | 植株高 8 ~ 20 cm。根茎横走，密被披针形鳞片；鳞片褐棕色，大部分不透明，仅叶边 1 ~ 2 行网眼透明，具锯齿。叶远生；叶柄长 1 ~ 3 cm，禾秆色；叶片线状披针形或狭披针形，长 10 ~ 20 cm，中部最宽，宽 0.5 ~ 1.3 cm，具渐尖头，基部渐变狭并下延，干后黄绿色至淡黄绿色或淡绿色至褐色，纸质；主脉在上、下均隆起，小脉不见。孢子囊群圆形或椭圆形，位于中脉与叶边之间，稍靠近叶边，彼此相距较近，成熟后扩展，几密接，幼时被圆形褐棕色的隔丝覆盖。

| 生境分布 | 附生于海拔 400 ~ 2 000 m 的山坡林下或岩石上。湖南各地均有分布。

| **资源情况** | 野生资源丰富。药材来源于野生。

| **采收加工** | 夏、秋季采收，洗净，鲜用或晒干。

| **药材性状** | 本品根茎圆柱状，外被须根及黑色鳞片。叶线状披针形，皱缩卷曲，沿两边向背面反卷，宽 6 ~ 13 mm，纸质。孢子囊群近圆形，直径约 3 mm，排列在主脉两侧。味淡，根茎味苦。

| **功能主治** | 苦，寒。归肝、脾、膀胱经。清热解毒，利尿通淋，止血。用于小儿高热，惊风，咽喉肿痛，痈肿疮疡，毒蛇咬伤，小便淋沥不畅，尿血，咳嗽咯血。

| **用法用量** | 内服煎汤，9 ~ 15 g。外用适量，捣敷。

水龙骨科 Polypodiaceae 瓦韦属 Lepisorus

阔叶瓦韦
Lepisorus tosaensis (Makino) H. Ito

| 药 材 名 | 阔叶瓦韦（药用部位：全草）。

| 形态特征 | 高 15 ~ 30 cm。根茎短促横卧，密被卵状披针形鳞片；鳞片深棕色，大部分不透明，仅边缘有 1 ~ 2 行淡棕色透明的细胞。叶簇生或近生；叶柄长 1 ~ 5 cm，禾秆色；叶片披针形，中部最宽，宽 1 ~ 2 cm，向两端渐变狭，先端具渐尖头，基部渐狭并下延，长（10 ~）13 ~ 20 cm，干后淡棕色或灰绿色，革质，两面光滑无毛；主脉在上、下均隆起，小脉不见。孢子囊群圆形，聚生于叶片上半部的主脉与叶缘之间，幼时被淡棕色圆形的隔丝覆盖。

| 生境分布 | 附生于海拔 750 ~ 1 700 m 的林下或山坡背阴处的岩石缝中。分布于湖南怀化（辰溪）、湘西州（永顺）等。

| **资源情况** | 野生资源稀少。药材来源于野生。

| **功能主治** | 利尿通淋。用于淋浊，小便淋痛。

水龙骨科 Polypodiaceae 瓦韦属 Lepisorus

乌苏里瓦韦

Lepisorus ussuriensis (Regel et Maack) Ching

| 药 材 名 | 乌苏里瓦韦（药用部位：全草）。

| 形态特征 | 高 10 ~ 15 cm。根茎细长横走，密被鳞片；鳞片披针形，褐色，边缘有细齿，基部扩展成近圆形，胞壁加厚，网眼大而透明，长方形，近等直径，向上突然狭缩，具长的芒状尖。叶着生变化较大，相距 3 ~ 22 mm；叶柄长 1.5 ~ 5 cm，禾秆色或淡棕色至褐色，光滑无毛；叶片线状披针形，长 4 ~ 13 cm，中部宽 0.5 ~ 1 cm，向两端渐变狭，具短渐尖头或圆钝头，基部楔形下延，干后上面淡绿色，下面淡黄绿色，或两面均为淡棕色，边缘略反卷，纸质或近革质；主脉在上、下面均隆起，小脉不明显。孢子囊群圆形，位于主脉和叶边之间，彼此相距 1 ~ 1.5 个孢子囊群，幼时被星芒状褐色隔丝覆盖。

| **生境分布** | 附生于海拔 750 ~ 1 700 m 的林下或山坡背阴处的岩石缝中。分布于湖南怀化（辰溪）、湘西州（永顺）等。 |

| **资源情况** | 野生资源稀少。药材来源于野生。 |

| **采收加工** | 夏季采收，除去泥沙，洗净，晒干。 |

| **功能主治** | 苦，平。清热解毒，利尿，止咳，止血。用于小便不利，小便淋痛，水肿，尿血，湿热痢疾，肺热咳嗽，哮喘，咽喉肿痛，疮疡肿毒，风湿疼痛，月经不调，跌打损伤，刀伤出血。 |

| **用法用量** | 内服煎汤，9 ~ 15 g。外用适量，捣敷。 |

水龙骨科 Polypodiaceae 星蕨属 Microsorum

江南星蕨
Microsorum fortunei (T. Moore) Ching

| 药 材 名 | 大叶骨牌草（药用部位：全草）。

| 形态特征 | 附生植物，高 30 ~ 100 cm。根茎长而横走，顶部被鳞片；鳞片棕褐色，卵状三角形，先端锐尖，基部圆形，有疏齿，筛孔较密，盾状着生，易脱落。叶远生，相距 1.5 cm；叶柄长 5 ~ 20 cm，禾秆色，上面有浅沟，基部疏被鳞片，向上近光滑；叶片线状披针形至披针形，长 25 ~ 60 cm，宽 1.5 ~ 7 cm，先端长渐尖，基部渐狭，下延于叶柄并形成狭翅，全缘，有软骨质的边；中脉在两面明显隆起，侧脉不明显，小脉网状，略可见，内藏小脉分叉；叶厚纸质，下面淡绿色或灰绿色，两面无毛，幼时下面沿中脉两侧偶有极少数鳞片。孢子囊群大，圆形，沿中脉两侧排列成较整齐的 1 行或不规则的 2 行，靠近中脉。孢子豆形，周壁具不规则折皱。

| 生境分布 | 附生于海拔 300 ～ 1 800 m 的林下溪边的岩石上或树干上。湖南各地均有分布。

| 资源情况 | 野生资源丰富。药材来源于野生。

| 采收加工 | 全年均可采收，洗净，鲜用或晒干。

| 功能主治 | 苦，寒。归肝、脾、心、肺经。清热利湿，凉血解毒。用于热淋，小便不利，赤白带下，痢疾，黄疸，咯血，衄血，痔疮出血，瘰疬结核，痈肿疮毒，毒蛇咬伤，风湿疼痛，跌打骨折。

| 用法用量 | 内服煎汤，15 ～ 30 g。外用适量，捣敷。

水龙骨科 Polypodiaceae 星蕨属 Microsorum

膜叶星蕨
Microsorum membranaceum (D. Don) Ching

| 药 材 名 | 大叶包针（药用部位：全草）。

| 形态特征 | 附生或很少土生，植株高 50 ~ 80 cm。根茎横走，粗壮，直径 0.6 ~ 1.2 cm，密被鳞片；鳞片暗褐色，卵形至三角形，长 2 ~ 4 mm，宽 1 ~ 2 mm，具渐尖头，近全缘，粗筛孔状，呈盾状着生。叶近生或近簇生；叶柄短，长 1 ~ 2 cm，直径约 5 mm，具棱，横切面近三角形，禾秆色，基部被鳞片；叶片阔披针形至椭圆状披针形，长 50 ~ 80 cm，中部最宽可达 14 cm，先端渐尖，基部下延成狭翅，几达叶柄基部，全缘或略呈波状；叶干后绿色，膜质或薄纸质；主脉在下面隆起，有锐脊，侧脉明显，近平展，每对侧脉间有 4 ~ 6 横脉，横脉在主脉两侧各构成 4 ~ 7 近四边形的大网眼，小脉在大

网眼中联结成小网眼，内藏小脉分叉。孢子囊群小，圆形，着生于叶片小脉连接处，不规则地散布于侧脉间；孢子囊隔丝通常小，不明显；孢子豆形，周壁具孔穴状不规则折皱。

| 生境分布 | 附生于海拔 2 000 m 左右的树干或岩石上。分布于湖南湘西州（龙山）等。

| 资源情况 | 野生资源稀少。药材来源于野生。

| 采收加工 | 全年均可采收，洗净，鲜用或晒干。

| 功能主治 | 苦，寒。清热利尿，散瘀消肿，止血。用于膀胱炎，尿道炎，跌打损伤，外伤出血，疗疮痈肿。

| 用法用量 | 内服煎汤，10 ~ 15 g。外用适量，捣敷。

水龙骨科 Polypodiaceae 星蕨属 Microsorum

羽裂星蕨
Microsorum insigne (Blume) Copel.

| 药 材 名 | 羽裂星蕨（药用部位：全草。别名：观音莲、海草）。

| 形态特征 | 植株高 40 ～ 100 cm。根茎粗短，横走，肉质，密生须根，疏被鳞片；鳞片淡棕色，卵形至披针形，基部阔圆形，筛孔较密。叶疏生或近生；一回羽状或分叉，有时为单叶；叶柄长 20 ～ 50 cm，禾秆色，干后上面有沟槽，横切面为龙骨状，两侧有翅，下延近达基部，基部疏被鳞片，向上光滑；叶片卵形或长卵形，长 20 ～ 50 cm，宽 15 ～ 30 cm，羽状深裂，叶轴两侧有宽约 1 cm 的阔翅；裂片 1 ～ 12 对，对生，斜展，线状披针形，基部 1 对较大，长 15 ～ 30 cm，宽 4 ～ 6 cm，先端渐尖或短渐尖，基部略狭，全缘或略呈波状，其余各对向上逐渐缩短，顶生裂片与侧生裂片同形；单一的叶片长椭圆形，全缘；主脉两面隆起，侧脉明显，曲折，仅伸达距叶边 2/3 处，

小脉网状，不甚明显，内藏小脉单一或分叉；叶纸质，干后绿色，两面无毛，近无鳞片。孢子囊群近圆形或长圆形，小而散生，着生于叶片网脉连接处，有时沿网脉延伸而多少汇合。孢子豆形，周壁浅瘤状，具球形颗粒状纹饰。

| **生境分布** | 生于海拔 600 ~ 800 m 的林下沟边岩石上或山坡阔叶林下。分布于湖南张家界（桑植）、湘西州（古丈）等。

| **资源情况** | 野生资源稀少。药材来源于野生。

| **采收加工** | 全年均可采收，洗净，鲜用或晒干。

| **功能主治** | 苦、涩，平。活血，祛湿，解毒。用于关节痛，跌打损伤，疝气，无名肿毒。

| **用法用量** | 内服煎汤，3 ~ 9 g。外用适量，捣敷；或研末调敷。

水龙骨科 Polypodiaceae 星蕨属 Microsorum

星蕨

Microsorum punctatum (L.) Copel.

| 药 材 名 | 星蕨（药用部位：全草）。

| 形态特征 | 附生植物，高 40 ～ 60 cm。根茎短而横走，粗壮，密生须根，疏被鳞片；鳞片阔卵形，基部阔，呈圆形，先端急尖，边缘稍具齿，盾状着生，粗筛孔状，暗棕色，中部色较深，易脱落。叶近簇生；叶柄粗壮，短或近无，禾秆色，基部疏被鳞片，有沟；叶片阔线状披针形，长 35 ～ 55 cm，宽 5 ～ 8 cm，先端渐尖，基部长渐狭而形成狭翅、圆楔形或近耳形，全缘或有时略呈不规则的波状；侧脉纤细而曲折，在两面均可见，相距 1.5 cm，小脉联结成多数不整齐的网眼，网眼在两面均不明显，在光下清晰可见，内藏小脉分叉；叶纸质，淡绿色。孢子囊群直径约 1 mm，橙黄色，通常仅叶片上部能育，不规则散生或不规则汇合，一般生于内藏小脉的先端。孢子豆

形，周壁平坦至浅瘤状。

| **生境分布** | 生于海拔 500 ~ 1 000 m 的林中树干或墙壁石上。分布于湖南郴州（桂东）等。

| **资源情况** | 野生资源稀少。药材来源于野生。

| **采收加工** | 全年均可采收，洗净，鲜用或晒干。

| **功能主治** | 微苦，凉。清热利尿。用于尿路感染，痢疾等。

| **用法用量** | 内服煎汤，10 ~ 30 g。

水龙骨科 Polypodiaceae 星蕨属 Microsorum

广叶星蕨

Microsorum steerei (Harr.) Ching

| 药 材 名 | 广叶星蕨（药用部位：全草）。

| 形态特征 | 附生植物，高 40 ~ 60 cm。根茎短而横走，粗壮，有环形维管束鞘和星散的厚壁组织，密生鳞片；鳞片披针形，长 3 ~ 4 mm，先端渐尖，边缘稍具齿，浅褐色。叶近簇生；叶柄粗壮，短或近无，禾秆色，基部疏被鳞片，有沟；叶片阔线状披针形，长 35 ~ 55 cm，宽 5 ~ 8 cm，先端渐尖，基部长渐狭而形成狭翅、圆楔形或近耳形，全缘或有时略呈不规则的波状；侧脉纤细而曲折，在两面均可见，相距 1.5 cm，小脉联结成多数不整齐的网眼，网眼在两面均不明显，在光下清晰可见，内藏小脉分叉；叶纸质，淡绿色。孢子囊群直径约 1 mm，橙黄色，叶片上部 2/3 能育，不规则散生或不规则汇合，一般生于内藏小脉的先端。孢子豆形，周壁浅瘤状。

| **生境分布** | 附生于疏林树干或溪边的岩石上。分布于湖南郴州（汝城）等。

| **资源情况** | 野生资源稀少。药材来源于野生。

| **采收加工** | 全年均可采收，洗净，鲜用或晒干。

| **功能主治** | 清热利尿，消肿止痛。用于小便涩痛，淋浊，风湿骨痛，疳积，跌打损伤，脾脏肿大。

水龙骨科 Polypodiaceae 盾蕨属 Neolepisorus

盾蕨
Neolepisorus ovatus (Bedd.) Ching

| 药 材 名 | 大金刀（药用部位：全草）。

| 形态特征 | 植株高 20 ~ 40 cm。根茎横走，密生鳞片；鳞片卵状披针形，具长渐尖头，边缘有疏锯齿。叶远生；叶柄长 10 ~ 20 cm，密被鳞片；叶片卵状，基部圆形，宽 7 ~ 12 cm，具渐尖头，全缘或下部多少分裂，干后厚纸质，上面光滑，下面多少有小鳞片；主脉隆起，侧脉明显，开展，直达叶边，小脉网状，有分叉的内藏小脉。孢子囊群圆形，沿主脉两侧排成不整齐的多行或在侧脉间排成不整齐的 1 行，幼时被盾状隔丝覆盖。

| 生境分布 | 生于海拔 500 ~ 2 000 m 的山地林下。湖南有广泛分布。

| 资源情况 | 野生资源丰富。药材来源于野生。

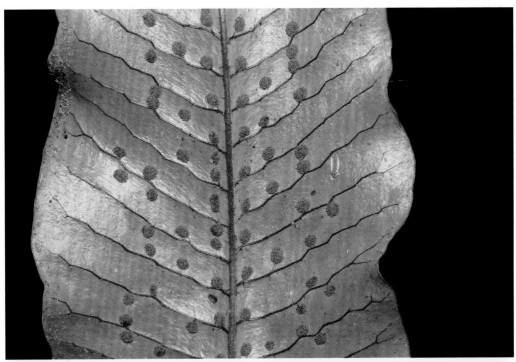

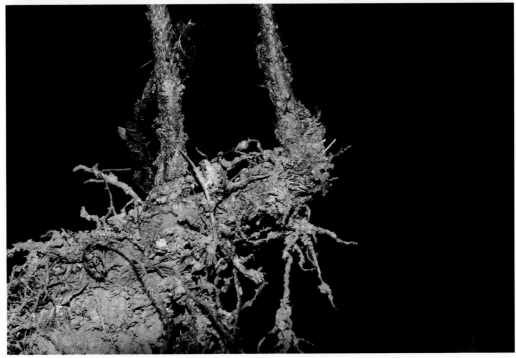

| **采收加工** | 全年均可采收，洗净，鲜用或晒干。

| **功能主治** | 清热利湿，止血，解毒。用于热淋，小便不利，尿血，肺痨咯血，吐血，外伤出血，痈肿，烫火伤。

| **用法用量** | 内服煎汤，15 ~ 30 g；或浸酒。外用适量，鲜品捣敷；或干品研末调敷。

水龙骨科 Polypodiaceae 盾蕨属 Neolepisorus

三角叶盾蕨
Neolepisorus ovatus (Bedd.) Ching f. *deltoideus* (Baker) Ching

| 药 材 名 | 大金刀（药用部位：全草）。

| 形态特征 | 叶片三角形，不规则浅裂或羽状深裂，裂片 1 至多对，披针形，彼此有阔的间隔分开，基部以阔翅（宽约 1 cm）相连。

| 生境分布 | 生于海拔 500 ~ 2 000 m 的山地林下。分布于湖南张家界（慈利）、怀化（沅陵、溆浦）等。

| 资源情况 | 野生资源较少。药材来源于野生。

| 采收加工 | 全年均可采收，洗净，鲜用或晒干。

| 功能主治 | 清热利湿，止血，解毒。用于热淋，小便不利，尿血，肺痨咯血，

吐血，外伤出血，痈肿，烫火伤。

| **用法用量** | 内服煎汤，15 ~ 30 g；或浸酒。外用适量，鲜品捣敷；或干品研末调敷。

水龙骨科 Polypodiaceae 假瘤蕨属 Phymatopteris

交连假瘤蕨 Phymatopteris conjuncta (Ching) Pic. Serm.

| 药 材 名 |

交连假瘤蕨（药用部位：根茎）。

| 形 态 特 征 |

附生植物。植株高 15 ～ 20 cm。根茎长而横走，直径约 3 mm，密被鳞片；鳞片披针形，长 4 ～ 5 mm，通常盾状着生处黑色，其余部分棕色或灰棕色，先端渐尖，边缘具睫毛。叶远生；叶柄长 5 ～ 10 cm，禾秆色，光滑无毛；叶片羽状深裂，长 10 ～ 15 cm，宽 6 ～ 12 cm，基部心形；裂片 2 ～ 4 对，基部 1 对反折，卵状披针形，长 5 ～ 8 cm，宽 1.5 ～ 2 cm，先端短渐尖或钝圆，基部略收缩或不收缩，边缘具突尖的锯齿。侧脉明显，小脉不明显。叶革质，两面光滑无毛。孢子囊群圆形，在裂片中脉两侧各成 1 行，靠近中脉着生。

| 生 境 分 布 |

生于海拔 1 550 m 以上的石上或树干上。分布于湖南邵阳（洞口）等。

| 资 源 情 况 |

野生资源稀少。药材来源于野生。

| **采收加工** | 全年均可采收，除去须根，洗净，鲜用或晒干。

| **功能主治** | 清热解毒，行气利湿。用于尿路感染，尿血，泄泻，痢疾，风湿痹痛，消化不良。

| **用法用量** | 内服煎汤，9 ~ 15 g。

水龙骨科 Polypodiaceae 假瘤蕨属 *Phymatopteris*

金鸡脚假瘤蕨
Phymatopteris hastata (Thunb.) Pic. Serm.

| 药 材 名 | 金鸡脚（药用部位：全草）。

| 形态特征 | 土生植物。根茎长而横走,密被鳞片;鳞片披针形,棕色,先端长渐尖,全缘或偶有疏齿。叶远生;叶柄长 2 ~ 20 cm,禾秆色,光滑无毛。叶片为单叶,形态变化极大,不分裂或戟状 2 ~ 3 分裂;不分裂叶卵圆形至长条形,长 2 ~ 20 cm,宽 1 ~ 2 cm,先端短渐尖或钝圆,基部楔形至圆形;分裂叶裂片或长或短,或宽或狭,通常中间裂片较长和较宽;叶片（或裂片）边缘具缺刻和加厚的软骨质边,通直或呈波状。中脉和侧脉在两面明显,侧脉不达叶边,小脉不明显。叶纸质或草质,背面通常灰白色,两面光滑无毛。孢子囊群大,圆形,在叶片中脉或裂片中脉两侧各成 1 行,着生于中脉与叶缘之间。

孢子表面具刺状突起。

| **生境分布** | 生于海拔 200 ～ 2 000 m 的林下或少阴处。湖南有广泛分布。

| **资源情况** | 野生资源稀少。药材来源于野生。

| **采收加工** | 全年均可采收，除去杂质，洗净，鲜用或晒干。

| **功能主治** | 甘、微苦、微辛，凉。清热解毒，祛风镇惊，利水通淋。用于外感热病，肺热咳嗽，咽喉肿痛，小儿惊风，痈肿疮毒，蛇虫咬伤，烫火伤，痢疾，泄泻，小便淋浊。

| **用法用量** | 内服煎汤，15 ～ 30 g，大剂量可用至 60 g，鲜品加倍。外用适量，研末撒；或鲜品捣敷。

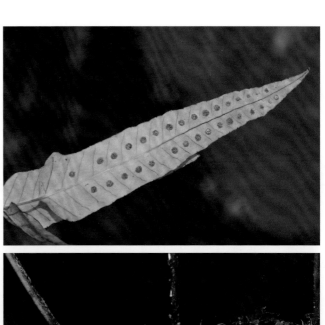

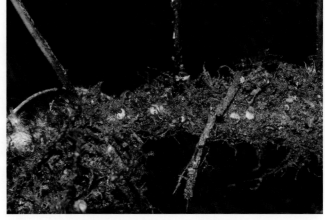

水龙骨科 Polypodiaceae 水龙骨属 Polypodiodes

友水龙骨

Polypodiodes amoena (Wall. ex Mett.) Ching

| 药 材 名 | 友水龙骨（药用部位：根茎）。

| 形态特征 | 附生植物。根茎横走，直径 5 ~ 7 mm，密被鳞片；鳞片披针形，暗棕色，基部阔，盾状着生，上部渐尖，边缘有细齿。叶远生；叶柄长 30 ~ 40 cm，禾秆色，光滑无毛；叶片卵状披针形，长 40 ~ 50 cm，宽 20 ~ 25 cm，羽状深裂，基部略收缩，先端羽裂渐尖；裂片 20 ~ 25 对，披针形，长 10 ~ 13 cm，宽 1.5 ~ 2 cm，先端渐尖，边缘有锯齿，基部 1 ~ 2 对裂片向后反折。叶脉极明显，网状，在叶轴两侧各具 1 行狭长网眼，在裂片中脉两侧各具 1 ~ 2 行网眼，内行网眼具内藏小脉，分离的小脉先端具水囊，几达裂片边缘。叶厚纸质，干后黄绿色，两面无毛，背面叶轴及裂片中脉具较多褐色

的披针形鳞片。孢子囊群圆形，在裂片中脉两侧各 1 行，着生于内藏小脉先端，位于中脉与边缘之间，无盖。

| **生境分布** | 生于海拔 1 000 m 以上的石上或大树干基部。分布于湖南张家界（永定）、郴州（桂阳、宜章、临武）、永州（东安）、怀化（洪江）、娄底（新化）、常德（石门）、湘西州（凤凰）、长沙（浏阳）等。

| **资源情况** | 野生资源较少。药材来源于野生。

| **功能主治** | 清热解毒，祛风除湿。用于风湿关节痛，咳嗽，小儿高热；外用于背痛，无名肿毒，骨折。

水龙骨科 Polypodiaceae 水龙骨属 Polypodiodes

日本水龙骨
Polypodiodes niponica (Mett.) Ching

| 药 材 名 | 水龙骨（药用部位：根茎）。

| 形态特征 | 植株高 10 ~ 40 cm。根茎长而横生，分叉，通常光秃而有白粉，先端被卵圆状披针形鳞片，长渐尖，边缘有细锯齿，盾状着生。叶远生；叶柄长 5 ~ 20 cm，以关节着生于根茎。叶片薄纸质，长圆状披针形，长 8 ~ 20 cm，宽 4 ~ 8 cm，向顶部渐狭，常有短尾头，两面密被灰白色短柔毛，羽状深裂几达叶轴；裂片全缘，具钝头或短尖头，基部 1 对裂片斜向下。叶脉网状，沿中脉两侧各有 1 行网眼。孢子囊群圆形，生于内藏小脉先端，在中脉两侧各成 1 行，无盖。

| 生境分布 | 生于海拔 1 000 ~ 1 600 m 的树干上或石上。分布于湖南衡阳（衡山、常宁）、张家界（慈利）、怀化（溆浦）等。

| 资源情况 | 野生资源较少。药材来源于野生。

| 采收加工 | 全年均可采挖，洗净，鲜用或晒干。

| 功能主治 | 苦，凉。清热利湿，活血通络。用于小便淋浊，泄泻，痢疾，风湿痹痛，跌打损伤。

| 用法用量 | 内服煎汤，15 ~ 30 g。外用适量，煎汤洗；或鲜品捣敷。

水龙骨科 Polypodiaceae 石韦属 Pyrrosia

相近石韦

Pyrrosia assimilis (Baker) Ching

药 材 名	相异石韦（药用部位：叶）。
形态特征	植株高 5 ～ 15（～ 20） cm。根茎长而横走，密被线状披针形鳞片；鳞片边缘睫毛状，中部近黑褐色。叶近生，一型，无柄；叶片线形，长度变化很大，通常为 6 ～ 20（～ 26） cm，上半部通常较宽，宽达 2 ～ 10 mm，具钝圆头，向下直到与根茎连接处几不变狭而呈带状，干后淡棕色，纸质，上面疏被星状毛，下面密被绒毛状长臂星状毛。主脉粗壮，在下面明显隆起，在上面稍凹陷，侧脉与小脉均不明显。孢子囊群聚生于叶片上半部，无盖，幼时被星状毛覆盖，成熟时扩散并汇合而布满叶片下面。
生境分布	生于海拔 270 ～ 950 m 的山坡林下阴湿岩石上。分布于湖南郴州（临

武）、益阳（安化）等。

| **资源情况** | 野生资源稀少。药材来源于野生。

| **功能主治** | 苦、涩，凉。清热，镇惊，利尿，止血。用于癫痫，小儿惊风，淋证，外伤出血，肺热咳嗽。

水龙骨科 Polypodiaceae 石韦属 Pyrrosia

光石韦 *Pyrrosia calvata* (Baker) Ching

药 材 名

光石韦（药用部位：全草）。

形态特征

植株高 25 ~ 70 cm。根茎短粗，横卧，被狭披针形鳞片；鳞片具长尾状渐尖头，边缘具睫毛，棕色，近膜质。叶近生，一型；叶柄长 6 ~ 15 cm，木质，禾秆色，基部密被鳞片和长臂状的深棕色星状毛，向上疏被星状毛。叶片狭长披针形，长 25 ~ 60 cm，中部最宽处宽 2 ~ 5 cm，向两端渐变狭，具长尾状渐尖头，基部狭楔形并长下延，全缘，干后硬革质，上面棕色，光滑，有黑色点状斑点，下面淡棕色，幼时被 2 层星状毛，上层的毛为长臂状淡棕色，下层的毛呈细长、卷曲的灰白色绒毛状，老时毛大多数脱落。主脉粗壮，在下面呈圆形隆起，在上面略下陷，侧脉通常可见，小脉时隐时现。孢子囊群近圆形，聚生于叶片上半部，成熟时扩张并略汇合，无盖，幼时略被星状毛覆盖。

生境分布

生于海拔 400 ~ 1 800 m 的林下树干上或岩石上。分布于湖南怀化（麻阳）、湘西州（吉首、花垣）等。

| **资源情况** | 野生资源稀少。药材来源于野生。 |

| **采收加工** | 全年均可采收，除去杂质，洗净，鲜用或晒干。 |

| **药材性状** | 本品叶多卷成扁筒状，展平后呈长披针形，先端渐尖，基部渐狭并下延，全缘，长 20 ~ 50 cm，宽 2 ~ 4 cm，上表面黄绿色或黄棕色，有黑色小斑点，下表面被灰白色细绒毛及稀疏的星状毛；叶柄长 10 ~ 15 cm，有稀疏的星状毛，有棱线。孢子囊群密布于下表面的中部以上，无盖，成熟时彼此汇合。革质。气微，味淡。 |

| **功能主治** | 苦、酸，凉。清热，利尿，止咳，止血。用于肺热咳嗽，痰中带血，小便不利，热淋，石淋，颈淋巴结结核，烫火伤，外伤出血。 |

| **用法用量** | 内服煎汤，15 ~ 30 g。外用适量，研末敷；或研末调敷。 |

水龙骨科 Polypodiaceae 石韦属 *Pyrrosia*

华北石韦 *Pyrrosia davidii* (Baker) Ching

| 药 材 名 |

华北石韦（药用部位：叶）。

| 形态特征 |

植株高 5 ~ 10 cm。根茎略粗壮而横卧，密被披针形鳞片；鳞片具长尾状渐尖头，幼时棕色，老时中部黑色，边缘具牙齿。叶密生，一型；叶柄长 2 ~ 5 cm，基部着生处密被鳞片，向上被星状毛，禾秆色。叶片狭披针形，中部最宽，向两端渐狭，具短渐尖头，先端圆钝，基部楔形，两边狭翅沿叶柄长下延，叶片长 5 ~ 7 cm，中部宽 0.5 ~ 1.5(~ 2) cm，全缘，干后软纸质，上面淡灰绿色，下面棕色，密被星状毛。主脉在下面不明显隆起，在上面浅凹陷，侧脉与小脉均不明显。孢子囊群布满叶片下面，幼时被星状毛覆盖，棕色，成熟时孢子囊开裂而呈砖红色。

| 生境分布 |

生于海拔 200 ~ 2 000 m 的阴湿岩石上。分布于湖南湘西州（泸溪）等。

| 资源情况 |

野生资源稀少。药材来源于野生。

| **功能主治** | 甘、苦，微寒。清热利尿，通淋。用于肺热咳嗽，淋证。

水龙骨科 Polypodiaceae 石韦属 Pyrrosia

毡毛石韦

Pyrrosia drakeana (Franch.) Ching

药材名

毡毛石韦（药用部位：叶）。

形态特征

植株高 25 ～ 60 cm。根茎短，横卧，密被披针形棕色鳞片；鳞片具长尾状渐尖头，周身密被睫状毛，先端的睫状毛丛生，分叉，卷曲，膜质，全缘。叶近生，一型；叶柄长 12 ～ 17 cm，粗壮，坚硬，基部密被鳞片，向上密被星状毛，禾秆色或棕色。叶片阔披针形，具短渐尖头，基部通常扩展成最宽处，近圆楔形，不对称，稍下延，叶片长 12 ～ 23 cm，宽 4 ～ 8（～ 10）cm，全缘，或下部呈波状浅裂，干后革质，上面灰绿色，光滑无毛，但密布洼点，下面灰绿色，被 2 种星状毛。主脉在下面隆起，在上面平坦，侧脉可见，小脉不明显。孢子囊群近圆形，整齐地成多行排列于侧脉之间，幼时被星状毛覆盖，呈淡棕色，成熟时孢子囊开裂，呈砖红色，不汇合。

生境分布

生于海拔 1 000 ～ 2 000 m 的山坡杂木林下树干上或岩石上。分布于湖南常德（石门）等。

|**资源情况**| 野生资源稀少。药材来源于野生。

|**功能主治**| 甘，平。清热利尿，通淋。用于淋证。

水龙骨科 Polypodiaceae 石韦属 Pyrrosia

石韦
Pyrrosia lingua (Thunb.) Farwell

| 药 材 名 | 石韦（药用部位：叶）。

| 形态特征 | 植株通常高 10 ~ 30 cm。根茎长而横走，密被鳞片；鳞片披针形，具长渐尖头，淡棕色，边缘有睫毛。叶远生，近二型；叶柄与叶片的大小和长短变化很大，能育叶通常远比不育叶长得高而狭，两种叶片均略比叶柄长，稀等长，罕有短于叶柄者。不育叶片近长圆形或长圆状披针形，下部 1/3 处最宽，向上渐狭，具短渐尖头，基部楔形，宽一般为 1.5 ~ 5 cm，长 5 ~ 20 cm，全缘，干后革质，上面灰绿色，近光滑无毛，下面淡棕色或砖红色，被星状毛；能育叶约较不育叶长 1/3，而较不育叶狭 1/3 ~ 2/3。主脉在下面稍隆起，在上面不明显下凹，侧脉在下面明显隆起，清晰可见，小脉不明显。孢子囊群

近椭圆形，在侧脉间整齐排列成多行，布满整个叶片下面，或聚生于叶片的大上半部，初时为星状毛覆盖而呈淡棕色，成熟后孢子囊开裂外露而呈砖红色。

| **生境分布** | 生于海拔 100 ~ 1 800 m 的林下树干上或稍干的岩石上。湖南各地均有分布。

| **资源情况** | 野生资源丰富。药材来源于野生。

| **采收加工** | 全年均可采收，晒干或阴干。

| **药材性状** | 本品向内卷或平展，二型，披针形或矩圆状披针形，长 6 ~ 20 cm，宽 2 ~ 5 cm；上表面黄棕色，下表面主、侧脉明显，用放大镜观察可见密被浅棕色星状毛。叶柄长 3 ~ 10 cm。气微，味淡。

| **功能主治** | 甘、苦，微寒。利尿通淋，清肺止咳，凉血止血。用于热淋，血淋，石淋，小便不通，淋沥涩痛，肺热喘咳，吐血，衄血，尿血，崩漏。

| **用法用量** | 内服煎汤，6 ~ 12 g。

水龙骨科 Polypodiaceae 石韦属 Pyrrosia

有柄石韦 *Pyrrosia petiolosa* (Christ) Ching

| 药 材 名 | 石韦（药用部位：叶）。

| 形态特征 | 植株高 5 ~ 15 cm。根茎细长横走，幼时密被披针形棕色鳞片；鳞片具长尾状渐尖头，边缘具睫毛。叶远生，一型，具长柄；叶柄长通常为叶片的 0.5 ~ 2 倍，基部被鳞片，向上被星状毛，棕色或灰棕色。叶片椭圆形，具急尖短钝头，基部楔形，下延，干后厚革质，全缘，上面淡灰棕色，有洼点，疏被星状毛，下面被厚层星状毛，初为淡棕色，后为砖红色。主脉在下面稍隆起，在上面凹陷，侧脉和小脉均不明显。孢子囊群布满叶片下面，成熟时扩散并汇合。

| 生境分布 | 多生于海拔 250 ~ 2 000 m 的干旱裸露岩石上。湖南各地均有分布。

| 资源情况 | 野生资源丰富。药材来源于野生。

| 采收加工 | 全年均可采收，晒干或阴干。

| 药材性状 | 本品多卷曲成筒状，展平后呈长圆形或卵状长圆形，长 3 ~ 8 cm，宽 1 ~ 2.5 cm。基部楔形，对称。下表面侧脉不明显，布满孢子囊群。叶柄长 3 ~ 12 cm，直径约 1 mm。

| 功能主治 | 甘、苦，微寒。利尿通淋，清肺止咳，凉血止血。用于热淋，血淋，石淋，小便不通，淋沥涩痛，肺热喘咳，吐血，衄血，尿血，崩漏。

| 用法用量 | 内服煎汤，6 ~ 12 g。

水龙骨科 Polypodiaceae   石韦属 Pyrrosia

柔软石韦
Pyrrosia porosa (C. Presl) Hovenk.

| 药 材 名 | 柔软石韦（药用部位：叶）。

| 形态特征 | 植株高 7 ~ 25 cm。根茎短而横卧，密被边缘具睫毛的披针形棕色鳞片。叶近生，一型，几无柄；叶片披针形，最宽处在上半部，具短钝尖头，下半部突然变狭，并以狭翅沿主脉和叶柄下延至与根茎连接处，长 10 ~ 23 cm，最宽处宽 7 ~ 25 mm，全缘，干后厚革质，上面淡灰绿色，几光滑无毛，下面棕色，被 2 种星状毛，自叶柄至主脉均被具针状臂的星状毛。主脉在下面隆起，在上面平坦，侧脉和小脉不明显。孢子囊群近圆形，聚生于叶片上半部，在主脉每侧排列成多行，幼时被棕色星状毛覆盖，成熟时孢子囊开裂，彼此稍汇合，呈砖红色。

| 生境分布 | 生于海拔 300 ～ 2 000 m 的疏林树干上或岩石上。分布于湖南郴州（宜章、汝城）等。

| 资源情况 | 野生资源稀少。药材来源于野生。

| 采收加工 | 全年均可采收，晒干或阴干。

| 药材性状 | 本品叶片披针形至阔披针形，长 8 ～ 20 cm，宽 1 ～ 2 cm，先端渐尖，基部楔形并下延，侧脉不明显，上面可见凹点，下面有 2 层星状毛，外层毛较稀，分枝较少且粗壮，棕色，针状，里层毛较密，分枝细弱并卷曲。孢子囊群在下面主脉两侧各成 6 ～ 8 行。

| 功能主治 | 苦、甘，凉。清热，利尿通淋。用于小便不利，尿路感染，肾炎性水肿。

| 用法用量 | 内服煎汤，10 ～ 15 g。外用适量，浸酒搽。

水龙骨科 Polypodiaceae　石韦属 *Pyrrosia*

庐山石韦
Pyrrosia sheareri (Baker) Ching

| 药 材 名 |　石韦（药用部位：叶）。

| 形态特征 |　植株通常高 20 ~ 50 cm。根茎粗壮，横卧，密被棕色线状鳞片；鳞片具长渐尖头，边缘具睫毛，着生处近褐色。叶近生，一型；叶柄粗壮，直径 2 ~ 4 mm，长 8 ~ 26 cm，基部密被鳞片，向上疏被星状毛，禾秆色至灰禾秆色。叶片椭圆状披针形，近基部处最宽，向上渐狭，具渐尖头，先端钝圆，基部近圆截形或心形，长 10 ~ 30 cm 或更长，宽 2.5 ~ 6 cm，全缘，干后软厚革质，上面淡灰绿色或淡棕色，几光滑无毛，但布满洼点，下面棕色，被厚层星状毛。主脉粗壮，在两面均隆起，侧脉可见，小脉不明显。孢子囊群不规则点状排列于侧脉间，布满基部以上的叶片下面，无盖，幼时被星状毛覆盖，成

熟时孢子囊开裂而呈砖红色。

| **生境分布** | 生于海拔 500 ~ 2 000 m 的林中树干上或石上。湖南各地均有分布。

| **资源情况** | 野生资源丰富。药材来源于野生。

| **采收加工** | 全年均可采收，晒干或阴干。

| **药材性状** | 本品略皱缩，展平后呈披针形，长 10 ~ 25 cm，宽 3 ~ 5 cm。先端渐尖，基部耳状偏斜，全缘，边缘常向内卷曲；上表面黄绿色或灰绿色，散布黑色圆形小凹点；下表面密生红棕色星状毛，有的侧脉间布满棕色圆点状的孢子囊群。叶柄具 4 棱，长 10 ~ 20 cm，直径 1.5 ~ 3 mm，略扭曲，有纵槽。叶片革质。

| **功能主治** | 甘、苦，微寒。利尿通淋，清肺止咳，凉血止血。用于热淋，血淋，石淋，小便不通，淋沥涩痛，肺热喘咳，吐血，衄血，尿血，崩漏。

| **用法用量** | 内服煎汤，6 ~ 12 g。

水龙骨科 Polypodiaceae 石蕨属 Saxiglossum

石蕨
Saxiglossum angustissimum (Gies.) Ching

| 药 材 名 |

石蕨（药用部位：全草）。

| 形态特征 |

石附生小型蕨类。高 10 ~ 12 cm。根茎细长横走，密被鳞片；鳞片卵状披针形，具长渐尖头，边缘具细齿，红棕色至淡棕色，盾状着生。叶远生，相距 1 ~ 2 cm，几无柄，基部以关节着生；叶片线形，长 3 ~ 9 cm，宽 2 ~ 3.5 cm，具钝尖头，基部渐狭缩，干后革质，边缘向下强烈反卷，幼时上面疏生星状毛，下面密被黄色星状毛，宿存。主脉明显，在上面凹陷，在下面隆起，小脉网状，沿主脉两侧各构成 1 行长网眼，无内藏小脉，近叶边的细脉分离，先端有一膨大的水囊。孢子囊群线形，沿主脉两侧各成 1 行，位于主脉与叶缘之间，幼时全被反卷的叶边覆盖，成熟时张开，孢子囊外露。孢子椭圆形，单裂缝，周壁上面具分散的小瘤，外壁光滑。

| 生境分布 |

生于海拔 700 ~ 2 000 m 的阴湿石上或树干上。分布于湖南株洲（攸县）、邵阳（邵阳）、怀化（沅陵、靖州）、湘西州（凤凰）、郴州（桂东）等。

| **资源情况** | 野生资源稀少。药材来源于野生。

| **采收加工** | 全年均可采挖，洗净，晒干。

| **功能主治** | 苦，平。清热利湿，凉血止血。用于目赤，咽喉肿痛，小便不利，带下，风湿腰腿痛，咯血，吐血，衄血，崩漏。

| **用法用量** | 内服煎汤，15 ～ 30 g。

雨蕨科 Gymnogrammitidaceae 雨蕨属 Gymnogrammitis

雨蕨

Gymnogrammitis dareiformis (Hook.) Ching ex Tard.-Blot et C. Chr.

| 药 材 名 | 雨蕨（药用部位：全草或根茎）。

| 形态特征 | 植株高 30 ~ 40 cm。根茎长而横走，粗壮，直径约 5 mm，灰蓝色，密被鳞片；鳞片覆瓦状排列，下部阔圆形，向上渐狭成线状钻形，长约 4 mm，边缘有睫毛，膜质，棕色，腹部中心为黑褐色，盾状着生。叶远生，相距 1 ~ 5 cm 或过之；叶柄长 6 ~ 18 cm，直径 1 ~ 2 mm，栗褐色或深禾秆色，略有光泽，无毛，上面有浅纵沟，基部以关节着生于明显的叶足上；叶片三角状卵形，长 20 ~ 35 cm，基部宽 15 ~ 25 cm，先端渐尖，基部近心形，4 回细羽裂；羽片 10 ~ 15 对，下部 2 对近对生，向上的近互生，斜展，密接或有时重叠，有短柄，柄长 3 ~ 4 mm，下部 1 ~ 2 对较大，长 8 ~ 15 cm，宽 3.5 ~ 7 cm，三角状披针形，先端渐尖，基部对称，圆截形至阔楔形，3 回羽裂；

一回小羽片 10 ~ 15 对,互生,斜展,柄长约 2 mm 并有狭翅,椭圆形,长 1.5 ~ 4 cm,宽 5 ~ 18 mm,急尖头,基部为对称的圆楔形,2 回羽裂;2 回小羽片 4 ~ 8 对,略斜向上,短柄具狭翅,椭圆形,长 3 ~ 7 mm,宽 1.5 ~ 4.5 mm,钝头,基部楔形,不对称,下侧下延,常细裂为不等长的短裂片,裂片 2 ~ 4,斜向上,线形,长 2 ~ 3 mm,宽不足 1 mm,尖头,全缘。叶脉不明显,每裂片有小脉 1,不达于裂片先端。叶草质,干后灰绿色,无毛;叶轴栗褐色,略有光泽,顶部两侧有绿色的狭边,小羽轴两侧有狭翅。孢子囊群生于裂片背面,位于小脉先端以下,圆形,成熟时略宽于裂片,无盖,也无隔丝。

| 生境分布 | 生于海拔 1 300 ~ 1 800 m 的山地密林下,常附生于树干上或岩石上。分布于湖南郴州(宜章)等。

| 资源情况 | 野生资源稀少。药材来源于野生。

| 功能主治 | 理气散结,利尿通淋。用于腹胀便秘,热淋,癃淋。

槲蕨科 Drynariaceae 槲蕨属 Drynaria

槲蕨
Drynaria roosii Nakaike

药材名

骨碎补（药用部位：根茎）。

形态特征

通常附生于岩石上，匍匐生长，或附生于树干上，呈螺旋状攀缘。根茎直径 1 ~ 2 cm，密被鳞片；鳞片斜升，盾状着生，长 7 ~ 12 mm，宽 0.8 ~ 1.5 mm，边缘有齿。叶二型，基生不育叶圆形，长(2 ~)5 ~ 9 cm，宽（2 ~）3 ~ 7 cm，基部心形，浅裂至叶片宽度的 1/3，全缘，黄绿色或枯棕色，厚干膜质，下面有疏短毛。正常能育叶叶柄长 4 ~ 7（~ 13）cm，具明显的狭翅；叶片长 20 ~ 45 cm，宽 10 ~ 15（~ 20）cm，深羽裂至距叶轴 2 ~ 5 mm 处，裂片 7 ~ 13 对，互生，稍斜向上，披针形，长 6 ~ 10 cm，宽（1.5 ~）2 ~ 3 cm，边缘有不明显的疏钝齿，先端急尖或钝。叶脉在两面均明显。叶干后纸质，仅上面中肋略有短毛。孢子囊群圆形或椭圆形，在叶片下面全部分布，沿裂片中肋两侧各排列成 2 ~ 4 行，成熟时相邻 2 侧脉间有圆形孢子囊群 1 行，或幼时成 1 行长形的孢子囊群，混生大量腺毛。

| 生境分布 | 生于海拔 100～1 800 m 的树干上或石上等。湖南各地均有分布。

| 资源情况 | 野生资源丰富。药材来源于野生。

| 采收加工 | 全年均可采挖，除去泥沙，干燥，或再燎去茸毛（鳞片）。

| 药材性状 | 本品呈扁平长条状，多弯曲，有分枝，长5～15 cm，宽1～1.5 cm，厚0.2～0.5 cm。表面密被深棕色至暗棕色的小鳞片，柔软如毛，经火燎者呈棕褐色或暗褐色，两侧及上表面均具凸起或凹下的圆形叶痕，少数有叶柄残基和须根。体轻，质脆，易折断，断面红棕色，维管束呈黄色点状，排列成环。气微，味淡、微涩。

| 功能主治 | 苦，温。归肝、肾经。疗伤止痛，补肾强骨，消风祛斑。用于跌扑闪挫，筋骨折伤，肾虚腰痛，筋骨痿软，耳鸣耳聋，牙齿松动；外用于斑秃，白癜风。

剑蕨科 Loxogrammaceae 剑蕨属 Loxogramme

柳叶剑蕨

Loxogramme salicifolia (Makino) Makino

| 药 材 名 | 柳叶剑蕨（药用部位：叶。别名：肺痨草、石虎）。

| 形态特征 | 植株高 15 ~ 35 cm。根茎横走，直径约 2 mm，被棕褐色卵状披针形鳞片。叶远生，相距 1 ~ 2 cm；叶柄长 2 ~ 5 cm 或近无柄，与叶片同色，基部有卵状披针形鳞片，向上光滑；叶片披针形，长 12 ~ 32 cm，中部宽 1 ~ 3 cm，先端长渐尖，基部渐缩狭并下延至叶柄下部或基部，全缘，干后稍反折。中脉在上面明显，平坦，在下面隆起，不达先端，小脉网状，网眼斜向上，无内藏小脉。叶稍肉质，干后革质，表面皱缩。孢子囊群线形，通常在 10 对以上，与中脉斜交，稍密接，多少下陷于叶肉中，分布于叶片中部以上，下部不育，无隔丝。孢子较短，椭圆形，单裂缝。

| 生境分布 | 生于海拔 200 ~ 1 200 m 的山坡树干或岩石上。分布于湖南邵阳（洞口、新宁、隆回）、张家界（慈利、桑植）、株洲（渌口）、怀化（会同）等。

| 资源情况 | 野生资源稀少。药材来源于野生。

| 采收加工 | 夏、秋季采收，洗净，去叶柄，晒干。

| 功能主治 | 微苦，凉。清热解毒，利尿。用于尿路感染，咽喉肿痛，胃肠炎，狂犬咬伤。

| 用法用量 | 内服煎汤，15 ~ 30 g。

苹科 Marsileaceae 苹属 Marsilea

苹

Marsilea quadrifolia L.

| 药 材 名 | 蘋（药用部位：全草。别名：田字草）。

| 形态特征 | 植株高 5 ~ 20 cm。根茎细长横走，分枝，先端被淡棕色毛，茎节远离，向上发出 1 至数叶。叶柄长 5 ~ 20 cm；叶片由 4 倒三角形的小叶组成，呈"十"字形，长、宽均为 1 ~ 2.5 cm，外缘半圆形，基部楔形，全缘，幼时被毛，草质。叶脉从小叶基部向上呈放射状分叉，组成狭长网眼，伸向叶边，无内藏小脉。孢子果双生或单生于短柄上，果柄着生于叶柄基部，孢子果长椭圆形，幼时被毛，褐色，木质，坚硬。每个孢子果内含多数孢子囊；大小孢子囊同生于孢子囊托上，每个大孢子囊内只有 1 大孢子，而每个小孢子囊内有多数小孢子。

| **生境分布** | 生于水田或沟塘中。湖南各地均有分布。

| **资源情况** | 野生资源丰富。药材来源于野生。

| **功能主治** | 甘，寒。清热解毒，消肿利湿，止血，安神。用于风热目赤，肾虚，淋巴结炎，水肿，疟疾，吐血，热淋；外用于热疖疮毒，毒蛇咬伤。

槐叶苹科 Salviniaceae 槐叶苹属 Salvinia

槐叶苹

Salvinia natans (L.) All.

| 药 材 名 | 槐叶苹（药用部位：全草。别名：铁浮萍）。

| 形态特征 | 小型漂浮植物。茎细长横走，被褐色节状毛。3 叶轮生，上面 2 叶漂浮于水面，形如槐叶，长圆形或椭圆形，长 0.8 ~ 1.4 cm，宽 5 ~ 8 mm，先端钝圆，基部圆形或稍呈心形，全缘；叶柄长 1 mm 或近无柄。叶脉斜出，在主脉两侧有小脉 15 ~ 20 对，每条小脉上面有 5 ~ 8 束白色刚毛。叶草质，上面深绿色，下面密被棕色茸毛。下面 1 叶悬垂于水中，细裂成线状，被细毛，形如须根，起着根的作用。孢子果 4 ~ 8 簇生于沉水叶的基部，表面疏生成束的短毛，小孢子果表面淡黄色，大孢子果表面淡棕色。

| 生境分布 | 生于水田中、沟塘和静水溪河内。湖南各地均有分布。

| **资源情况** | 野生资源丰富。药材来源于野生。

| **功能主治** | 清热解毒，活血止痛。外用于疔毒痈肿，瘀血肿痛，烫火伤。

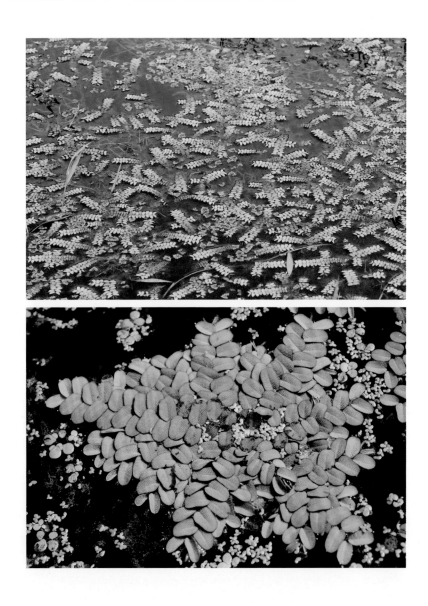

满江红 *Azolla imbricata* (Roxb.) Nakai

| 药 材 名 | 满江红（药用部位：全草。别名：紫蘋）。

| 形态特征 | 小型漂浮植物。植物体呈卵形或三角状。根茎细长横走，侧枝腋生，假二叉分枝，向下生须根。叶小如芝麻，互生，无柄，覆瓦状排列成 2 行，叶片深裂为背裂片和腹裂片两部分，背裂片长圆形或卵形，肉质，绿色，秋后常变为紫红色，边缘无色透明，上表面密被乳状瘤突，下表面中部略凹陷，基部肥厚形成共生腔；腹裂片贝壳状，无色透明，多少饰有淡紫红色，斜沉水中。孢子果双生于分枝处，大孢子果体积小，长卵形，顶部喙状，内藏 1 大孢子囊，大孢子囊只产 1 大孢子，有 9 浮膘，分上、下两排附生在孢子囊体上，上部 3 浮膘较大，下部 6 浮膘较小；小孢子果体积远较大，圆球形或桃形，先端有短喙，

果壁薄而透明，内含多数具长柄的小孢子囊，每个小孢子囊内有 64 小孢子，分别埋藏在 5 ～ 8 无色海绵状的泡胶块上，泡胶块上有丝状毛。

| **生境分布** | 生于水田和静水沟塘中。湖南各地均有分布。

| **资源情况** | 野生资源丰富。药材来源于野生。

| **功能主治** | 祛风除湿，发汗透疹。用于风湿痹痛，麻疹不透，胸腹痞块，带下，烫火伤。

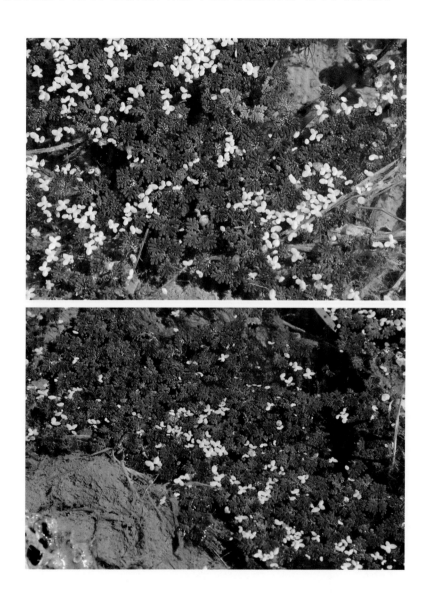

裸子植物

苏铁
Cycas revoluta Thunb.

| 药 材 名 | 苏铁叶（药用部位：叶。别名：番蕉叶、铁树叶）、苏铁果（药用部位：种子。别名：无漏子、千年枣、海枣）、苏铁根（药用部位：根）、苏铁花（药用部位：大孢子叶。别名：凤尾蕉花、铁树花、梭罗花）。

| 形态特征 | 树干高约 2 m，稀达 8 m 或更高，圆柱形，有明显呈螺旋状排列的菱形叶柄残痕。羽状叶从茎的顶部生出，下层的向下弯，上层的斜向上伸展，呈倒卵状狭披针形，叶轴横切面四方状圆形，两侧有齿状刺；羽状裂片超过 100 对，条形，厚革质，坚硬，向上斜展，微呈"V"形。雄球花圆柱形，有短梗。小孢子叶窄楔形，有急尖头，直立，花药通常 3 聚生；大孢子叶密生淡黄色或淡灰黄色绒毛，上部顶片卵形至长卵形，边缘羽状分裂，裂片 12 ~ 18 对，条状钻形，

胚珠 2 ~ 6，生于大孢子叶叶柄的两侧，有绒毛。种子红褐色或橘红色，倒卵状圆形或卵圆形，稍扁，密生灰黄色短绒毛，后毛渐脱落，中种皮木质，两侧有 2 棱脊。花期 6 ~ 7 月，种子 10 月成熟。

| **生境分布** | 生于庭园、街道旁。湖南各地均有分布。

| **资源情况** | 栽培资源丰富。药材来源于栽培。

| **采收加工** | **苏铁叶：**全年均可采收，鲜用或晒干。
苏铁果：秋、冬季采收，晒干。

| **功能主治** | **苏铁叶：**甘、淡，平；有小毒。归肝、胃经。理气止痛，散瘀止血，消肿解毒。用于肝胃气滞疼痛，经闭，吐血，便血，痢疾，肿毒，外伤出血，跌打损伤。

苏铁果：苦、涩，平；有毒。归肺、肝、大肠经。平肝降压，镇咳祛痰，收敛固涩。用于高血压，慢性肝炎，咳嗽痰多，痢疾，遗精，带下，跌打损伤，刀伤。

苏铁根：甘、淡，平；有小毒。祛风通络，活血止血。用于风湿麻木，筋骨疼痛，跌打损伤，劳伤吐血，腰痛，带下，口疮。

苏铁花：甘，平。理气祛湿，活血止血，益肾固精。用于胃痛，慢性肝炎，风湿疼痛，跌打损伤，咳血，吐血，痛经，遗精，带下。

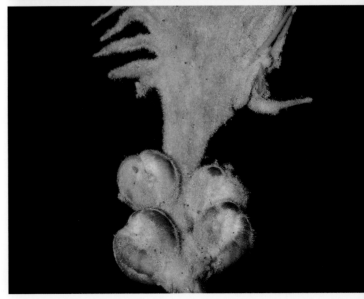

银杏科 Ginkgoaceae 银杏属 Ginkgo

银杏
Ginkgo biloba L.

药 材 名

银杏叶（药用部位：叶。别名：飞蛾叶、鸭脚子）、白果（药用部位：成熟种子。别名：白果仁）。

形态特征

乔木，高达 40 m，胸径可达 4 m。幼树树皮浅纵裂；大树树皮呈灰褐色，深纵裂，粗糙。叶扇形，有长柄，淡绿色，无毛，有多数叉状并列的细脉，在短枝上者先端常具波状缺刻，在长枝上者先端常 2 裂，叶在一年生长枝上呈螺旋状散生，在短枝上 3 ~ 8 簇生，秋季落叶前变为黄色。球花雌雄异株，单性，生于短枝先端鳞片状叶的叶腋内，呈簇生状；雄球花呈柔荑花序状，下垂，雄蕊排列疏松，具短梗，花药常 2，长椭圆形；雌球花具长梗，梗端常分叉，胚珠着生于叉顶，通常仅一叉端的胚珠发育成种子。种子具长梗，下垂，常为椭圆形、长倒卵形、卵圆形或近圆球形；外种皮肉质，成熟时黄色或橙黄色，外被白粉，有臭味。花期 3 ~ 4 月，种子 9 ~ 10 月成熟。

生境分布

生于公园、街道旁。湖南各地均有分布。

| 资源情况 | 栽培资源丰富。药材来源于栽培。

| 采收加工 | **银杏叶**：秋季叶尚绿时采收，干燥。

白果：种子成熟时采收，除去肉质外种皮，洗净，稍蒸或略煮，烘干。

| 药材性状 | **银杏叶**：本品多折皱或破碎，完整者呈扇形，长 3 ~ 12 cm，宽 5 ~ 15 cm，黄绿色或浅棕黄色，上缘呈不规则的波状弯曲，有的中间凹入，深者可达叶长的4/5。叶脉二叉状平行，细而密，光滑无毛，易纵向撕裂。叶基楔形，叶柄长 2 ~ 8 cm。体轻。气微，味微苦。

白果：本品略呈椭圆形，一端稍尖，另一端钝，长 1.5 ~ 2.5 cm，宽 1 ~ 2 cm，厚约 1 cm。表面黄白色或淡棕黄色，平滑，具 2 ~ 3 棱线。中种皮（壳）骨质，坚硬；内种皮膜质。种仁宽卵状球形或椭圆形，一端淡棕色，另一端金黄色；横断面外层黄色，胶质样，内层淡黄色或淡绿色，粉性，中间有空隙。气微，味甘、微苦。

| 功能主治 | **银杏叶**：甘、苦、涩，平。归心、肺经。敛肺，平喘，活血化瘀，止痛。用于肺虚咳喘，冠心病，心绞痛，高脂血症。

白果: 甘、苦、涩，平；有毒。归肺经。敛肺定喘，止带浊，缩小便。用于痰多喘咳，带下白浊，遗尿，尿频。

| 用法用量 |　　**银杏叶:** 内服煎汤，9 ~ 12 g。

　　　　　　　　白果: 内服煎汤，4.5 ~ 9 g。

南洋杉科 Araucariaceae 南洋杉属 Araucaria

南洋杉
Araucaria cunninghamii Sweet

| 药 材 名 | 南洋杉（药用部位：枝叶）。

| 形 态 特 征 | 乔木，高 60 ～ 70 m，胸径超过 1 m；树皮灰褐色或暗灰色，粗糙，横裂。叶二型；幼树和侧枝的叶排列疏松，开展，钻状、针状、镰状或三角形，长 7 ～ 17 mm，基部宽约 2.5 mm，微弯，微具 4 棱或上（腹）面的棱脊不明显；大树及花果枝上的叶排列紧密，叠盖，斜向上伸展，微向上弯，卵形、三角状卵形或三角状，无明显的背脊或下面有纵脊，长 6 ～ 10 mm，宽约 4 mm，基部宽。雄球花单生于枝顶，圆柱形。球果卵形或椭圆形，长 6 ～ 10 cm，直径 4.5 ～ 7.5 cm；苞鳞楔状倒卵形，两侧具薄翅，先端宽厚，具锐脊，中央有急尖的长尾状尖头，尖头显著地向后反曲；舌状种鳞的先端薄，不肥厚；种子椭圆形，两侧具结合而生的膜质翅。

| **生境分布** |　生于公园、庭院、花圃。湖南各地均有分布。

| **资源情况** |　栽培资源较少。药材来源于栽培。

| **功能主治** |　利尿，止痒。

松科 Pinaceae 雪松属 Cedrus

雪松
Cedrus deodara (Roxb.) G. Don

| 药 材 名 |

香柏（药用部位：叶、木材）。

| 形态特征 |

乔木，高达 50 m，胸径达 3 m。树皮深灰色，裂成不规则的鳞状块片。枝平展、微斜展或微下垂，基部宿存芽鳞向外反曲，小枝常下垂；一年生长枝淡灰黄色，密生短绒毛，微有白粉；二年生、三年生枝呈灰色、淡褐灰色或深灰色。叶在长枝上辐射伸展，短枝上的叶呈簇生状（每年生出新叶 15 ~ 20），针形，坚硬，淡绿色或深绿色，长 2.5 ~ 5 cm，宽 1 ~ 1.5 mm，上部较宽，先端锐尖，下部渐窄，常呈三棱形，稀背脊明显。雄球花长卵圆形或椭圆状卵圆形；雌球花卵圆形。球果成熟前淡绿色，微有白粉，成熟时红褐色，卵圆形或宽椭圆形，先端圆钝，有短梗；中部种鳞扇状倒三角形，鳞背密生短绒毛；苞鳞短小；种子近三角状，种翅宽大，较种子长。

| 生境分布 |

生于庭院、公园。湖南各地均有分布。

| **资源情况** | 栽培资源丰富。药材来源于栽培。

| **采收加工** | 叶，全年均可采收，木材，伐木时采收，去皮，晒干。

| **功能主治** | 苦。清热利湿，散瘀止血。用于痢疾，肠风便血，水肿，风湿痹痛，麻风病。

| **用法用量** | 内服煎汤，10 ~ 15 g。

松科 Pinaceae 油杉属 Keteleeria

江南油杉 Keteleeria cyclolepis Flous

| **药 材 名** | 江南油杉（药用部位：树皮）。

| **形态特征** | 乔木，高达 20 m，胸径 60 cm。树皮灰褐色，不规则纵裂。叶条形，在侧枝上排列成 2 列，长 1.5 ~ 4 cm，宽 2 ~ 4 mm，先端圆钝或微凹，稀微急尖，边缘多少卷曲或不反卷；横切面上面有 1 层连续排列的皮下层细胞，两端角部有 1 ~ 2 层，下面两侧边缘及中部有 1 层；幼树及萌生枝有密毛，叶较长，宽达 4.5 mm，先端刺状渐尖。球果圆柱形或椭圆状圆柱形，先端或上部渐窄，长 7 ~ 15 cm，直径 3.5 ~ 6 cm，中部的种鳞常呈斜方形或斜方状圆形，宽与长近相等，边缘微向内曲，鳞背露出部分无毛或近无毛；苞鳞中部窄，下部稍宽，上部圆形或卵圆形，先端 3 裂，中裂窄长，侧裂钝圆或微尖，边缘有细缺齿；种翅中部或中下部较宽。种子 10 月成熟。

| **生境分布** | 生于海拔 340～1 400 m 的山地。分布于湖南永州（江永）等。

| **资源情况** | 野生资源稀少。药材来源于野生。

| **功能主治** | 透疹，消肿，接骨。

| **附　　注** | （1）本种为我国特有树种。

（2）本种接受名江南油杉 *Keteleeria fortunei* (Murr.) Carr. var. *cyclolepis* (Flous) Silba。

松科 Pinaceae 油杉属 *Keteleeria*

铁坚油杉 *Keteleeria davidiana* (Bertr.) Beissn.

| 药 材 名 |

铁坚油杉（药用部位：种子）。

| 形态特征 |

乔木，高达 50 m，胸径达 2.5 m。树皮粗糙，暗深灰色，深纵裂。老枝粗，树冠广圆形。叶条形，在侧枝上排列成 2 列，长 2 ~ 5 cm，宽 3 ~ 4 mm，先端圆钝或微凹，基部渐窄成短柄，横切面上面有 1 层不连续排列的皮下层细胞，两端边缘有 2 层，下面两侧边缘及中部有 1 层；幼树或萌生枝有密毛，叶较长，先端有刺状尖头。球果圆柱形，长 8 ~ 21 cm，直径 3.5 ~ 6 cm；中部的种鳞卵形或近斜方状卵形，上部圆或窄长，反曲，边缘向外反曲，有微小的细齿，鳞背露出部分无毛或疏生短毛；鳞苞上部近圆形，先端 3 裂，中裂窄，渐尖，侧裂圆，有明显的钝尖头，边缘有细缺齿，鳞苞中部窄，短，下部稍宽；种翅中下部或近中部较宽，上部渐窄。花期 4 月，种子 10 月成熟。

| 生境分布 |

散生于海拔 600 ~ 1 500 m 的地带。分布于湖南怀化（鹤城、中方）等。

| **资源情况** | 野生资源稀少。药材来源于野生。

| **功能主治** | 驱虫，消积，抗肿瘤。

松科 Pinaceae 松属 Pinus

华山松 *Pinus armandii* Franch.

| 药 材 名 | 松节（药用部位：松节或松树生病后长出的瘤状物）、松叶（药用部位：针叶。别名：猪鬃松叶、松毛、松针）、松子仁（药用部位：种仁）。

| 形态特征 | 乔木，高达 35 m，胸径 1 m。幼树树皮灰绿色或淡灰色，平滑，老时呈灰色，开裂，呈方形或长方形厚块片固着于树干上，或脱落。枝条形成圆锥形或柱状塔形的树冠。针叶 5 针 1 束，长 8 ～ 15 cm，直径 1 ～ 1.5 mm，边缘具细锯齿。雄球花黄色，卵状圆柱形，基部围有近 10 卵状匙形的鳞片，多数集生于新枝下部，呈穗状，排列较疏松。球果圆锥状长卵圆形，幼时绿色，成熟时黄色或褐黄色；种鳞张开，种子脱落，中部种鳞近斜方状倒卵形，鳞盾近斜方形或宽三角状斜方形，不具纵脊，先端钝圆或微尖，不反曲或微反曲，鳞脐不明显；种子黄褐色、暗褐色或黑色，倒卵圆形，无翅或两侧及

先端具棱脊，稀具极短的木质翅。花期 4 ~ 5 月，球果 9 ~ 10 月成熟。

| 生境分布 | 生于海拔 1 000 ~ 1 800 m 的气候温暖而湿润的酸性黄壤土、黄褐壤土或钙质土上。分布于湖南岳阳（华容）、湘西州（泸溪）等。

| 资源情况 | 野生资源稀少。药材来源于野生。

| 采收加工 | **松节：**全年均可采收，晒干。

松叶：全年均可采收，以腊月采者最好，鲜用或晒干。

| 药材性状 | **松叶：**本品呈针状，长 8 ~ 15 cm，直径 1 ~ 1.5 mm。5 针 1 束，基部有长约 0.5 cm 的鞘。叶片深绿色或枯绿色，表面光滑，中央有 1 细沟。质脆。气微香，味微苦、涩。

| 功能主治 | **松节：**苦，温。祛风除湿，活络止痛。用于风湿关节痛，腰腿痛，大骨节病，跌打肿痛。

松叶：苦，温。归心、脾经。祛风燥湿，杀虫止痒，活血安神。用于风湿痿痹，脚气病，湿疮，癣，风疹瘙痒，跌打损伤，神经衰弱，慢性肾小球肾炎，高血压；预防流行性乙型脑炎、流行性感冒。

松子仁：甘，温。润肺，滑肠。用于肺燥咳嗽，慢性便秘。

| 用法用量 | **松节：**内服煎汤，25 ~ 50 g。

松叶：内服煎汤，6 ~ 15 g，鲜品 30 ~ 60 g；或浸酒。外用适量，鲜品捣敷；或煎汤洗。

松科 Pinaceae 松属 Pinus

湿地松
Pinus elliottii Engelm.

| 药 材 名 | 湿地松脂（药用部位：树脂）。

| 形态特征 | 乔木，高达 30 m，胸径 90 cm。树皮灰褐色或暗红褐色，纵裂，呈鳞状块片剥落；鳞叶上部披针形，淡褐色，边缘有睫毛，干枯后宿存，数年不落，小枝粗糙。针叶 2 ～ 3 针组成 1 束，长 18 ～ 25 cm，稀达 30 cm，直径约 2 mm，刚硬，深绿色，有气孔线，边缘有锯齿；树脂道 2 ～ 9（～ 11），多内生；叶鞘长约 1.2 cm。球果圆锥形或窄卵圆形，长 6.5 ～ 13 cm，直径 3 ～ 5 cm，有柄，种鳞张开后直径 5 ～ 7 cm，成熟后至翌年夏季脱落；种鳞的鳞盾近斜方形，肥厚，有锐横脊，鳞脐瘤状，宽 5 ～ 6 mm，先端急尖，长小于 1 mm，直伸或微向上弯；种子卵圆形，微具 3 棱，长 6 mm，黑色，有灰色斑点，种翅长 0.8 ～ 3.3 cm，易脱落。

| 生境分布 | 生于低山、丘陵地带。分布于湖南衡阳（衡山）、郴州（桂阳、桂东）、永州（零陵）、怀化（通道）等。

| 资源情况 | 野生资源较少。药材来源于野生。

| 功能主治 | 燥湿祛风，生肌止痛。

松科 Pinaceae 松属 Pinus

海南五针松

Pinus fenzeliana Hand.-Mzt.

| **药 材 名** | 海南五针松根皮（药用部位：树皮）。

| **形态特征** | 乔木，高达 50 m，胸径 2 m。幼树树皮灰色或灰白色，平滑，大树树皮暗褐色或灰褐色，裂成不规则的鳞状块片脱落。一年生枝较细，淡褐色，无毛，干后深红褐色，有纵皱纹，稀具白色粉；冬芽红褐色，圆柱状圆锥形或卵圆形，微被树脂，芽鳞疏松。针叶 5 针 1 束，细长柔软，通常长 10 ~ 18 cm，直径 0.5 ~ 0.7 mm，先端渐尖，边缘有细锯齿，仅腹面每侧具 3 ~ 4 白色气孔线；横切面三角形，单层皮下层细胞，树脂道 3，背面 2 边生，腹面 1 中生。雄球花卵圆形，多数于新枝下部聚生成穗状，长约 3 cm。球果长卵圆形或椭圆状卵圆形，单生或 2 ~ 4 生于小枝基部，成熟前绿色，成熟时种鳞张开，

长 6 ~ 10 cm，直径 3 ~ 6 cm，柄长 1 ~ 2 cm，暗黄褐色，常有树脂；中部种鳞近楔状倒卵形或矩圆状倒卵形，长 2 ~ 2.5 cm，宽 1.5 ~ 2 cm，上部肥厚，中下部宽楔形；鳞盾近扁菱形，先端较厚，边缘钝，鳞脐微凹随同鳞盾先端边缘显著向外反卷；种子栗褐色，倒卵状椭圆形，长 0.8 ~ 1.5 cm，直径 5 ~ 8 mm，先端通常具长 2 ~ 4 mm 的短翅，稀种翅宽大，长达 7 mm，宽达 9 mm，种翅上部薄膜质，下部近木质，种皮较薄。花期 4 月，果期翌年 10 ~ 11 月。

| 生境分布 | 常散生于山脊或岩石之间。分布于湖南衡阳（南岳）、郴州（临武）、怀化（通道）等。

| 资源情况 | 野生资源稀少。药材来源于野生。

| 功能主治 | 祛风通络，活血消肿。

松科 Pinaceae 松属 Pinus

巴山松

Pinus henryi Mast.

| 药 材 名 |

松节油（药材来源：从树脂中提取的挥发油）、松花粉（药用部位：花粉）。

| 形态特征 |

乔木，高达 20 m。一年生枝呈红褐色或黄褐色，被白粉；冬芽红褐色，圆柱形，先端尖或钝，无树脂，芽鳞披针形，先端微反曲，边缘薄、白色丝状。针叶 2 针 1 束，稍硬，长 7 ~ 12 cm，直径约 1 mm，先端微尖，两面有气孔线，边缘有细锯齿，叶鞘宿存；横切面半圆形，单层皮下层细胞，稀出现散生的第 2 层皮下层细胞，树脂道 6 ~ 9，边生。雄球花圆筒形或长卵圆形，于新枝下部聚生成短穗状；一年生小球果的种鳞先端具短刺。球果显著向下，成熟时褐色，卵圆形或圆锥状卵圆形，基部楔形，长 2.5 ~ 5 cm；直径与长几相等；种鳞背面下部紫褐色，鳞盾褐色，斜方形或扁菱形，稍厚，横脊显著，纵脊通常明显，鳞脐稍隆起或下凹，有短刺；种子椭圆状卵圆形，微扁，有褐色斑纹，长 6 ~ 7 mm，直径约 4 mm，连翅长约 2 cm，种翅黑紫色，宽约 6 mm。

| **生境分布** | 常散生于海拔 1 150 ~ 2 000 m 的山地。分布于湖南常德（石门）、张家界（慈利、桑植）、湘西州（保靖、永顺）等。

| **资源情况** | 野生资源稀少。药材来源于野生。

| **功能主治** | **松节油：** 外用于肌肉酸痛，关节痛。
松花粉： 燥湿。

松科 Pinaceae 松属 Pinus

华南五针松
Pinus kwangtungensis Chun ex Tsiang

| 药 材 名 | 华南五针松（药用部位：树脂）。

| 形态特征 | 乔木，高达 30 m，胸径 1.5 m。幼树树皮光滑；老树树皮褐色，厚，裂成不规则的鳞状块片。针叶 5 针 1 束，长 3.5 ~ 7 cm，直径 1 ~ 1.5 mm，先端尖，边缘有疏生细锯齿；横切面三角形，皮下层由单层细胞组成，树脂道 2 ~ 3，背面 2 树脂道边生，有时腹面 1 树脂道中生或无；叶鞘早落。球果柱状矩圆形或圆柱状卵形，通常单生，成熟时淡红褐色，微具树脂，通常长 4 ~ 9 cm，稀长 17 cm，直径 3 ~ 6 cm，稀达 7 cm，柄长 0.7 ~ 2 cm；种鳞楔状倒卵形，通常长 2.5 ~ 3.5 cm，宽 1.5 ~ 2.3 cm；鳞盾菱形，先端边缘较薄，微内曲或直伸；种子椭圆形或倒卵形，长 8 ~ 12 mm，连同种翅与种鳞近等长。花期 4 ~ 5 月，球果 10 月成熟。

| 生境分布 | 生于海拔 700 ~ 1 600 m 的气候温湿、雨量多、土壤深厚、排水良好的酸性土及多岩石的山坡与山脊上。分布于湖南衡阳（衡南）、郴州（宜章、汝城）、益阳（安化）、怀化（溆浦）等。

| 资源情况 | 野生资源较少。药材来源于野生。

| 功能主治 | 用于肌肉酸痛，关节痛。

| 附　　注 | 本种为我国特有树种。

松科 Pinaceae 松属 Pinus

马尾松
Pinus massoniana Lamb.

药材名

松花粉（药用部位：花粉。别名：松花）、松香（药用部位：油树脂，经蒸馏或提取除去挥发油后所留存的固体树脂。别名：松脂、松膏、松胶）、松叶（药用部位：针叶。别名：松针、猪鬃松叶、松毛）、松树皮（药用部位：树干内皮）、油松节（药用部位：瘤状节或分枝节。别名：黄松木节、松节、松郎头）。

形态特征

乔木，高达 45 m，胸径 1.5 m。树皮红褐色，下部灰褐色，裂成不规则的鳞状块片。针叶 2 针 1 束，稀 3 针 1 束，长 12 ~ 20 cm，细柔，微扭曲；叶鞘初呈褐色，后渐变成灰黑色，宿存。雄球花淡红褐色，圆柱形，弯垂，长 1 ~ 1.5 cm，聚生于新枝下部的苞腋，穗状；雌球花单生或 2 ~ 4 聚生于新枝近先端，淡紫红色；一年生小球果圆球形或卵圆形，直径约 2 cm，褐色或紫褐色。球果卵圆形或圆锥状卵圆形，长 4 ~ 7 cm，直径 2.5 ~ 4 cm，有短柄，下垂，成熟前绿色，成熟时栗褐色，陆续脱落。种子长卵圆形，长 4 ~ 6 mm，连翅长 2 ~ 2.7 cm；子叶 5 ~ 8；初生叶条形，叶缘具疏生刺毛状的锯齿。花期 4 ~ 5 月，球果翌年 10 ~ 12 月成熟。

| 生境分布 | 生于海拔 1 500 m 以下的林缘、山坡。湖南各地均有分布。湖南有广泛栽培。 |

| 资源情况 | 野生资源一般，栽培资源丰富。药材来源于栽培。 |

| 采收加工 | **松花粉：**春季花刚开时，采摘花穗，晒干，收集花粉，除去杂质。 |

松香：夏季采收，在松树干上用刀挖"V"形或螺旋纹的槽，使边材部的树脂自伤口流出，收集，加水蒸馏，使挥发油馏出，取残渣，冷却凝固。

松叶：全年均可采收，以腊月采者最好，鲜用或晒干。

松树皮：全年均可采剥，洗净，切段，晒干。

油松节：全年均可采收，阴干。

| 药材性状 | **松花粉：**本品为淡黄色的细粉。体轻，易飞扬，手捻有滑润感。气微，味淡。 |

松香：本品呈不规则半透明的块状，大小不等。表面黄色，常有 1 层黄白色的粉霜。质坚而脆，易碎，断面光亮，似玻璃状。有油松节油臭气，味苦。加热熔化，燃烧时产生棕色浓烟。以块整齐、半透明、油性大、气味浓厚者为佳。

松叶：本品呈针状，长 6 ~ 18 cm，直径约 0.1 cm。2 针 1 束，基部有长约 0.5 cm 的鞘，叶片深绿色或枯绿色，表面光滑，中央有 1 细沟。质脆。气微香，味微苦、涩。

油松节：本品呈扁圆的节段状或不规则的块状，长短粗细不一。外表面黄棕色、灰棕色或红棕色，有时带有棕色至黑棕色的油斑，或有残存的栓皮。质坚硬。横截面木部淡棕色，心材色稍深，可见明显的年轮环纹，显油性；髓部小，淡黄棕色。纵断面具纵直或扭曲的纹理。有油香气，味微苦、辛。

| 功能主治 | **松花粉：**甘，温。归肝、脾经。收敛止血，燥湿敛疮。用于外伤出血，湿疹，黄水疮，皮肤糜烂，脓水淋漓。 |

松香：苦、甘，温。祛风燥湿，排脓拔毒，生肌止痛。用于痈疽恶疮，瘰疬，瘘证，疥癣，白秃，疬风，痹证，金疮，扭伤，带下，血栓闭塞性脉管炎。

松叶：苦，温。归心、脾经。祛风燥湿，杀虫止痒，活血安神。用于风湿痿痹，脚气病，湿疮，癣，风疹瘙痒，跌打损伤，神经衰弱，慢性肾小球肾炎，高血压；预防流行性乙型脑炎，流行性感冒。

松树皮：苦、涩，温。收敛，生肌。外用于烫火伤，小儿湿疹。

油松节：苦、辛，温。归肝、肾经。祛风燥湿，舒筋通络，活血止痛。用于风寒湿痹，历节风痛，脚痹痿软，跌打伤痛。

| 用法用量 | **松花粉**：内服煎汤，3 ~ 9 g；或冲服。外用适量，干品研末撒；或调敷。
松香：内服煎汤，5 ~ 15 g；或入丸、散剂；或浸酒。外用适量，入膏药剂；或研末敷。
松叶：内服煎汤，6 ~ 15 g，鲜品 30 ~ 60 g；或浸酒。外用适量，鲜品捣敷；或煎汤洗。
松树皮：外用适量，焙干研末，用香油调搽；或煎汤洗。
油松节：内服煎汤，10 ~ 15 g；或浸酒；或浸醋。外用适量，浸酒涂擦；或炒制品研末调敷。

松科 Pinaceae 松属 Pinus

日本五针松 *Pinus parviflora* Siebold et Zucc.

| 药 材 名 | 日本五针松（药用部位：松塔）。

| 形态特征 | 乔木，高达 25 m，胸径 1 m。幼树树皮淡灰色，平滑；大树树皮暗灰色，开裂，呈鳞状脱落；树冠圆锥形。针叶 5 针 1 束，微弯曲，长 3.5 ~ 5.5 cm，直径小于 1 mm，边缘具细锯齿，背面暗绿色，无气孔线，腹面每侧有 3 ~ 6 灰白色的气孔线；横切面三角形，皮下层细胞单层，背面有 2 边生的树脂道，腹面 1 树脂道中生或无；叶鞘早落。球果卵圆形或卵状椭圆形，成熟时种鳞张开；中部种鳞宽倒卵状斜方形或长方状倒卵形，鳞盾淡褐色或暗灰褐色，近斜方形，先端圆，鳞脐凹下，微内曲，边缘薄，两侧边向外弯，下部底边宽楔形；种子为不规则的倒卵状圆形，近褐色，具黑色斑纹，长 8 ~ 10 mm，直径约 7 mm，种翅宽 6 ~ 8 mm，连种子长 1.8 ~ 2 cm。

| **生境分布** | 生于庭院、公园。湖南各地均有分布。

| **资源情况** | 栽培资源较少。药材来源于栽培。

| **功能主治** | 抗肿瘤。

松科 Pinaceae 松属 Pinus

油松

Pinus tabuliformis Carr.

药材名	松香（药用部位：油树脂，经蒸馏或提取除去挥发油后所留存的固体树脂。别名：松脂、松膏、松胶）、松花粉（药用部位：花粉。别名：松花）、松叶（药用部位：针叶。别名：猪鬃松针、松毛、松叶）、油松节（药用部位：瘤状节或分枝节。别名：黄松木节、松节、松郎头）、松球（药用部位：球果。别名：松实、松果、松塔）、松树皮（药用部位：树干内皮）、松根（药用部位：幼根或根皮）。
形态特征	乔木，高达25 m，胸径1 m以上。树皮灰褐色或褐灰色，裂成不规则较厚的鳞状块片，裂缝及上部树皮红褐色。枝平展或向下斜展，老树树冠平顶。针叶2针1束，深绿色，粗硬，长10~15 cm，直径约1.5 mm，边缘有细锯齿，两面具气孔线；横切面半圆形，有2层皮下层，在第1层细胞下常有少数细胞形成第2层皮下层，树脂

道 5 ～ 8 或更多，边生，多数生于背面，腹面有 1 ～ 2 树脂道；叶鞘初呈淡褐色，后呈淡黑褐色。雄球花圆柱形，在新枝下部聚生成穗状。球果卵形或圆卵形，长 4 ～ 9 cm，有短柄，向下弯垂，成熟前绿色，成熟时淡黄色或淡褐黄色，常宿存树上近数年之久；种子卵圆形或长卵圆形，淡褐色有斑纹。花期 4 ～ 5 月，球果 10 月成熟。

| 生境分布 | 生于海拔 100 ～ 1 800 m 的土层深厚、排水良好的酸性土、中性土或钙质黄土中。湖南各地均有分布。

| 资源情况 | 野生资源较少。药材来源于野生。

| 采收加工 | **松香**：5 ～ 10 月采收，选直径 20 ～ 50 cm 的松树，在距地面 2 m 高的树干处开割口，开割口前先要刮去粗皮，不要损伤木质部，刮面长 50 ～ 60 cm，宽 25 ～ 40 cm，在刮面中央开长 35 ～ 50 cm、宽 1 ～ 1.3 cm、深入木质部 1 ～ 1.2 cm 的中沟，中沟基部装 1 受脂器，自中沟割另 1 对侧沟，收集油树脂。

松花粉：春季花刚开时采摘花穗，晒干，收集花粉，除去杂质。

松叶：全年均可采收，以腊月采者最好，晒干。

油松节：全年均可采收，阴干。

松球：春末夏初采集，鲜用或干燥。

松根：全年均可采挖，或剥取根皮，洗净，切段或片，晒干。

| 药材性状 | **松香**：本品呈透明或半透明的不规则块状物，大小不等，浅黄色至深棕色。质地较脆，破碎面平滑，有玻璃样光泽，气微弱。遇热融化，燃烧产生黄棕色浓烟。

松花粉：本品为淡黄色的细粉。体轻，易飞扬，手捻有滑润感。气微，味淡。

松叶：本品呈针状，长 10 ～ 15 cm，直径约 0.1 cm，基部有长约 0.5 cm 的鞘，叶片深绿色或枯绿色，表面光滑，中央有 1 细沟。质脆。气微香，味微苦、涩。

油松节：本品呈扁圆的节段状或不规则的块状，长短粗细不一。外表面黄棕色、灰棕色或红棕色，有时带有棕色至黑棕色的油斑，或有残存的栓皮。质坚硬。横截面木部淡棕色，心材色稍深，可见明显的年轮环纹，显油性；髓部小，淡黄棕色。纵断面具纵直或扭曲的纹理。有松节油的香气，味微苦、辛。

| 功能主治 | **松香**：苦、甘，温。归肝、脾经。祛风燥湿，排脓拔毒，生肌止痛。用于痈疽恶疮、瘰疬，瘘证，疥癣，白秃，疠风，痹证，金疮，扭伤，带下，血栓闭塞性脉管炎。

松花粉：甘，温。归肝、脾经。燥湿，收敛止血。用于湿疹，黄水疮，皮肤糜烂，脓水淋漓，外伤出血，尿布性皮炎。

松叶：苦，温。归心、脾经。祛风燥湿，杀虫止痒，活血安神。用于风湿痿痹，脚气病，湿疮，癣，风疹瘙痒，跌打损伤，神经衰弱，慢性肾小球肾炎，高血压；预防流行性乙型脑炎，流行性感冒。

油松节：苦、辛，温。归肝、肾经。祛风除湿，舒筋通络，活血止痛。用于风寒湿痹，历节风痛，脚痹痿软，跌打伤痛。

松球：甘、苦，温。归肺、大肠经。祛风除痹，化痰止咳平喘，利尿，通便。用于风寒湿痹，白癜风，慢性支气管炎，淋浊，便秘，痔疮。

松树皮：苦、涩，温。收敛，生肌。外用于烫火伤，小儿湿疹。

松根：苦，温。归肺、胃经。祛风除湿，活血止血。用于风湿痹痛，风疹瘙痒，带下，咳嗽，跌打吐血，风虫牙痛。

| 用法用量 | **松香**：内服煎汤，5～15 g；或入丸、散剂；或浸酒。外用适量，入膏药剂；或研末敷。

松花粉：内服煎汤，3～9 g；或冲服。外用适量，干品研末撒；或调敷。

松叶：内服煎汤，6～15 g，鲜品 30～60 g；或浸酒。外用适量，鲜品捣敷；或煎汤洗。

油松节：内服煎汤，10～15 g；或浸酒；或浸醋。外用适量，浸酒涂；或炒制品研末调敷。

松球：内服煎汤，9～15 g；或入丸、散剂。外用适量，鲜品捣汁搽；或煎汤洗。

松树皮：外用适量，焙干研末，用香油调搽；或煎汤洗。

松根：内服煎汤，30～60 g。外用适量，鲜品捣敷；或煎汤洗。

| 附　注 | 本种为我国特有树种。

松科 Pinaceae 松属 Pinus

黄山松
Pinus taiwanensis Hayata

| 药 材 名 | 松叶（药用部位：针叶。别名：猪鬃松叶、松毛、松针）。

| 形态特征 | 乔木，高达 30 m，胸径 80 cm。树皮深灰褐色，裂成不规则的鳞状厚块片或薄片。枝平展，老树树冠平顶。针叶 2 针 1 束，稍硬直，长 5 ~ 13 cm，多为 7 ~ 10 cm，边缘有细锯齿，两面有气孔线；叶鞘初呈淡褐色或褐色，后呈暗褐色或暗灰褐色，宿存。雄球花圆柱形，淡红褐色，聚生于新枝下部，呈短穗状。球果卵圆形，几无柄，向下弯垂，成熟前绿色，成熟时褐色或暗褐色，后渐变为暗灰褐色，常在树上宿存 6 ~ 7 年；中部种鳞近矩圆形，近鳞盾下部稍窄，基部楔形，鳞盾稍肥厚，隆起，近扁菱形，横脊显著，鳞脐具短刺；种子倒卵状椭圆形，具不规则的红褐色斑纹，长 4 ~ 6 mm，连翅长 1.4 ~ 1.8 cm。花期 4 ~ 5 月，球果 10 月成熟。

| 生境分布 | 生于海拔 600 ~ 1 800 m 的山地，土层深厚、排水良好的酸性土壤及向阳山坡。分布于湖南张家界（武陵源）、郴州（桂阳）、怀化（洪江）等。 |

| 资源情况 | 野生资源稀少。药材来源于野生。 |

| 采收加工 | 全年均可采收，以腊月采者最好，鲜用或晒干。 |

| 药材性状 | 本品呈针状，基部有长约 0.5 cm 的鞘，叶片深绿色或枯绿色，表面光滑，中央有 1 细沟。质脆。气微香，味微苦、涩。 |

| 功能主治 | 苦，温。归心、脾经。祛风燥湿，杀虫止痒，活血安神。用于风湿痿痹，脚气病，湿疮，癣，风疹瘙痒，跌打损伤，神经衰弱，慢性肾小球肾炎，高血压；预防流行性乙型脑炎，流行性感冒。 |

| 用法用量 | 内服煎汤，6 ~ 15 g，鲜品 30 ~ 60 g；或浸酒。外用适量，鲜品捣敷；或煎汤洗。 |

| 附　注 | 本种为我国特有树种。 |

松科 Pinaceae 松属 Pinus

黑松
Pinus thunbergii Parl.

| 药 材 名 | 松花粉（药用部位：花粉。别名：松黄、松粉、松花）、松叶（药用部位：针叶。别名：猪鬃松叶、松毛、松针）。

| 形态特征 | 乔木，高达 30 m，胸径可达 2 m。幼树树皮暗灰色，老时灰黑色，粗厚，开裂，呈块片状脱落；枝条开展，树冠宽圆锥状或伞形；一年生枝淡褐黄色，无毛。针叶 2 针 1 束，深绿色，有光泽，粗硬，长 6 ~ 12 cm，直径 1.5 ~ 2 mm，边缘有细锯齿。雄球花淡红褐色，圆柱形，聚生于新枝下部；雌球花单生或 2 ~ 3 聚生于新枝近先端，直立，有梗，卵圆形，淡紫红色或淡褐红色。球果成熟前绿色，成熟时褐色，圆锥状卵圆形或卵圆形，有短柄，向下弯垂；中部种鳞卵状椭圆形，鳞盾微肥厚，横脊显著，鳞脐微凹，有短刺；种子倒卵状椭圆形，长 5 ~ 7 mm，直径 2 ~ 3.5 mm，连翅长 1.5 ~ 1.8 cm，

种翅灰褐色，有深色条纹。花期 4 ～ 5 月，种子 10 月成熟。

| 生境分布 | 生于丘陵岗地、低山。分布于湖南郴州（汝城）、怀化（中方）、湘西州（永顺）等。

| 资源情况 | 野生资源稀少。药材来源于野生。

| 采收加工 | **松花粉：**春季开花期间采收雄花穗，晾干，搓下花粉，过筛，收取细粉，晒干。
松叶：全年均可采收，以腊月采者最好，晒干。

| 药材性状 | **松花粉：**本品为淡黄色的细粉。质轻易飞扬，手捻有滑润感，不沉于水。气微香，有油腻感。以匀细、色淡黄、流动性较强者为佳。
松叶：本品呈针状，基部有长约 0.5 cm 的鞘，叶片深绿色或枯绿色，表面光滑，中央有 1 细沟。质脆。气微香，味微苦、涩。

| 功能主治 | **松花粉：**甘，温。归肝、脾经。燥湿，收敛止血。用于湿疹，黄水疮，皮肤糜烂，脓水淋漓，外伤出血，尿布性皮炎。
松叶：苦，温。归心、脾经。祛风燥湿，杀虫止痒，活血安神。用于风湿痿痹，脚气病，湿疮，癣，风疹瘙痒，跌打损伤，神经衰弱，慢性肾小球肾炎，高血压；预防流行性乙型脑炎，流行性感冒。

| 用法用量 | **松花粉：**内服煎汤，3 ～ 9 g；或冲服。外用适量，干撒；或调敷。
松叶：内服煎汤，6 ～ 15 g，鲜品 30 ～ 60 g；或浸酒。外用适量，鲜品捣敷；或煎汤洗。

松科 Pinaceae 金钱松属 Pseudolarix

金钱松 Pseudolarix amabilis (Nelson) Rehd.

| 药 材 名 | 土荆皮（药用部位：根皮或近根树皮）、金钱松叶（药用部位：枝叶。别名：金钱松枝叶）。

| 形态特征 | 乔木，高达40 m，胸径达1.5 m。树皮粗糙，灰褐色，裂成不规则的鳞片状块片。树冠宽塔形。叶条形，柔软，镰状或直，上部稍宽，长2～5.5 cm，宽1.5～4 mm，先端锐尖或尖；长枝上的叶呈辐射状伸展，短枝上的叶呈簇状密生，平展成圆盘形，秋后叶呈金黄色。雄球花黄色，圆柱状，下垂；雌球花紫红色，椭圆形，直立。球果卵圆形或倒卵圆形，成熟时淡红褐色；中部的种鳞卵状披针形，两侧耳状，先端钝，有凹缺，腹面种翅痕之间有凸起的纵脊，脊上密生短柔毛，鳞背光滑无毛；苞鳞长为种鳞的1/4～1/3，卵状披针形，边缘有细齿；种子卵圆形，白色，种翅三角状披针形，淡黄色或淡

褐黄色，上面有光泽，连同种子几乎与种鳞等长。花期 4 月，果实 10 月成熟。

| 生境分布 | 生于海拔 100 ～ 1 500 m 的山地针阔叶混交林中。湖南各地均有分布。

| 资源情况 | 野生资源较少。药材来源于野生。

| 采收加工 | 土荆皮：夏季剥取，晒干。

金钱松叶：全年均可采收，鲜用。

| 药材性状 | 土荆皮：本品根皮呈不规则的长条状，扭曲而稍卷，大小不一，厚 2 ～ 5 mm；外表面灰黄色，粗糙，有皱纹及灰白色的横向皮孔，粗皮常呈鳞片状剥落，剥落处红棕色；内表面黄棕色至红棕色，平坦，有细致的纵向纹理；质韧，折断面呈裂片状，可层层剥离；气微，味苦而涩。树皮呈板片状，厚约 8 mm，粗皮较厚，外表面龟裂状，内表面较粗糙。

| 功能主治 | 土荆皮：辛，温；有毒。归肺、脾经。杀虫，止痒。用于疥癣瘙痒。

金钱松叶：苦，微温。祛风，利湿，止痒。用于风湿痹痛，湿疹瘙痒。

| 用法用量 | 土荆皮：外用适量，浸醋或浸酒涂擦；或研末调涂。

金钱松叶：外用适量，捣敷；或煎汤洗。

| 附　注 | 本种为我国特有树种。

松科 Pinaceae 黄杉属 Pseudotsuga

黄杉

Pseudotsuga sinensis Dode

| 药 材 名 |

黄杉（药用部位：枝叶）。

| 形态特征 |

乔木，高达 50 m，胸径达 1 m。幼树树皮淡
灰色，老则灰色或深灰色，裂成不规则的厚
块片。叶条形，排列成 2 列，长 1.3 ~ 3（多
为 2 ~ 2.5）cm，宽约 2 mm，先端钝圆，
有凹缺，基部宽楔形，上面绿色或淡绿色，
下面有 21 白色的气孔带。球果卵圆形或椭
圆状卵圆形，近中部宽，两端微窄，成熟前
微被白粉；中部种鳞近扇形或扇状斜方形，
上部宽圆形，基部宽楔形，两侧有凹缺，鳞
背露出部分密生褐色短毛；苞鳞露出部分向
后反伸，中裂窄三角形，侧裂三角状，微圆，
较中裂短，边缘常有缺齿；种子三角状卵圆
形，微扁，长约 9 mm，上面密生褐色短毛，
下面具不规则的褐色斑纹，种翅较种子长，
先端圆，种子连翅稍短于种鳞。花期 4 月，
球果 10 ~ 11 月成熟。

| 生境分布 |

生于海拔 1 500 ~ 2 000 m 的黄壤土或棕色
森林土地带。分布于湖南永州（双牌）、湘
西州（古丈、永顺）等。

| 资源情况 | 野生资源稀少。药材来源于野生。

| 功能主治 | 祛风除湿。

| 附　　注 | 本种为我国特有树种。

长苞铁杉

Tsuga longibracteata Cheng

| 药 材 名 | 长苞铁杉（药用部位：根皮。别名：贵州杉、铁油杉）。

| 形态特征 | 乔木，高达 30 m，胸径达 115 cm。树皮暗褐色，纵裂；一年生小枝干时淡褐黄色或红褐色，光滑无毛，二、三年生枝呈褐灰色、褐色或深褐色，侧枝生长缓慢，基部有宿存的芽鳞；冬芽卵圆形，先端尖，无毛，无树脂，基部芽鳞的背部具纵脊。叶辐射伸展，条形，直，长 1.1 ~ 2.4 cm，多为 2 cm，宽 1 ~ 2.5 mm，多为 2 mm，上部微窄或渐窄，先端尖或微钝，上面平或下部微凹，有 7 ~ 12 气孔线，微具白色粉，下面中脉隆起、沿脊有凹槽，两侧各有 10 ~ 16 灰白色的气孔线，基部楔形，渐窄成短柄，柄长 1 ~ 1.5 mm。球果直立，圆柱形，长 2 ~ 5.8 cm，直径 1.2 ~ 2.5 cm；中部种鳞近斜方形，长 0.9 ~ 2.2 cm，宽 1.2 ~ 2.5 cm，先端宽圆，中部急缩，中上部两

侧突出，基部两边耳形，鳞背露出部分无毛，有浅条槽，成熟时深红褐色；苞鳞长匙形，上部宽，边缘有细齿，先端有渐尖或微急尖的短尖头，微露出；种子三角状扁卵圆形，长 4 ～ 8 mm，下面有数枚淡褐色油点，种翅较种子为长，先端宽圆，近基部的外侧微增宽。花期 3 月下旬～ 4 月中旬，果期 10 月。

| 生境分布 | 生于海拔 300 ～ 1 800 m 的气候温暖、湿润、云雾多、气温高的酸性红壤或黄壤地带。分布于湖南湘西州（永顺）、邵阳（洞口、新宁、城步、绥宁）、永州（道县、江永）、郴州（宜章）、娄底（新化）等。

| 资源情况 | 野生资源稀少。药材来源于野生。

| 功能主治 | 用于接骨。

杉科 Taxodiaceae 柳杉属 Cryptomeria

柳杉

Cryptomeria fortunei Hooibrenk ex Otto et Dietr.

药材名

柳杉（药用部位：根皮或树皮）、柳杉叶（药用部位：枝叶）。

形态特征

乔木，高达 40 m，胸径超过 2 m。树皮红棕色，纤维状，裂成长条片，脱落。大枝近轮生，平展或斜展；小枝细长，常下垂，绿色。枝条中部的叶较长，常向两端逐渐变短；叶钻形，略向内弯曲，先端内曲，四边有气孔线，长 1 ~ 1.5 cm；果枝的叶通常较短，有时长小于 1 cm；幼树及萌芽枝的叶长达 2.4 cm。雄球花单生于叶腋，长椭圆形，集生于小枝上部，呈短穗状花序状；雌球花顶生于短枝上。球果圆球形或扁球形；种鳞 20 左右，上部有 4 ~ 5（很少 6 ~ 7）短三角形裂齿，鳞背中部或中下部有一三角状分离的苞鳞尖头；能育的种鳞有 2 种子；种子褐色，近椭圆形，扁平，长 4 ~ 6.5 mm，宽 2 ~ 3.5 mm，边缘有窄翅。花期 4 月，球果 10 月成熟。

生境分布

生于海拔 1 100 m 以下的地带。湖南各地均有分布。

资源情况	野生资源一般，栽培资源丰富。药材来源于栽培。
采收加工	**柳杉**：根皮，全年均可采收，去栓皮；树皮，春、秋季采剥，切片，鲜用或晒干。
	柳杉叶：春、秋季采摘，鲜用或晒干。
功能主治	**柳杉**：苦、辛，寒。解毒，杀虫，止痒。用于癣疮，鹅掌风，烫伤。
	柳杉叶：清热解毒。用于痈疽疮毒。
用法用量	**柳杉**：外用适量，捣敷；或煎汤洗。
	柳杉叶：外用适量，捣敷；或煎汤洗。
附　　注	本种为我国特有树种。

杉科 Taxodiaceae 柳杉属 Cryptomeria

日本柳杉

Cryptomeria japonica (Thunb. ex L. f.) D. Don

| 药 材 名 |

柳杉皮（药用部位：树皮）。

| 形态特征 |

乔木，高达 40 m，胸径可超过 2 m。树皮红褐色，纤维状，裂成条片状，脱落；大枝常轮状着生，水平开展或微下垂，树冠尖塔形；小枝下垂，当年生枝绿色。叶钻形，直伸，先端通常不内曲，锐尖或尖，长0.4 ~ 2 cm，基部背腹宽约 2 mm，四面有气孔线。雄球花长椭圆形或圆柱形；雄蕊有4 ~ 5 花药，药隔三角状；雌球花圆球形。球果近球形，稀微扁，直径 1.5 ~ 2.5 cm；种鳞 20 ~ 30，上部通常 4 ~ 5（~ 7）深裂，裂齿较长，窄三角形，鳞背有一三角状分离的苞鳞尖头，先端通常向外反曲，能育种鳞有 2 ~ 5 种子；种子棕褐色，椭圆形或不规则的多角形，长 5 ~ 6 mm，直径 2 ~ 3 mm，边缘有窄翅。花期 4 月，果实 10 月成熟。

| 生境分布 |

生于海拔 1 800 m 以下的岗地、低山、丘陵的林缘、山坡。湖南各地均有分布。

| 资源情况 | 栽培资源丰富。药材来源于栽培。

| 功能主治 | 苦，寒。解毒，杀虫。用于癣疮，痈疽。

| 附　　注 | 本种原产于日本。

杉科 Taxodiaceae 杉木属 Cunninghamia

杉木

Cunninghamia lanceolata (Lamb.) Hook.

药材名

杉木油（药用部位：木材所沥出的油脂。别名：杉树油、杉木脂、杉树脂）、杉木根（药用部位：根、根皮。别名：杉树根）、杉木节（药用部位：枝干上的结节。别名：杉节）、杉材（药用部位：心材、树枝。别名：杉材木）、杉皮（药用部位：树皮。别名：杉木皮）。

形态特征

乔木，高达 30 m，胸径 2.5 ~ 3 m。树皮灰褐色，裂成长条片，脱落，内皮淡红色。叶在主枝上呈辐射状伸展；侧枝的叶基部扭转成二列状，披针形或条状披针形，通常微弯，呈镰状，革质，坚硬，长 2 ~ 6 cm，宽 3 ~ 5 mm，边缘有细缺齿，先端渐尖。雄球花圆锥状，长 0.5 ~ 1.5 cm，有短梗，通常 40 余簇生于枝顶；雌球花单生或 2 ~ 3（~ 4）集生，绿色，苞鳞横椭圆形，先端急尖，上部边缘膜质，有不规则的细齿。球果卵圆形，熟时苞鳞革质，棕黄色，三角状卵形，先端有坚硬的刺状尖头，边缘有不规则的锯齿，向外反卷或不反卷。种子扁平，遮盖着种鳞，长卵形或矩圆形，暗褐色，有光泽，两侧边缘有窄翅。花期 4 月，果实 10 月下旬成熟。

| 生境分布 | 生于海拔 1 800 m 以下的岗地、丘陵、低山、中山的林缘、山坡。湖南各地均有分布。

| 资源情况 | 栽培资源丰富。药材来源于栽培。

| 采收加工 | **杉木油**：全年均可采收，先用绳子把碗口扎成"十"字形，于碗口处盖卫生纸，上放杉木锯末，堆成塔状，从尖端点燃杉木，烧至接近卫生纸时，除去灰烬和残余锯末，收集碗中液体。

杉木根：全年均可采收，鲜用或晒干。

杉木节：全年均可采收，鲜用或晒干。

杉材：全年均可采收，鲜用或晒干。

杉皮：全年均可采剥，鲜用或晒干。

| 药材性状 | **杉皮**：本品呈板片状或扭曲的卷状，大小不一，外表面灰褐色或淡褐色，具粗糙的裂纹，内表面棕红色，稍光滑。干皮较厚，枝皮较薄。气微，味涩。

| 功能主治 | **杉木油**：苦、辛，微温。利尿排石，消肿杀虫。用于淋证，尿路结石，遗精，带下，顽癣，疔疮。

杉木根：辛，微温。祛风利湿，行气止痛，理伤接骨。用于风湿痹痛，胃痛，疝气痛，淋病，带下，血瘀崩漏，痔疮，骨折，脱臼，刀伤。

杉木节：辛，微温。祛风止痛，散湿毒。用于风湿关节疼痛，胃痛，脚气肿痛，带下，跌打损伤，臁疮。

杉材：辛，微温。归肺、脾、胃经。辟恶除秽，除湿散毒，降逆气，活血止痛。用于脚气肿满，奔豚，霍乱，心腹胀痛，风湿毒疮，跌打肿痛，创伤出血，烫火伤。

杉皮：辛，微温。利湿，消肿解毒。用于水肿，脚气病，漆疮，流火，烫伤，金疮出血，毒虫咬伤。

| 用法用量 | **杉木油**：内服煎汤，3 ~ 20 g；或冲服。外用适量，搽患处。

杉木根：内服煎汤，30 ~ 60 g。外用适量，捣敷；或烧存性，研末调敷。

杉木节：内服煎汤，10 ~ 30 g；或入散剂；或浸酒。外用适量，煎汤浸泡；或烧存性，研末调敷。

杉材：内服煎汤，15 ~ 30 g。外用适量，煎汤熏洗；或烧存性，研末调敷。

杉皮：内服煎汤，10 ~ 30 g。外用适量，煎汤熏洗；或烧存性，研末调敷。

杉科 Taxodiaceae 水松属 Glyptostrobus

水松 Glyptostrobus pensilis (Staunt.) Koch

药 材 名

水松枝叶（药用部位：枝叶。别名：水松须、水松叶）、水松球果（药用部位：球果。别名：水松果）、水松皮（药用部位：树皮。别名：水松树皮）。

形态特征

乔木，高 8 ~ 10 m，稀高达 25 m。生于湿生环境者，树干基部膨大成柱槽状，有伸出土面或水面的吸收根，柱槽高超过 70 cm。叶多型；鳞形叶较厚或背腹隆起，螺旋状着生于多年生或当年生的主枝上，冬季不脱落；条形叶两侧扁平，薄，常排成 2 列，先端尖，基部渐窄；条状钻形叶两侧扁，背腹隆起，先端渐尖或尖钝，微向外弯，呈辐射状伸展或列成三列状；条形叶及条状钻形叶均于冬季连同侧生短枝一同脱落。球果倒卵状圆形；种鳞木质，扁平，中部者倒卵形，基部楔形，先端圆，鳞背近边缘处有 6 ~ 10 微向外反卷的三角状尖齿；苞鳞与种鳞几全部合生，位于种鳞背面的中上部；种子椭圆形，稍扁，褐色，下端有长翅。花期 1 ~ 2 月，球果秋后成熟。

| 生境分布 | 生于池边。湖南长沙有分布。

| 资源情况 | 栽培资源一般。药材来源于栽培。

| 采收加工 | **水松枝叶**：全年均可采收，鲜用或晒干。
水松球果：秋、冬季采摘，阴干。
水松皮：全年均可采剥，鲜用或晒干。

| 药材性状 | **水松枝叶**：本品小枝呈圆柱形，具鳞形叶或钻形叶，紧密排列。鳞形叶小，长约 4 mm；钻形叶稍大，长 6 ~ 10 mm，绿色或枯绿色，羽状排列。质稍硬。气微香，味微涩。
水松球果：本品呈倒卵状圆形，长约 2 cm。绿棕色或棕色。种鳞木质，大小不等，螺旋形层状排列；最下层种鳞扁平肥厚，背部上缘有 6 ~ 10 微向外反卷的三角状尖齿，近中部有一反曲的尖头。种鳞间有种子，种子基部有长翅。气微香，味涩。

| 功能主治 | **水松枝叶**：苦，温。祛风湿，通络止痛，杀虫止痒。用于风湿骨痛，高血压，腰痛，皮炎。
水松球果：苦，平。理气止痛。用于胃痛，疝气痛。
水松皮：苦，平。杀虫止痒，去火毒。用于水泡疮，烫火伤。

| 用法用量 | **水松枝叶**：内服煎汤，15 ~ 30 g。外用适量，煎汤洗；或捣敷。
水松球果：内服煎汤，15 ~ 30 g。
水松皮：外用适量，煎汤洗；或煅炭，研末调敷。

| 附　　注 | 本种为我国特有树种。

杉科 Taxodiaceae 水杉属 Metasequoia

水杉 Metasequoia glyptostroboides Hu et Cheng

| 药 材 名 |

水杉（药用部位：叶、果实）。

| 形态特征 |

乔木，高达 35 m，胸径达 2.5 m。树干基部常膨大；树皮灰色、灰褐色或暗灰色。叶条形，长 0.8 ~ 3.5（常 1.3 ~ 2）cm，宽 1 ~ 2.5（常 1.5 ~ 2）mm，沿中脉有 2 较边带稍宽的淡黄色气孔带，气孔带有 4 ~ 8 气孔线；叶在侧生小枝上列成 2 列，羽状，冬季与枝一同脱落。球果下垂，近四棱状球形或矩圆状球形，成熟前绿色，成熟时深褐色，有对生的条形叶；种鳞木质，盾形，通常 11 ~ 12 对，交叉对生，鳞顶扁菱形，中央有 1 横槽，基部楔形，高 7 ~ 9 mm，能育种鳞有 5 ~ 9 种子；种子扁平，倒卵形、圆形或矩圆形，周围有翅，先端有凹缺，长约 5 mm，直径 4 mm。花期 2 月下旬，果实 11 月成熟。

| 生境分布 |

生于路旁、丘陵、山坡。湖南各地均有分布。

| 资源情况 |

栽培资源丰富。药材来源于栽培。

| **功能主治** | 清热解毒，消炎止痛。用于痈疮肿毒，癣疮。

| **附　　注** | 本种为我国特有树种。

杉科 Taxodiaceae 落羽杉属 *Taxodium*

落羽杉
Taxodium distichum (L.) Rich.

| 药 材 名 | 落羽杉种子（药用部位：种子）。

| 形态特征 | 落叶乔木，高达 50 m，胸径可达 2 m。树干尖削度大，干基通常膨大，常有屈膝状的呼吸根；树皮棕色，裂成长条片，脱落；枝条水平开展，幼树树冠圆锥形，老则呈宽圆锥状。叶条形，扁平，基部扭转，在小枝上排成 2 列，羽状，长 1 ~ 1.5 cm，宽约 1 mm，先端尖，上面中脉凹下，淡绿色，下面黄绿色或灰绿色，中脉隆起，每边有 4 ~ 8 气孔线，凋落前变成暗红褐色。雄球花卵圆形，有短柄，在小枝先端排列成总状花序状或圆锥花序状。球果球形或卵圆形，有短柄，向下斜垂，成熟时淡褐黄色，有白粉，直径约 2.5 cm；种鳞木质，盾形，顶部有明显或微明显的纵槽；种子呈不规则三角形，有锐棱，长 1.2 ~ 1.8 cm，褐色。果实 10 月成熟。

| 生境分布 | 生于路旁、丘陵、山坡。湖南各地均有分布。

| 资源情况 | 栽培资源丰富。药材来源于栽培。

| 功能主治 | 抗肿瘤。用于鼻咽癌。